后现代主义陶瓷

后现代主义陶瓷

［美］马克·德尔·维奇奥（Mark Del Vecchio）　著
陈光辉　译

上海科学技术出版社

图书在版编目（CIP）数据

后现代主义陶瓷 / (美) 马克・德尔・维奇奥 (Mark Del Vecchio) 著 ; 陈光辉译. -- 上海 : 上海科学技术出版社, 2023.7
（灵感工匠系列）
书名原文: Postmodern Ceramics
ISBN 978-7-5478-6197-4

Ⅰ. ①后… Ⅱ. ①马… ②陈… Ⅲ. ①陶瓷艺术一研究 Ⅳ. ①J537

中国国家版本馆CIP数据核字(2023)第113928号

后现代主义陶瓷

［美］马克・德尔・维奇奥（Mark Del Vecchio）著
陈光辉 译

上海世纪出版（集团）有限公司
上 海 科 学 技 术 出 版 社 出版、发行
（上海市闵行区号景路159弄A座9F-10F）
邮政编码201101 www.sstp.cn
山东韵杰文化科技有限公司印刷
开本 889×1194 1/16 印张 14.5
字数 415千字
2023年7月第1版 2023年7月第1次印刷
ISBN 978-7-5478-6197-4 / J・78
定价：198.00元

本书献给我的父母：安东尼・德尔・维奇奥（Anthony Del Vecchio）和凯瑟琳・德尔・维奇奥（Katharine Del Vecchio），感谢他们对我终生的爱与支持。

以下是每章前页作品的详细信息：

前页（P2）：
中村锦平（Kohei Nakamura）
《被奇怪挤压过的教堂》，1991

后页（P5） 波蒂尔・曼兹（Bodil Manz）
《简形》，1995

第二章 沃特・达姆（Wouter Dam）
《蓝形》，2000

第三章 拉尔夫・巴塞拉（Ralph Bacerra）
《盘子——无题》，1988

第四章 格温・汉森・皮戈特（Gwyn Hanssen Pigott）
《静物2#》，1995

第五章 芭波斯・海恩（Babs Haenen）
《阿纳卡普里斯山》，1993

第六章 陈景亮（Ah Leon）
《竖木茶壶》，1992

第七章 理查德・诺金（Richard Nolkin）
《宜兴系列：头骨的金字塔：看似聪明的军事3》，1989

第八章 科尔特・魏兹（Kurt Weiser）
《有盖的容器》，1992

第九章 高森晓夫（Akio Takamori）
《折翅的天使（致敬杜安・米肖）》，1990

第十章 库库里・维拉德（Kukuli Velarde）
《我的伊查普图》，1998

第十一章 肯・普莱斯（Ken Price）
《绿色涌动》，1996

第十二章 史蒂文・蒙哥马利（Steven Montgomery）
《热衰退》，1999

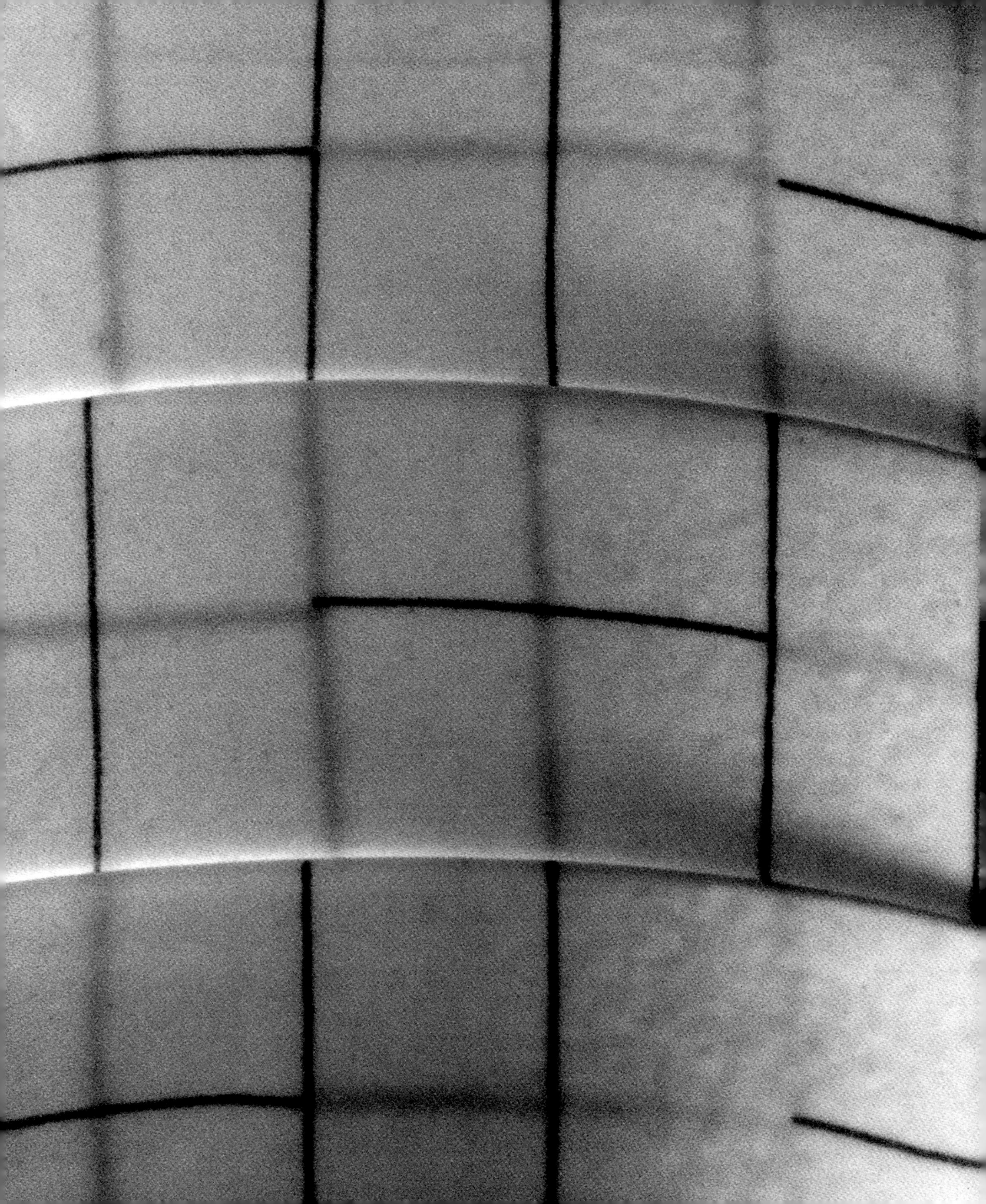

译者序

Postmodern Ceramics是本书的标题，对于如何翻译这一词组，尤其是翻译Ceramics一词颇费了一番周折。Ceramic是宏观的“陶瓷”概念，但本书的内容是关于“陶瓷艺术”。如果将Ceramics翻译成“陶艺”，就又会丢失本书中不同艺术家所讲到的包括历史、科技、事件和文明等全方位的“陶瓷”概念。权衡再三，为了聚焦本书内容，选择了使用“后现代主义陶瓷”作为本书的书名。但这也这说明对“后”“现代”“陶瓷”每一个名词（字）的理解都很开放，将三者合在一起的结果，要不就是将其包含的概念进行几何级数的增加，任何人任何事都可以被安插在这一巨大的“帐篷”下；要不就是从三个不同的领域中找出一个微妙的重合区域，这个区域必定很狭窄、也不固定，需要具备一种“捕捉”的认知和执行能力。

但为什么两种结果产生出巨大的误差？原因是何？重点应该就在于对“后现代陶瓷”这一由三个名词（字）构成的概念的理解不同。如果你原本就身处在这三个领域（尤其是陶瓷领域）之中，后现代观念的加入可能会让你觉得可以为所欲为，既可以强调原本师徒传承的谱系，也可以强调文化圈历史，还可以用陶瓷作为一个放大镜去覆盖整个世界，通过转义一切让自己在这个流动不居的后现代领域中立于不败之地，最终创造出一个使文化间小族群混合生存有着合法性的跨文化的“克里奥尔化”[1]（Creolization）现象，成为人类学家布鲁诺·拉图尔（B. Latour）眼中无所不能的现代人。可能你真觉得只要成为一个“后人类”，就可以纵身跳进陶瓷所有的历史和生产中，似乎陶瓷所有的历史和所有的制作地都为你开放，但这

---

1 克里奥尔化是多种文明融合创生新文明的现象，其来源是指在南美洲出生的西班牙后裔，这些人并不是当地的土族，但也不属于西班牙人，而是一种混合的人群类别。克里奥尔化现多为语言术语，指将两种语言合并成一种混合方言。

个一厢情愿的设想场景更可能只是一个假象，或者是一个白日梦。在后现代领域一切都变得开放不假，但关键是你会是一个合格的后现代主义者吗？你的理念和视角能够在这种开放的语境中提供一种能自圆其说的批评逻辑吗？古埃及、古犹太及古印度神话里都有咬着自己尾巴的象征永恒和无限的环形蛇“乌洛波洛斯”（Ouroboros），现在，好像蛇已经咬着自己的尾巴了，但它会跑掉吗？

如果你是一个现代主义者，事情开始变得有点复杂，你对陶瓷所有的兴趣最后可能都会终止在一种你极力需要避免的审美中。不是陶瓷无法做到，而是陶瓷总是会关联起记忆、文化、象征之类的现代主义极力要避免的玩意儿，如果你想把陶瓷纯粹看作一种材料，你会发现，和水泥、金属等相比，无论在成型还是在技术成本等方面它都更有优势、更不需要背景和象征。陶瓷纯粹的材料性很弱，除非你把泥土自身的象征带进来。在现代主义手工艺运动150年的大部分时间里，陶瓷其实一直在与一种衰弱的状况作斗争。早期的工匠大多是农村和下层工人阶级，但现代主义运动的成员是中产和上层阶级。因此，两者结合就需要一些东西来说明“不仅仅是手工艺”，这时“艺术”这个词发挥了作用。艺术和手工艺奇怪而不愉快的共舞就开始了。尽管现代主义看似将陶瓷与工业的矛盾和个人自由表达解放了出来，但现代主义同时也把陶瓷历史中的文化、时间、装饰、技艺及围绕在其中物质和非物质因素消解了，希望能通过纯粹的形式、抽象的概念及消解意义，创建出一个全新的可能物。在某种程度上，这是现代主义对历史的厌恶。“历史循环论确实导致了大量无意识、颓废的艺术和装饰的出现，这种历史品味随着工业品生产者对大量以往风格物仿制生产能力的提高而日显其顽劣。因此，现代主义者故意禁止直接引用过去的主张是可以理解和必要的。”——加思·克拉克（G. Clark）。但这种纯粹的现代主义所提倡的全球化所导致的污染、人文自然生态的恶化，以及信息和网络媒介形式快速变化的兴起等，在新的一代人中，很快就以一种多元文化的方式逐步成为话语的主流，后现代开始了。

但后现代陶瓷是什么？在后现代艺术已经成为一种普及的现象时，将“后现代”这一面罩罩在“陶瓷”之上会不会是一个蹭热度、赶潮流的命题。站在今天看，仅仅只存在于这个时代的短暂的“后现代”这一纬线，必然会与有着上万年陶瓷历史的经线产生一个交集点，但这只是一种几何学的必然关系，就像任何其他人类的生活方式都会和观念上的“后现代”产生关系一样。除此之外，它们会不会还有其他的关系？或者说它们是否有着某种特殊或必然的“亲密关系”，而不是仅仅成为被“后现代”这一取景框随意抓取的对象？思考这一关系可能会涉及“凝视”［由让-吕克·南希（Jean-Luc Nancy）发展而来的］这一后现代式的分析语法。

术语专家C. 鲍狄克（C. Baldick）将后现代主义称为自20世纪60年代以来发达资本主义社会盛行的一种文化状况：“碎片化感受的文化、怀旧风格的折中、一次性的消费模拟，以及混乱丰富的无深度表面”。克拉克在前言中引用了他的评注：“‘后’作为一个被后现代运动支持者们损坏的一个前缀，已经成为一个贬义词。尽管从高、低艺术的等级被这场运动拉平的事实中，我们似乎看到了某种救赎和平均主义，看到后现代的行动努力已经打破了艺术与工艺之间的分层界限，但同时也能感觉这个努力所付出的代价巨大。直到今天，后现代运动依然被看作‘一场消费资本主义以及信仰空虚者们的狂欢，只为了取悦这个学术名词，率意而不负责任地带来的社会后遗症’。”

但后现代还可以被理解为一种科学和信息的参与（递归与熵），后现代陶瓷是在重构多重现实，通过挑战陶艺家对手的神圣性的信仰，同时也挑战现代主义对原创概念的理解。在这里既会有书中提到的K. 普莱斯（K. Price）卡夫卡式的“恋物癖”世界，也有书中没有提到的女性主义艺术运动延续下来的J. 芝加哥（J. Chicago）的多样性视角；既有S. 蒙哥马利（S. Montgomery）伤感的工业哀歌，也会有M. 什库拉（M. Cecula）关注未来时态的人类处境。泥可以是一种萨克斯（A. Saxe）波普化的文化符号，也可以是一种秋山阳潜在能量的储蓄。但无论如何，后现代陶艺都会首先是一个克拉克所提到的“交错生态区”（Ecotone），然后由一个艺术家能自定义的价值创作作为支撑。

我们惯常使用的唯物论的二分法会将“错”与“对”、“主体”与“客体”等简化成对立关系，从而构成由神性、货币、时尚、艺术视角中的客体自然和由科学建构的客体社会，客体在前者中一文不值，而在后者里客体又太过强大，以至于塑造出了人类社会。法国人类学家拉图尔从对称人类学的模型中发现了这一点：“现代人总是同时完成两件事情：他们在将政治权力层面的关系与科学推理层面的关系区分开来的同时，却一方面继续用理性来支持权力，另一方面继续用权力来支持理性。他们已经战无不胜了……现代人觉得自己拥有了绝对的自由，他们完全可以不再恪守过去所带给他们的荒唐限制，这些限制要求他们必须虑及物和人之间的微妙的关系网络。但同时，他们却又将更多的物、更多的人纳入了考虑的范围……”[1]

这样看来，后现代就是在试图建构一个拉图尔所设想出的“拟客体”，一种不断增值的从超越“社会”和“科学”差异之分的现代维度，逐渐越过康德式的“分裂”、黑格尔的“矛盾”、现象学中无法克服的张力，再到哈贝马斯的“不可通约性”，最终到后现代人眼中的“超不可通约性”，从而达到有一种非现代维度。完成这种所谓拟客体的“纯化”的工作。

“后现代”和“陶瓷”两者都有一个可以被开放化解读的语境。组建这种“拟客体”并不容易，很容易重新回到主体和客体的两元论中，这也是为什么后现代陶艺看似容易，但实际创作时会有无从下手之感。关于后现代最重要的论述可以借鉴更有理论依据的建筑领域，因为这两门学科在原理上有诸多共同之处，它们都植根于实用艺术。今天我们会说后现代主义导致模仿，它丑陋、庸俗。但反过来还有一种事实，后现代主义使色彩、记忆和装饰在社会中复活，就像曾经的生命得以苏醒一般快乐，但后现代主义使身处其中的人各自不同、品行各异，它的理论太泛，所以它建立出艺术王国的次序自由无限，就像前言中埃里克·法尔尼（Eric Fernie）所言：“它代表着无原则的原则。”

似乎在现代主义的严苛和后现代主义的开放之间会有一个可以重叠的区域，但应该谨慎对待E. 罗斯坦（E. Rothstein）提出的这一概念，他认为“后现代主义很有可能成为现代主义的一个变体”（克拉克）。提出“后现代”这一现代概念的查尔斯·詹克斯（C. Jencks）也认为原先的现代主义已经恢复元气并开始以它一贯的进攻姿态出现。但为什么要谨慎对待这一概念的提出，这是因为在后现代之后，重新审视现代这一概念的人群，即使不是“后-后现代主义”，也不会是原先匆忙集结的现代主义人群。因为无论主义如何，今天的人群已经事实上成为了不可战胜的现代人。对这一特殊阶段的自以为是的人群而言，经历过粗糙和无所不能的“后现代主义”之后，他们自身似乎已经与“永

1 ［法］布鲁诺·拉图尔（Bruno Latour）著；《我们从未现代过：对称性人类学论集》. 刘鹏，安涅思译. 上海：上海文艺出版社，2022. P77，81.

恒”达成某些协议［参考齐格蒙特·鲍曼（Zygmunt Bauman）］的观点。拉图尔对此有精彩的剖析：

“您甚至都无法指责他们为无信仰主义者。如果您称他们为无神论者，他们会跟您谈论那遥不可及的、无穷远的、全能的上帝。如果您说这位被搁置一边的上帝仅仅是一个局外人，他们会告诉您上帝会在您内心的最深处发出声音。他们还会说，尽管拥有那么多的科学和政治，但他们从未放弃道德和信仰。如果面对这样一种对世界的运行方式或者社会的发展方向毫无影响的宗教，您表现出了惊讶之情，那么他们会告诉您，它有权对两者都做出评判。如果您要求他们一一列举出这些评判，他们将会抗议说，宗教绝对性地超越于科学和政治，它也不可能影响它们。当然，他们也可能会说，宗教是一种社会建构或者是一种神经元细胞的效应……”[1]

“我们不可能再继续后-后现代主义者的轻率旅行了。我们没有义务再去担当先锋队中的先锋队组织了，我们也无须费尽心力以使自己变得更加聪明，甚至更富批判性，抑或更加深入一个‘怀疑的时代’之中。”[2]

其实在这种后现代语境下的艺术家借用陶瓷材料创作的习惯由来已久，早至西班牙的安东尼·塔皮埃斯（A. Tapies），近有英国的安东尼·葛姆雷（A. Gormley）和美国的杰夫·昆斯（J. Koons）、中国艺术家刘建华等，很多当代艺术家已经把陶瓷作为一种重要的材料用在他们的主要作品中。但鉴于绝大部分的艺术活动只能持续7～10年的时间，后现代陶艺在运作了长达半个世纪之后，在今天会不会已经走到了尽头？对于这一命题，马克·德尔·维奇奥先生（Mark Del Vecchio）对来自全球25个国家130多位当代陶艺家的创作成就进行了调研，他的这本书是第一本直接将后现代陶艺作为一种讨论对象的文本和画册，为此他设定的参照标准是作品都来自20世纪80年代之后，即后现代主义的“美丽新时代”（Belle époque），其中包括阿德里安·萨克斯、贝蒂·伍德曼、高森晓夫等，作者分别将他（她）们归类到后现代陶艺的12个主题中呈现，其中最为精彩的就是将图案和装饰、抽象的有机体、历史、文化和时间、作为图像的器皿、抽象雕塑，以及后工业化等一些陶瓷与后现代文化之间最特殊同时也是最重要的产生关联的部分提取出来分析，其中有些特点甚至本身就构成了后现代艺术形成中的一些重要特质。作为作者的伙伴，同时也是世界上最重要的注重后现代理论分析的艺术历史学家，克拉克为本书撰写了精彩的前言，令人信服地演绎了这种携带巨大创造力和创新能量的后现代媒介是如何从陶瓷专属领域与现代主义之间那种实际存在的未完成、对立和令人沮丧的关系中解脱出来的。

我与本书作者维奇奥先生并不认识，但与为本书撰写前言的克拉克曾多次谋面，而且与书中提到的许多艺术家如伍德曼、古斯丁、诺金、秋山阳、考夫曼、高森晓夫、道格·杰克、史蒂文·德·史泰伯勒等艺术家相熟。克拉克为本书撰写的前言提到，本书不仅是一部（尽管时间并不长）后现代陶艺史，更重要的是将陶瓷与现代主义和后现代主义的潜在或内在逻辑及它们之间快乐或痛苦的关系也一并呈现出来。克拉克在南非出生和长大，不仅是第一位将陶瓷作为一

1 ［法］布鲁诺·拉图尔（Bruno Latour）著；《我们从未现代过：对称性人类学论集》. 刘鹏，安涅思译. 上海：上海文艺出版社，2022. P81.

2. ［法］布鲁诺·拉图尔（Bruno Latour）著；《我们从未现代过：对称性人类学论集》. 刘鹏，安涅思译. 上海：上海文艺出版社，2022. P114.

种特殊的后现代范式进行的理论梳理，从中提取出并命名了“图像化的器皿”“超物体”“后工业美学”等陶瓷与后现代特殊的关联特征，还与马克・德尔・维奇奥先生一起身体力行，一起开设了加思・克拉克画廊（Garth Clark Gallery），为陶瓷的展示引入了新的复杂性和野心。艺术史家G. 亚当姆森（G. Adamson）甚至会说无法想象没有克拉克的后现代陶艺会是怎么样。2006年，克拉克以“手工业已死，手工业万岁”为题写出《嫉妒如何杀死了手工艺》[1]一文，并在俄勒冈州波特兰市的当代工艺博物馆发表演说后离开纽约。尽管这一惊世骇俗的演讲多次受人诟病，但克拉克大胆地指出了是手工艺人希望被当作艺术家接受的雄心壮志导致了自我厌恶和道德上的失控，从而导致他所谓的手工艺运动的死亡。他随后提出将手工艺和设计兼容，并借用荷兰人的“自由设计”（Free Design）一词为未来的手工艺提供了一种方向，这些话可能会很刺耳，但是当像克拉克这样的人愿意对所有这些说“再见”的时候，肯定是值得关注的。

克拉克从他的视角看陶瓷手工艺的消亡也有好处。他甚至在文中设想如果有“法医”检查会产生一些令人惊讶的结果。手工艺是死于“晚期糖尿病”和“动脉硬化”，以及之前的“乱伦”行为。现代手工艺原本是作为一个复兴运动而诞生的，但当它被过度使用时就相当于艺术中的“糖”，成为手工艺的致命弱点。“硬化的动脉”（由不同的过度导致学术上的不流畅）及“乱伦”行为（手工艺人自己写文章、策划展览，鲜有人从外部照亮手工艺）也有相应诠释。手工艺从根本上说是保守的，如果要寻找一种更新鲜、更年轻的视角来讲述一个新的世纪，工艺品似乎没有能力提供这种合理的期望。但克拉克所挖掘出的一些艺术家，譬如将颓废的18世纪欧洲宫廷瓷器引入当代语境的艺术家萨克斯，以及将参与“图案与装饰运动”（P&D）把器皿从展台转向墙面，开始在绘画与雕塑之间开辟出另外意义上空间的贝蒂・伍德曼等，这些后现代陶艺家的创作理论和视角将为手工艺在这条开放的道路上寻找更有特点的道路。通过“阅读障碍”[2]或“新调制解调器”（詹克斯）将后现代陶瓷拓展成为一种新的现实，甚至一种错视画（Trompe-I’oeil）式的幻觉“超级现实”，成为拉图尔所设想的兼具主体和客体的拟客体艺术形式。

拉图尔的“拟客体”仍然可能是一种可操作的后现代物质路径。陶瓷作为客体承担了其功能和隐喻的大部分任务；作为主体已经在其价值和材料领域扮演了重要的角色，在极少主义和科学至上的现代艺术中有着大量的参与。但无论将陶瓷作为主体还是客体，都无法在这个不能被归纳的后现代社会的水域中形成自己的场域。将陶瓷视为普遍典型的客体尤其需要警惕，法国哲学家勒内・吉拉尔（R. Girard）认为客体其实并不具有重要性。他认为我们看到的客体是被“模仿欲望”（Mimetic Desire）的错觉所俘获的客体，是这种欲望赋予了陶瓷客体以它们本身所不具有的某些价值。但就其自身而言，它们丝毫不起作用，也无关紧要。

在本书的前言中，作者克拉克引用了艺术评论家皮特・施杰达尔（P. Schjeldahl）专门创造的名词“灵器”（Smart Pot）来定义萨克斯的作品，但同时这个名词更像一个

---

1 Garth Clark, ‘*How Envy Killed the Crafts*’ in ‘*The Craft Reader*’ by Glenn Adamson, ed., (Bloomsbury Visual Arts), 2019.

2 澳大利亚维多利亚国家工艺美术馆1996年举办关于后现代“文化理论和工艺实践”的讨论时，研讨的组织者苏西・阿特威尔（Suzie Atwell）选择了用萨克斯的一把壶来作为这次研讨的吉祥物，来意指其为后现代系统里的典型对象。她写道：“（萨克斯的作品）会使任何想要完全理解这个作品的人产生阅读障碍，这是一件比杰夫昆斯早了近二十年的艺术品。”（如果阿特威尔说的“阅读障碍”是一个命题，）萨克斯后期的作品甚至导致了更多的阅读障碍。

“拟客体”，是对一种后现代陶瓷的观念和视觉想象。“这是一个埋藏有深层含义的物体，是一处有着艺术想象的场所。在这种想象的深处，所有的文化都可以吸纳被进来，‘灵器’本身已经从‘纯洁’之处撤离抽身出来，并把它所能吸取的关于自然和文化的所有信息都牵扯了进来。‘灵器’原本自身的意义已经被彻底搅混，以至于最终的混乱和乱象本身重新组合成为了新的‘纯粹’，一种极度的纯粹。‘灵器’把传统意义上对艺术和工艺的特征进行再透视，其结果是试图揭示对这个价值的困惑，以及揭示这些价值的所指在此刻正污染着对价值的使用”——克拉克。

探究这些感受并使其融入观念之中，构成了本书的大部分内容。每个关于陶瓷的特征，在某种意义上都是将其纳入或抛弃现代属性的话题。谈论这个话题就意味着谈论现代性，以及这种讨论带来的一切氛围。就像英国艺术史家阿德里安·福蒂（A. Forty）在其《混凝土——一部文化史》中认为对混凝土的反应就是对现代性的反应那样。因此，不该将其理解为混凝土的直接效果，而要与构成现代事件和过程的整个领域联系在一起。换言之，和混凝土的理解相同，从陶瓷物质材料本身寻找原因就是找错了地方，因为陶瓷只是我们对现代性及随之而来的一切感到不安的因素之一。

尽管克拉克的前言中将陶瓷放在了后现代性的一面上，并为之总结出几个陶瓷参与后现代的言之凿凿的证据，但要注意的是：将陶瓷作为一种进步材料的形象并不完全出自它本身的历史，它也很容易出现在对立面上，与日常习惯、目的和技术并列。我们会看到，陶瓷既是一种“先进的”技术，也有一种土生的“倒退性”。将陶瓷作为“现代”的符号总是时刻面临着质疑，陶土内在的质朴性、源于农民夯土工艺的土生起源从未远离，但总是随时可以被材料和从技师手中夺走。尽管陶瓷有先进技术的形象，并以关于文化延伸的理论和物理和化学知识为基础，但制陶同时也是一种简单的工序，一个人用最原始的方法差不多就能做出所谓的现代陶瓷，而它的故事在一定程度上就在它的进步性和残余的原始性之间矛盾地展开——这种冲突是很多号称与现代性相关的东西的特征，并不仅仅是陶瓷的历史功能成为阻碍它的现代性的典型符号。维奇奥先生的认知可能受制于所有作品都要或多或少与他所在的“克拉克画廊”有关，所以在文本和作品中还是有些概念模糊，甚至有些会是错误的。维奇奥和克拉克几乎没有将信息和科技作为一种关注对象，也没有注意到很难进入画廊空间中的观念作品，尤其是他们在对超写实的认知中，明显能看出是借着这一后现代的名词归类将一些很难被定义为“后现代”的作品偷偷塞了进来，但就全书的认知以及其对美国后现代陶艺产生的影响而言，这些瑕疵都是可以被原谅的。

福蒂在其文章的结尾对混凝土的展望同样可以作为对后现代陶瓷文本展望的思考，他说：作为一种结构介质的多元性曾被用来制造各种东西，而作为一种文化介质的柔韧性能让它能够满足多种用途，甚至有些还是截然对立的，但可以肯定的一件事是，随着文化的日新月异，对这个材料的认知也会不断变化。和福蒂这个视角一样，陶瓷与文化之间关系的不稳定性同样将一如既往存在着。

陈光辉
于上海

序

在选择本书中展示的作品时，我提前设定了一些标准。首先，除了加思·克拉克（G. Clark）导言中提到的艺术作品外，本书中所有被提到的作品都来自20世纪80年代和90年代，即后现代主义的“美丽新时代”（belle époque）。

第二，我试图将焦点集中在活跃于20世纪80年代和90年代的年轻艺术家身上。但最终看来这种设定是有问题的，因为设置出一个60岁的年龄限制并不能起什么作用，有一些艺术家如格温·汉森·皮戈特（G. Pigott）是在晚年才开始后现代主义的创作，也可以说，这些彼时已经不再年轻的艺术家的作品在这一方面还很年轻。其他一些年纪大的艺术家，如维奥拉·弗雷（V. Frey）、肯·普莱斯（K. Price）和贝蒂·伍德曼（B. Woodman），在后现代主义的发展中将一如既往发挥重要作用，不容忽视。所以，如果把这些成熟的艺术家排除在本书外，则会曲解这一话题的叙事原则。所以，尽管本书主要关注年轻一代艺术家，但对年龄也会稍作妥协。

第三，我原本只想关注今天仍在创作的艺术家，这在实践中被再次证明非常困难。艾滋病、癌症和其他原因在一些杰出艺术家职业生涯的早期或中期就夺走了他们的生命，特别是霍华德·科特勒（H. Kottler）、瑞克·迪林汉姆（R. Dillingham）、安格斯·苏提（A. Suttie）和阿尔特·尼尔森（A. Nelson）等，如果遗漏他们，对相关艺术风格中真实历史的记录就不完整了。

第四，我在编写本书时尽量保持最初的理念，即所有作品都必须有意识地“后现代”。换言之，我想要积极而不是被动地探索这种风格。我们必须意识到，在分析实际作品时，一些偶然包含有后现代元素语言的作品（例如装饰）与在后现代语境中有意使用装饰的作品之间存在着差异。伍德曼的作品就是一个例子。在她成为“图案和装饰运动”（P&D，Pattern and Decoration movement）的代表艺术家之一之前，她的装饰陶器生机勃勃，充满活力，但不是后现代风格的。她从20世纪70年代末开始参与图案和装饰运动，之后无论从作品体量、艺术家的创作雄心，还是作品语境方面，她的作品都发生了巨大变化，并成为这里所讨论的后现代主义陶艺的一部分。从某种意义上说，这里展示的艺术家都是活跃的，他（她）们以一种博学和令人信服的创作方式来对待后现代主义的不同话题。他（她）们当然会意识到这些作品可能在违背着现代艺术的“法令”，或作品不再归属于现代主义观念的范畴。所以，这些作品就是他（她）们特意在美学观念和哲学观上坚持他们立场的结果。另外，许多艺术家自身作品的风格在不同时期也不尽相同，这意味着他们的作品可以被包括在本书不同的章节中。但为了节省篇幅，我会尽量让这些作品只出现在最适合的相关章节中。

读者们会发现本书对美国和英国的后现代陶艺的权重比例有着某种强调表述，我觉得这并不是个人偏见。在如何定义陶艺与后现代运动的关联时，这两个国家的艺术家确实发挥了很大作用，这一点从本书列出的艺术家人数中也可见一斑。不过，本书的内容包含来自30个国家的艺术家及其作品，最大限度地避免对世界后现代陶艺的判断可能有的遗漏的同时，也尽量包含更多的信息。由于篇幅限制，很多艺术家并没有入选，即使他们的作品质量和观念非常适合本书的主题。在面对同等重要的艺术家之间的选择时，我选择了那些我更熟悉的艺术家。这看上去似乎会带有局限性，但这样做是有原因的，我想避免在更开放的作品讨论中会经常出现的那种纸上谈兵的感觉。在陶艺批评领域工作了二十多年后，我想我的经验会让这种只在熟悉的陶艺家中进行选择的行为并不会像看起来那样成为一个局限性的障碍。同时，因为我并不是艺术家，作为一名非学术人士，希望本书能传达出我与这些神奇的作品亲密接触时仍然能感受到的信念，让后现代陶艺作品这种实在的品质能够被传达出来。完成这一愿景与其说是对我自己负责任，不如说也是为了本书的广大读者。

马克·德尔·维奇奥（Mark Del Vecchio）
纽约

意义和记忆

——从1960年到1980年的后现代陶艺的生成线索

加思·克拉克（Garth Clark）

"通常把一堆好事儿摆在一起就会很美好。"
——梅·韦斯特（Mae West）[1]

"从来都没有够。"
——莫里斯·拉皮德斯（Morris Lapidus）[2]

后现代主义和陶瓷的结合似乎是一种在艺术天堂中完成的完美"婚姻"形式，这个特别的升化过程是在现代主义者的凝视下逐渐完成的。伴随着醒目图案的使用，对名作原创理念的无视和戏仿，长期以来化妆土的笔痕泥性、釉色、器皿、功能等的表达、艺术史在陶瓷中的意义预埋，所有这一切都将陶瓷罩上一层与历史印痕相关的开放性。它的历史荣耀、它与日常生活和装饰艺术之间曾经建立的联系、对"创作过程"的理解等，陶艺从来没有像今天这样有活力。它的专业性、探索性，甚至多语义和暧昧性，都远超之前任何一个时期，这里甚至还给选择停留在现代主义范畴的人们建立了一座休息补给站。听起来这真让人兴致盎然，但是这种热情的前提是需要将陶艺置于"与现代主义的关系"之上来解读，这为了避免受到现代主义者的责难。上述的大部分陶瓷传统在后现代之前还是被认真遵循的。

如果试着要把陶瓷和现代主义作为关系组合，就会把这个组合关系的企图变得颇为极端。不仅因为事实上并未完成这种组合，而且它们之间关系相互原本就不通用，甚至会产生对抗性，这使任何想要推进这种关系的企图和努力多少会有些沮丧。陶瓷在这个用冷酷钢管制成的现代主义会议圆桌上之所以不那么受欢迎，原因如下：陶瓷更多是在工艺美术层面产生的艺术形式，它参与了现代艺术领域的异教徒——装饰和图案的活动，以及这两种异教徒方式所携带的形式：即容器和人体雕塑，这两者与现代主义装备库中的内容不相容。现代主义抛弃了人体雕塑中的写实主义和表现主义，取而代之的是抽象主义雕塑。而在现代主义眼中，容器则容易陷入另外一个困境：造型过于复杂、承

---

1 20世纪好莱坞传奇女演员。
2 美国建筑师拉皮德斯在设计迈阿密1950年代沙滩旅馆的伊甸园和喷泉时所说。

载意义太多、过于有归属地特征、与传统和当下现实生活过于亲密的联络等。对现代主义而言，陶瓷过于纷乱的信息影响了现代主义艺术对纯粹形式的理解。事实上，可能拜人们对工业革命的认知所赐，今天，如果站在工业生产的角度理解陶瓷设计，造型简约、纯白釉、无装饰，或任何去个性化标识的设计概念尽管本质上还是现代主义的形式，但仍然可能是陶瓷的救赎之路。

不过这也会带来一系列很奇怪的当代认知，就纽约现代艺术博物馆（Museum of Modern Art in New York）来说，一把经工业设计生产而出的壶可以进入它们的收藏名单里，但手工茶壶却不可以。哪怕手工茶壶已经具备更好的现代设计语言时，也不能进入现代艺术博物馆。表面上看是工业设计比工艺美术可以更好地服务于无产阶级，而深层的核心则在于现代主义是一个社会主义式的活动，尽管“艺术和手工艺运动”（Arts and Crafts Movement）也是现代主义哲学的基石之一，但它所针对的就是中产阶级和这些人颓败的审美倾向。相对于工业生产的陶瓷作品，社会对工艺美术作品的解读与定位是这种形式会更为昂贵，因此将会出售给富裕的阶层，并进一步鼓励这种富裕阶级品味。在某种程度上，纽约现代艺术博物馆对手工艺的这种理解是有道理的，就连作为一个社会主义者的威廉·莫里斯（William Morris），也承认他所领导的“艺术和手工艺运动”最终为“肮脏的富人”制作了“充满虚伪艳俗装饰的小摆设”。

但事实上，这些争论前后矛盾，就像说一个水罐不能装水一样荒谬。首先，现代主义最初的支持者就是一群激进的中产阶级，这些医生、律师、建筑师和心理学家们是现代主义艺术家昂贵的皮具和金属家具的消费者。这种审美系统当然会被工人阶级的大众审美拒绝，结果还是这一阶层的人在买着与这些现代主义完全不相同的手工艺产品。其次，（现代主义）对工艺材料的态度并不适用于美术，如果说工业化是现代主义的乌托邦里最好的注脚，那么所有雕塑和绘画肯定也应该在海报和复制品中进行工业复制。但是，现代主义阵营中的美术却不愿放弃这个精心培育运作了几个世纪的独特的精英主义市场，它只想接管权力，掌控展览的话语权。因此，今天艺术美学可能已经发生了变化，但控制和规范艺术的顶层机制依然保持不变。

这意味着除了仅仅为工业生产提供了一些优秀的陶瓷设计外，陶瓷和现代主义者从未真正有机会共舞，这对双方其实都是一个损失。在两次世界大战期间，来自现代主义社会的排斥对陶瓷产生过很大影响，大多数情况下，这些影响都是负面的。最终，它将陶瓷推向了反现代主义者的阵营中。陶瓷阵营中对现代主义的不信任首先来自伯纳德·里奇（Bernard Leach），一位出生在中国的英国传教士之子，他主张用一种倒退的非艺术立场看待陶瓷，这一立场一直在之后的几十年中束缚着现代陶艺的发展。值得注意的是，这种立场在今天仍有一定的影响力。同时，它还间接推动了一种源于法国的艺术装饰风格（Art Deco）陶瓷的发展，这些迷人但空洞的装饰陶器、人物瓷雕，尽管有着一些现代风格的装饰，却甚少有艺术理念的渗透。如果把1920年至1950年的陶瓷历史检阅一番，可以发现几乎没有像样的艺术作品。这也导致有人甚至从讽刺的角度戏言现代主义对陶瓷的理解远比里奇正确。不过实事求是地说，与现代主义过于明显的界限确实阻止了陶瓷参与这一有史以来最伟大的艺术运动之一。从而使陶瓷将自身与现代主义的观念隔离开来，并迫使陶瓷右倾保守，从而使陶瓷中最不前卫的元素获得了胜利。

这些获胜的保守陶艺家和那些现代主义者和清教徒一样狭隘、专制。不过对于被排除在现代主义之外的这些陶艺家来说，现代主义倒是为他们提供了一个可以对独裁进行反抗的想象，这种声音在现在的陶艺界仍然强烈，有些人甚至更极端，他们试图要把像里奇这样的保守艺术家，也定义成实际上穿着传统服装的现代主义者。保罗·格林豪尔（Paul Greenhalgh）在《工艺美术》（*Crafts*）发表了一篇关于这一主题的激情澎湃的文章《现代主义的漩涡》（*Maelstrom of Modernism*），读起来可能很有趣，但最终结果却无法令人信服。因为这些陶艺家与现代主义者有共同的特点，比如只认可历史中非常狭窄的那条道路（例如除了被视为原始的低温化妆土原始陶之外，几乎所有陶器都是装饰性的，因此没有“纯粹”陶瓷一说）。另外，这些陶艺家对客观功能主义的尊重也和现代主义建筑师有些相似。所以，对于许多远离主流美术的陶艺家来说，甚至传统也会取代现代主义成为他们新的敌人。多种多样的原因导致之后的后现代主义在操作上对陶瓷的大部分“反抗”其实并不是对抗现代主义本身，而是对抗“里奇们”的反应。有趣的是，最终的结果没什么不同。

第二次世界大战后，大家对待陶瓷创作范式的态度开始改变。年轻一代的陶艺家不再纠结这些争执，开始把决定权掌握在自己手中，不管是否被边缘化，这些人在现代主义的框架内或多或少都创造出了一些有质量的作品。英国的露西·芮（L. Rie）、汉斯·库珀（H. Coper）和露丝·达克沃斯（R. Duckworth）的作品都是现代主义风格，从中多少可以看出他们还是受到布朗库西（C. Brancusi）、贾科梅蒂（A. Giacometi）和亨利·摩尔（H. Moore）的影响。而在美国，彼得·范克思（P. Voulkos）和约翰·梅森（J. Mason）从20世纪50年代中期开始，以现代主义者的姿态在洛杉矶领导了“抽象表现主义陶艺运动”（Abstract Expressionist Ceramics Movement），此后不久，来自后现代主义大本营北卡罗来纳州黑山学院（Black Mountain College）的罗伯特·特纳（R. Turner）、卡伦·卡纳斯（K. Karnes）、戴维·温瑞伯（D. Weinrib）、芝加哥大学（University of Chicago）的露丝·达克沃斯（R. Duckworth）、密歇根州克兰布鲁克艺术学院（Cranbrook Academy of Art）的理查德·德沃尔（R. De Vore）和其他许多人加入了这一队伍。尽管这些人加入现代主义阵营的时间略晚，但他们与他们的前辈们对陶艺创作有着共同的准则——即对材料的存在感、观念的纯粹、原创和对抽象自由的敬意，以及对繁复装饰的拒绝等。加上其他一些共同的理念，他们能齐聚现代主义的旗下。

真正的后现代主义陶艺起源于20世纪60年代的美国和20世纪70年代的英国。这是对清教徒式现代主义的不满而长期积累下来的一次大爆发。陶艺从一开始就是后现代主义运动的直接参与领域。要知道对一种要求行动极其谨慎，相信慢慢进化而不是瞬间革命的学科来说，这个举动是非常不同寻常的。所以，在展开这个话题之前，尽管这不是一件轻松的事情，我还是觉得有必要在更大的背景下来看看后现代到底意味着什么。正如埃里克·法尔尼（Eric Fernie）在《艺术史及其方法》（*Art History and its Methods*）中所写，后现代主义“有意使其难以被定义”[1]。在《纽约时报》（*New York Times*）一篇《现代与后现代，一对互相斗嘴的双胞胎》（*Modern and Postmodern, the Bickering Twins*）文章中，作者爱德华·罗斯坦（Edward Rothstein）把这个概念推进了一层：“后现代主义几乎不可能被塑形。就像一小坨水银在压力下会自动滑开，然后又以它原有的形式自动弹回来。”[2]

后现代主义是一顶巨大的帐篷，不管是应用方法还是艺术观念，它都在视觉艺术领域催生

1 Eric Fernie (ed.), *Art History and its Methods* (London: Phaidon, 1995), p.351.
2 Edward Rothstein, “Modern and Postmodern, the Bickering Twins”, *New York Times* (Saturday October 22, 2000).

出一群新的艺术风格、理论，以及方法，包括解构、后极少、极多、挪用、后工业等各种主义，甚至把其追随者们否认这种父系关系的谱系关系也囊括了进来。它将符号学中工具理论观念化变成为一种流行，同时也把图案和装饰带回到现场中来，还有寓言、叙事、形象的回归，以及新历史主义等。它同时催生了许多小型的艺术运动、实验设计公司和工作室的诞生，如S. I. T. E. S.和孟菲斯团体（Memphis group）等，它们也帮助开拓了当代工艺美术的发展。

在二战之前就有后现代主义发轫的一些端倪，如文学评论家费德里科・德・奥尼斯（Federico de Onis）和历史学家阿诺德・汤因比（Arnold Toynbee），分别在1928年和1938年的著作中提到了二战前的后现代主义，但它们与现在对后现代主义的定义无关。约瑟夫・赫德诺（Joseph Hudnot）在《建筑与人类精神》（*Architecture and the Spirit of Man*）中也使用了这一术语，但直到1977年，居住在伦敦的美国建筑师查尔斯・詹克斯（Charles Jencks）才出版了关于这一主题的第一本主要著作《后现代建筑语言》（*The Language of Postmodern Architecture*）。后来，他简明扼要地将这一运动定义为"从根本上说，是任何传统与其最近历史的折衷混合：它既是现代主义的延续，又是其超越"。[1] 事实上，把詹克斯推向台前的是另一位美国建筑师罗伯特・文丘里（Robert Venturi），他于1966年在《建筑中的复杂性与矛盾》（*Complexity and Contradiction in Architecture*）一书中为这一建筑主题运动提供了一个极具争议的战斗口号："少即是烦（Less is a Bore）"，颠覆了密斯・凡・德罗（Mies van der Rohe）对建筑"少就是多（Less is More）"的现代主义命令。文丘里探寻着建筑多语义的可能性，并提出用"多样的生命力"（messy vitality）来代替现代主义的纯净和秩序，这种多样性视角的确立对后现代的建筑理念产生了很大的影响力。阿尔多・罗西（Aldo Rossi）出版于1966年的《三角洲城市建筑》（*L'architettura della Città*），虽然只是在20世纪80年代被翻译成其他语种后，这篇文章才被引起广泛关注，但文中关于记忆主题的研究成果非常重要。但如果要在更广泛的哲学背景下讨论后现代主义这一主题，让-弗朗索瓦・利奥塔（Jean-Francois Lyotard）的《后现代状况》（*La Condition Postmoderne*）仍旧是最有影响力的。

关于后现代最重要的论述主要来自建筑领域，这些理论事实其实也非常贴合陶艺领域，因为这两门学科都植根于实用艺术，在原理上两者也有诸多共同之处。詹克斯在他的这本论述后现代建筑的书中对现代主义的失败作了一番言辞猛烈的论述，把现代主义建筑抨击为只是一个贫乏的没有可资记忆和交流通道的模型。尽管缺少文化记忆会使建筑比较容易解释，但詹克斯的用意主要在于抨击现代主义对于自身纯洁性的复兴还抱有的偏执希望，（这种偏执）使得现代主义为了把建筑与它的过去切断，剥离了大部分与历史的关联，从而能腾出空间来成就建筑原本的意义。所以，现代主义建筑在本质上与时间的连续性无关。这也正是后现代主义的另一个巨大的贡献——把艺术家和设计师与他们各自领域的历史重新搭建起了联系。

汉斯・伊贝林斯（Hans Ibelings）在《超级现代主义》（*Supermodernism*）一书中探讨了这一点，书中写道："发现回忆可以作为一种搭建建筑意义的媒介，其实就是对建筑自身记忆的发现。"这是后现代主义的一个典型特点，就是（再）发现历史作为一个无价的灵感来源，而且也是形式、类型、风格等这些表达途径中永远的保留节目。简而言之，对现代主义者而言，"过去"只是一种

1 Charles Jencks, *The Language of Post-Modern Architecture* (London: Academy Editions, 1977), p.48.

"特例"，仅仅是无数历史可能性中的一条特殊路线而已。除了他们重点强调的血统论之外，"过去"都只是一些无用的杂物。但对后现代主义者来说，过去是创造新事物的自然起点。更重要的是，后现代主义者在关于"过去"的研究中发现了一个具有感染力的快乐源，相对于帕拉迪奥-勒杜-申克尔式（Palladio-Ledoux-Schinkel Line of Decent）"欧洲经典建筑样式血统论"的主体线性逻辑，后现代主义者对"过去"的发现能使它们（像蔓延的块茎一样）关联出更多可以被发现的快乐。看上去后现代主义所做的仅仅只是把现代主义忽略的过去提到了一个高度，但结果是让任何人都可以用他自己的方式自由地重新组合历史。现在看来，"后现代主义的一个持久的有益影响，是把建筑史中被忽略的成分重新拿来作为一个研究的对象。"[1]这句话的迷人之处在于，如果经过一些调整，把"现代主义建筑血统论"宣言中的几个名词与陶瓷领域中的几个经典样式互换（比如把"建筑"换成"陶瓷"，把"帕拉迪奥-勒杜-申克尔式的古典主体"换成"中国宋朝风格、日式茶壶和中世纪的化妆土的陶瓷血统"），就可以看出在后现代语境中，适用于建筑的观念同样也适用于陶艺。

如果认为对现代建筑没有沟通技巧的批评似乎证据不足，我们也可以参考对符号学的研究。从20世纪60年代后期开始，社会学对符号或符号学的研究兴趣日益增长。符号学是结构主义的一个分支，是通过对标志系统而非文字系统进行的一种考量测试。符号由一个语言系统组成，其中包括形象识别、分类学、象征学等。通过符号的介入，建筑物或相关物体就可以成为符号学家眼中的"意义的载体"。从符号学角度来看，曾经作为建筑中展示标志主要手段的装饰被现代主义摒弃，确实抑制了现代主义的沟通能力。这使得现代主义建筑由于符号的消失而使沟通功能减弱，建筑需要"说话"，这一建筑概念可以为建筑带来很多乐趣，汤姆·沃尔夫（Tom Wolfe）在其尖锐的批评著作《从包豪斯到我们的房子》（*From Bauhans to our House*）中提到过这些值得注意的问题。事实上，建筑物确实允许通过装饰传递信息：首先，装饰使建筑物的标识用途更为清晰；其次，装饰也使建筑物周遭的环境与建筑物更易沟通。对于交通道路来说，建筑可以成为一个指示物，而建筑自身也可以是更有质感的温暖信号，更让人亲近。

后现代主义与前者的争论并不局限于美学层面。在后现代主义者的内心深处，反叛的欲望隐藏在一个更深层的话题上，即"一个分离但互相关联的后现代主义哲学之源"。现代梦的懈怠从20世纪60年代就开始了，在冷战、城市动荡、生态问题和越战的背景下，西方批评家们开始质疑现代主义许诺的理想状态的进步。正如艺术批评家罗伯特·阿特金斯（Robert Atkins）所指出的：20世纪60年代兴起的环境生态意识是一个分水岭，标志着现代人对科技的现代主义式技术进步的信心在逐步减退，代之而起的是对发展与环境影响权衡的后现代主义式的矛盾心理。阿特金斯指出，后现代主义的滥觞反映了主要发达国家技术经济结构的根本变化。"正如现代文化是由适应工业时代的需要驱动的，那么，难道后现代主义不是由适应电子时代的愿望推动的吗？"[2]

这是一个重要的观点。后现代主义主要是建立在新一代年轻人的基础上，这是一代以电子娱乐为主要娱乐方式的一代新新人类，

---

1 Hans Ibelings, *Supermodernism: Architecture in the Age of Globalization* (Rotterdam: Netherlands Architecture Institute, 1998), p.21.

2 Robert Atkins, *Artspeak: A Guide to Contemporary Ideas, Movements, and Buzzwords, 1945 to the Present* (New York and London: Abbeville Press, 1997), p.152.

电视对这一代人的成长最具影响力。成立于1981年的音乐电视（MTV）已经影响了成长于这一代人的视觉感受，音乐电视的主打产品是音乐视频，它培养了一批能够以极快速度接受视觉信息的观众，这是一个通过图像视觉进行认知的群体。尽管不一定会被告知，但他们只通过视频就可以接触到经典画家和摄影师的作品，因为这些经典作品会被大量引用在其他用来销售音乐的商业艺术视频中。因此，当这一代人看到R. E. M.的视频《我的信仰已逝》（*Losing My Religion*），看见屏幕上的歌手衣着光鲜地看着捷克著名摄影师扬·索德克（Jan Saudek）的人体摄影，或不经意地看到歌星麦当娜在《时尚》（*Vogue*）音乐电视里摆弄霍斯特（Horst）的经典照片等画面时，观众已经不自觉地学会了“挪用”（outsourcing），这一些人与相对受过艺术教育的专业观众不同，专业观众的背景至少能使他们在看到那些电视画面时，能意识到电视在“批发图片”（sampling），并辨认出它们的出处。但被音乐电视培养起来的年轻一代人，有时最终有幸能碰到这些艺术品原作，虽然他们可以把所指的前因后果联系起来，但首先这个预设过程已经被颠倒了。他们当然意识到了这个新的游戏规则，也会仔细端详并适应这个快速的联系过程。就这样，（音乐电视）制造出一种新的观众群体，这个群体在快速处理复杂和分层图像时的能力在人类历史上首屈一指，这些新的观众更关注如何把不同渠道得来的图片迅速在不同情景中娴熟地转换，至于作品内容则退居次席，而居于艺术史中的原始作者则更是已经消失不见，这就是今天的挪用主义。挪用主义不止发生在视觉领域，在其他电子领域这些可呈现的场景更大，比如今天说唱乐中的“采样”，这也是另一种特点的后现代主义现象，就是随意在耳熟能详的经典音乐中截取音乐片段，然后合成一个嘈杂的大杂烩。

更激进的是，数字图像让音乐、电影、音乐视频和电视广告制作者能够以上一代人之前无法想象的方式去开发和使用“记忆”。在这个语言体系中，最著名的形象就是“胡佛”（Hoover）吸尘器的广告，广告取用了一个著名演员阿斯泰尔（Astaire）在电影中抱着一把扫帚跳舞的片段将其天衣无缝地合成为他正在抱着一个现代的吸尘器的影像。个人电脑给处理这些信息的过程制造了巨大的自由空间，几乎所有艺术家的作品都可以被拍照，经过计算机编排，变成可以被下载、修改，并在数秒间就可以被电邮到世界各地的文件，并在这个游戏规则下融入当代艺术家新的创作逻辑中。反过来，所有形象也都可以在互联网上获得，数百万人可以提取图像，而这些图像很快在网络中被再“挪用”成新的作品。在这个（后现代主义语境）信息的洪水猛兽前，现代主义者不可能坚守住他们那狭窄、脆弱的美学底线。

也就是在20世纪60年代，由于罗伯特·阿纳森（Robert Arneson）的到来，陶艺首次开始改变其对现代主义的沉默态度。阿纳森是陶艺界特立独行的怪俗（Funk）运动之父，是20世纪最重要的陶艺家之一。他对当时美国占统治地位的抽象表现主义和保守的陶艺运动感到愤怒，除了阿纳森倍为尊崇的范克思（Peter Voulkos）及其团体外。1961年在加州艺术博览会上他应邀表演

罗伯特·阿纳森
（Robert Arneson）
《黏液》，1965年
陶瓷，高1.5米、
宽1.8米

上图：
克拉斯·奥森伯格
(Claes Oldenburg)
《软马桶》，1965年
纸、胶

右图：
帕蒂·藁科
(Patti Warashina)
《窑车》，1979年
瓷、木、塑料，长91厘米

拉坯，但他却完全没有用拉坯拉出那种优雅和柔软的形象，而是故意拉出一个类似于可乐瓶似的罐子造型，然后在上面印上“没钱了”的文字，再用手捏了一个泥的瓶盖，将瓶子封好。在这一刻，后现代主义在陶艺领域的战斗已经开始。

尽管这件作品与之后阿纳森所创作更为激进的作品相比显得有些平淡，但由此发轫的作品，比如镶饰有乳房的坐便器、加有男女生殖器的小便池，甚至还有粪便的图像等，可以被理解为是摆明了要激怒现代主义甚至是反现代主义的观众。现存于洛杉矶县立美术馆（Los Angeles County Museum of Art）的作品《不再回头》（*Return*）（1961），后来曾经在旧金山的M. H.德扬纪念馆（M. H. De Young Memorial Museum）展出，在那里引起了相当多的批评。《工艺美术视角》（*Crafts Horizous*）的评论员艾伦·梅塞尔（Alan Meisel）气愤地写道：“如果这个展览包括这件作品的目的是要激怒观众的话，我认为他已经做到了。”[1]

怪俗艺术可以被很容易被当成是波普艺术的另一面，因为这种方式与当时的波普艺术有共通的元素，只是怪俗艺术是把内部隐藏的结构外置。两者或两个运动都使用了产品式的工艺品，两者都与消费主义有关联，只不过波普是从广告艺术中借用技术，而怪俗则从兴趣商店里吸取营养。两者都在使用日常生活中最不雅的途径，但波普取它的“明面”，而怪俗则取其“暗面”。如果说波普是可爱、冷静和超脱的，那怪俗就是激烈、混乱和对抗的。两者都是用幽默的元素，波普微妙顽皮、有些微的讽刺，但怪俗则自命不凡，具有攻击性以及直接性。这从对阿纳森和奥森伯格（C. Oldenburg）[2]作品的比较，就可以得到最好的解释。

奥森伯格的“马桶”系列作品用白色的画布制作，在软塌塌、滑稽的样子中有一种质朴甚至优雅的气质，阿纳森虽然在同一时期也做了“马桶”系列，但特别的是里面流淌着火山喷发似的熔块釉，作品表面印着不可名状的杂物和液体，马桶中又布满了性器官图案等，以此通过激怒我们带来一种扭曲的娱乐。这确实是一种幽默，只不过更阴暗罢了。不用强调就可以知道，当这类作品在20世纪60年代早期出现时，阿纳森和奥森伯格同时在攻击着各自的艺术世界，尽管彼此的原因各异。

整个20世纪60年代的十年间，陶艺界在经过了诸如乳房形的电话、从烤面包机上伸出的手、箱子上的男性生殖器把手和其他各种令人厌恶和不安的物体大量涌入后，怪俗已经无法再源源不断提供更为“肮脏”的作品来吸引注意力。“超物体”（the Super Object），一个我在20世纪70年代末自创的命名，成为取代怪俗艺术的下一站。[3]阿纳森的学生们使用商品化的釉、流行文化的形象、怪俗艺术的低温技巧，但是把怪俗艺术

1 Alan Meisel, “Robert Arneson” , *Crafts Horizons* (September, 1964), p.64.

2 克拉斯·奥登伯格（Claes Oldenburg，1929—2022），美国波普艺术雕塑家，曾就读于耶鲁大学和芝加哥艺术学院。从1960年开始参与纽约“事件（Happenings）”（一种融合了装置、表演和其他媒介的混合艺术形式的）艺术实践，以对日常物品的大胆改造而闻名，他标志性的软雕塑“马桶”系列，就是使用加过胶的白色画布制作的马桶。用意料之外的材料或尺寸将生活中最平凡的事物放置进全新的语境中，颠覆了传统雕塑媒介的内容、形式和材料，对当代雕塑观念产生了巨大的影响。

3 See Garth Clark, *A Century of Ceramics in the United States, 1878–1978* (New York: E. P. Dutton, 1979) and for a revised view of the Super-Object by the same author, *American Ceramics: 1876 to the Present* (New York: Abbeville Press, 1987).

的极端行为清洗掉，把商品再提纯化。“超物体”艺术风潮是在20世纪60年代末在北加州和西雅图几乎同时兴起的。在加利福尼亚州，它的主要倡导者是阿纳森的学生理查德·肖（R. Shaw）。而霍华德·科特勒（H. Kottler）在西雅图带领了一批艺术家，其中包括帕蒂·藁科（P. Warashina）、弗雷德·鲍尔（F. Bauer），以及稍后的马克·伯恩斯（M. Burns）和迈克尔·卢塞罗（M. Lucero）等艺术家群体同时摇旗呐喊。

“超物体”时期的作品有很高的工艺水准，在技巧上与昔日皇家高级陶瓷波姆鸟（Boehm birds）或拉德罗（Lladro）雕像相比有些相似的成分，总之比普通陶瓷雕塑制作细节更为繁复，技巧更为极端，而且价格也更高。“超物体”的崇尚者们当然知道这些，他们更乐于使用对这种高端技艺产品的模仿和再处理的过程。泥有一个很重要的特性，即可以模仿其他材质的能力。对木质、布质、皮质或金属等一些常用的材料，泥几乎都可以模仿。虽然怪俗艺术家曾经使用了这个模仿的技巧，但过于粗俗，引发的是幽默而不是仿真幻觉。而在“超物体”艺术家的手上，这种模仿极为逼真，以至于观众不触摸作品的话，甚至都意识不到这个作品是用陶瓷做的。

需要特别指出的是玛丽莲·莱文（M. Levine）在这方面堪称专家，她的皮具系列就是高温陶瓷制成，包括各种细节如镀银的钉子和拉链全是陶制，足以乱真来挑战观众的视觉经验。哈罗德·罗森博格（Harold Rosenberg）评价莱文的作品是：“（这些作品）更应该被归到观念艺术中去，因为莱文提供给我们眼睛的不是自然属性的物件，而是在引导观众进行眼见不为实的体验。”[1]尽管她与当时日益增长的超现实主义绘画的画家同步出现，但陶艺界却将此类作品视为异类，因为这无疑是在现代主义和工艺美术两者的头顶浇了一盆冷水。这侵犯了约定俗成的游戏规则，它攻击了这两种主义共同和推崇的一个原则，即材料的真实性。正如艺评家金·莱文（Kim Levin）所说：“古典时代通过用视错觉来创作艺术，原先还会担心这与未来艺术向尽可能简洁的造型方向发展等这类诉求产生冲突……（但今天）形式已经被重新分解为内容，所以，制造冲突，尤其是制造戏剧性的冲突的皮格马利翁效应（Pygmalion），反而成了今天艺术的主流。”[2]

肖的作品不仅会体现视错觉艺术，还从超现实主义的一些作品和早期的美国错觉写实静物画家比如约翰·F·佩托（John F. Peto）的一些充满好奇组合的静物画作品中，取得一种诗意的视觉提示灵感。肖使用着一些比如被使用者丢弃的铅笔、装罐头的铝桶等被消费社会遗弃物的形象来创作。他把它们制模注浆、上釉烧成，如真物一样，然后再组装成某个形或集群。另一方面，霍华德·科特勒（H. Kottler），更准确地说应该是一个挪用主义者，早在挪用主义被谢莉·莱文（Sherrie Levine）和迈克·比德罗（Mike Bidlo）这些后现代艺术家定义出来之前，甚至早在这个名称和事件出现之前，科特勒在20世纪60年代末70年代初就以一系列诙谐的盘子系列作品引出了（挪用的概念）。这些盘子全部是普通的工业产品，都是些没有俗丽花纸的白釉瓷盘，是直接从商店里购买或者朋友订制来送给艺术家自己的，总之，与成千上万被工业生产出的瓷盘没什么区别，也没有任何特殊的标示，但他恶作剧地故意用它们来拙劣地模仿着多种市场特点，暗示出一些这些盘子似乎是精工特制系列陶瓷作

1 Harold Rosenberg, “Reality Again”, in Gregory Battcock (ed.), *Super Realism: A Critical Anthology* (New York: E. P. Dutton, 1975), p.120.
2 Kim Levin, “The Ersatz Object”, *Arts Magazine* 49 (February 1974), p.12.

品的一部分，甚至有时会在作品的足底用花纸写出2/10的类似于套装的系列标志标识等（尽管他在制作真正的特制作品时很少这样做）。

这些瓷盘上的画面都是些平民主义理解的形象：美国国旗、粉色玫瑰，以及教皇的肖像等，大众艺术的形象也会被拿来使用：远有英国17世纪洛可可肖像画家根兹博罗的《忧伤的男孩》、达·芬奇的《最后的晚餐》及《蒙娜丽莎》、美国画家格兰特伍德的《美国天主教》等。科特勒把一些盘子成套地装在盒子里，以此来加强“包装”而非“生产”的概念。另一个有意思的是使用双关语的展示方式，将那些成套放置的方式在文本或视觉上与具体的话题产生暗示，就像将四个绘有伍德绘画的盘子放在有木纹的皮封或橡木盒子里，指意伍德（wood，与木头同音）的油画《美国天主教》等。科特勒以一位同性恋的身份，极尽破坏之能事来挑战这些油画所呈现的美国中产阶级的道德底线，以反伦理的快乐来综合和重组性别的语义。在另一套作品中，他又把一些盘子放置在猩红色的皮套里，色情意味浓厚。科特勒取诗人格特鲁德·史坦因的一段名言——“玫瑰，只是一朵玫瑰”——作为他创作的出发点。作品中玫瑰图案的花纸布满作品，但以“野营时的小顽皮”来命名作品。这些盘子作品是对早期后现代社会中物品占有冲动的完美表达，是早期挪用主义在后现代领域的最好注脚：以一种绝对低级的艺术形式表达了高级艺术、工业化和平民化特性，诙谐的同时又颠覆了视觉，并且很酷。

一开始大众对科特勒作品关注还停留在陶艺界，但在1977年他创作的一件雕塑《老包的隔壁是坚果》（*The Old Bag Next door is Nuts*），并以此来隐喻传统和不思进取的关系，被《陶艺月刊》（*Ceramics Monthly*）做了重点报道后引起了轩然大波。这本美国重要的陶艺专业月刊专门对这作品进行了分析，这件作品由模制的房子和装满纸袋的坚果组成，而房子和坚果又是直接从邓肯陶瓷公司（Duncan Ceramic Products）提供的两个商业模具中翻制而成。读者愤怒了，不断有抗议的信件写给杂志社，其中密歇根州陶艺爱好者鲍丽斯（Boris）女士的信颇具代表性，她甚至列出作品中使用的房子和坚果原型是在邓肯陶瓷产品目录的第几页等详细细节，言辞激烈地嚷着她的“公平、诚实、正直，以及美学等所有感受都受到了冒犯，这件东西玩世不恭、不诚实、对原则性的挑战远超我的接受能力。”[1]

科特勒的立场确实挑战了陶艺家对手的神圣性的信仰，同时也挑战了现代主义对原创概念的理解。但更具讽刺意味的是，据说最受科特勒冒犯的人大多是伯纳德·里奇（Bernard Leach）/沃伦·麦肯齐（Warren Mackenzie）学派的信徒[2]，他们的双手忙于模仿七百年前中国和韩国陶工制作的陶瓷器。在所有的陶艺家中，由他们来嘲笑科特勒“缺乏创意”是最荒谬的，而在这场闹剧中，激怒观众应该也确实是科特勒作品的一部分。

针对大众对这件作品的声讨，艺术家稍后给出一封超级有礼貌但毫无愧意的声明；“我只是有些懒而已，我使用了一切可使用的形象来注浆，这样比自己做模型既方便又快捷，有时我也会购买注浆好的造型，然后再使用现成的釉，事实上我很少碰泥，我用过其他人的模型，甚至用过其他人的想法

---

1 The piece was illustrated in the September 1977 issue of *Ceramics Monthly*. Two letters from Ruth Poris were published in *Ceramics Monthly*, the first in November 1977, p.7, and the second in March 1978, p.7.

2 指崇尚中国和日本民间传统陶瓷的“自然理念”，追求宋代青釉、天目釉的釉质或日本信乐陶瓷民艺制作的制陶风尚。通常以将日本的滨田庄司介绍到欧美的伯纳德·里奇，或主张此类传统教学的陶艺家沃伦·麦肯齐为此美学风尚的代表，并将麦肯齐所在的明尼苏达区域制陶的谐音戏称为“民艺苏打”（苏打可以被理解为柴烧）。

和其他人画的花纸.我所做的只是在重新组装它们。”[1]在给鲍丽斯女士的回信中，他指出:“甚至最初作品的名称都不是这样，是听从了我的学生建议后才改成这样的。更准确地说，我在作品中唯一的创作元素就是作品的观念。”在回信的最后，他甚至写道:“鲍里斯女士，希望您能允许我拥有这唯一的小小的骄傲。”[2]

洛杉矶成为另一个后现代主义的发明中心一点也不会令人奇怪。美国西海岸几乎对当时艺术中心的东海岸的一切都充耳不闻，这也使得它对当时正统的艺术有了合理的拒绝理由。洛杉矶在20世纪60年代为涌现的后现代思潮贡献了两位重要的陶瓷艺术家：迈克尔·弗雷姆凯斯（M. Frimkess）和肯·普莱斯（K. Price），这两位艺术家都是从范克思所谓的抽象表现主义陶艺运动的“熔炉”中毕业的，尽管两个人20世纪50年代的作品表面上似乎有行动绘画的影子，但两个人并不是抽象表现主义的延续者。

早在20世纪60年代中期，弗雷姆凯斯就开始以波普的风格创作，他把动画书上的形象画在一些经典形式的造型上，比如中国式的将军罐、古希腊的双耳瓶以及祖尼族的印第安碗等，将这些文化符号变成为他自己的“熔炉”系列后，作品既幽默又不失聪明。这样，在古希腊式的双耳瓶上，能看见黑和红的骑自行车的人倚行着缠绕穿过奥兰多—克拉特露天剧场（Volute Krater）；在另一件中式将军罐上奢靡的画面中，山姆大叔在追逐着不同肌肤颜色的裸体女人；在康熙花瓶上绘有爵士乐队在演奏即兴小品等，画面中可以将博物馆和街道场景之间进行诙谐的转换，将漫画书中的图像与两千年前陶工设计的标志性雕像进行移植对比等。这样之所以没有激怒观众，主要是因为呈现在观众面前的这些作品仍然还是通过艺术家的手工制作，而不是像科特勒那样直接挪用（事实上，雷姆凯斯相信古代器皿是被干拉成型的，这使得他在进行这个实践时，手指被干泥刮破而流血不止，痛苦不堪）。最后通过视觉的慢慢渗透，使观众在观看时的视觉很容易接受这一巧妙变化，对一些新观念的对立情绪可以逐渐减弱，最终也使得这类风格作品的创作形式开始逐渐吸引了陶艺家的注意。

普莱斯来自被定义为“恋物癖”（Fetish-Finish）和“洛杉矶视角”（The L. A. Look）的多样性阵营。“恋物癖”是指用比如塑料、硅胶等高端技术和材料成型的一种新艺术风格，最后完成的作品有某种工业物的感觉，而且成型工艺和技巧极高，这类艺术家的作品有罗伯特·欧文（Robert Irwin）的极少主义绘画、爱德华·鲁沙（Edward Ruscha）的广告牌式绘画、罗恩·戴维斯（Ron Davis）的长条形喷溅画、克雷格·考夫曼（Craig Kauffman）安静的有机玻璃浮雕，以及阿伯斯顿（Billy AlBengston）经过小心翼翼处理的喷画等。普莱斯在20世纪50年代的作品还不太引人注意，但在20世纪60年代早期，他开始在杯形和蛋形的形式中找到了自己的声音。没上釉之前，他的蛋形作品可能还会有些像阿普（Arp）风格的现代雕塑，但普莱

上图：
迈克尔·弗雷姆凯斯（Michael Frimkess）
“带盖容器”，1968年
陶，多次上釉，高60厘米

下图：
肯·普莱斯（Ken Price）
“无题——杯”，
1973年
瓷、釉、油漆，高9.5厘米

1 Howard Kottler, quoted by Elaine Levin in the exhibition catalog *Illusionistic Realism Defined in Ceramic Sculpture* (Laguna Beach, CA: Laguna Beach Museum of Art, 1977), unpaginated.
2 Letter from Howard Kottler to Ruth Poris, dated March 3, 1978.

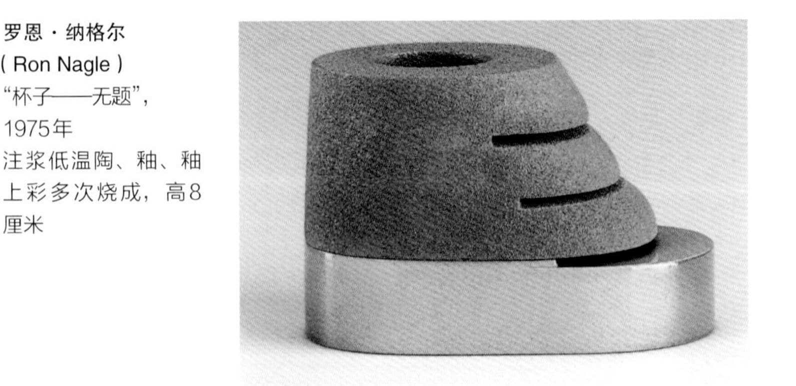

罗恩·纳格尔
（Ron Nagle）
"杯子——无题"，
1975年
注浆低温陶、釉、釉上彩多次烧成，高8厘米

斯用明亮的原色组合将其转化成了性感的后现代主义作品。更重要的是，他越过陶瓷的边界，用汽车喷漆来代替釉，给大众流行文化和消费主义提供了一个新的注脚和范式。

普莱斯在1972年到1974年之间创作了新的系列作品《建筑杯》。这些颇受欢迎的新立体主义、新结构主义范式的物体8～13厘米高，是当时美国陶艺中最具有后现代意味的小奖杯，这些小雕塑使用了艳丽的商品釉色，它们好玩和无忧无虑的造型并没有弱化作品以严肃、智慧的艺术形式出现。这些完美形式完美的作品20世纪70年代在纽约和伦敦参加了许多重要展览，同时也影响了之后的许多人。理查德·史立（R. Slee），另一位重要的后现代英国陶艺家，就是受普莱斯影响的艺术家中的其中一位。

同样是20世纪60年代，罗恩·纳格尔（R. Nagle），当时还是一位在范克思的伯克利圈子里的小顽童（当时他只有20岁）。相对于旧金山湾区的艺术氛围，他发现自己更喜欢洛杉矶，于是在1960年至1965年期间，他频繁进出洛杉矶的费鲁斯画廊（Ferus Gallery），画廊位于希恩格大道（La Cienega），有许多"洛杉矶视角"的艺术家在此展出，其中就包括普莱斯。原本他是期待着看到一些雄壮的抽象表现主义的陶艺作品，但事实上在这里看到普莱斯的《小祖母杯》时，他发现"这位艺术家用杯子在做一个小空间，语言很少但感受很多，并且最终影响了我的思想"[1]。画廊同时展出了一些东海岸的艺术家（沃霍尔在这里举办了他的首次个展，展览上还有一些欧洲的艺术家，包括乔治·莫兰迪）。在一个同时包含有普莱斯的杯子和莫兰迪油画的展览中，那些朴素的写实容器绘画使纳格尔灵感乍现，"如果莫兰迪可以用他终生的时间去画那五六个在桌子上的物体，那我也可以把我的时间花在只做杯子上"[2]——他是这样想的，也是这样做的。要知道纳格尔对流行文化研究很深，除了是一位陶艺家，他还是一位乐手、一位流行乐的作曲家。他曾给明星芭芭拉·史翠珊（B. Streisand）写歌，为电影《驱魔者》（*The Exorcist*）制作音效。因此，除了对流行音乐有着内在的了解外，他同时也是一个参与实践者，这使得他在追踪流行文化的时候，能以从业者的身份获得第一手资料，而不是像大多数人一样从街头寻找信息。

纳格尔有一种把海量信息微化到他的小作品中的能力。他的杯子是一个混合体，综合着许多元素：对日本桃山茶器的热爱、20世纪50年代到60年代汽车设计的许多过人之处等，甚至早期厨房用的塑料及树脂材质表层上的那种"湿滴画"（Splash and drip）商业装饰风格，都会被融入他的对小杯子的审美处理中。有时他会在创作里加一些从他家乡旧金山的"装饰灰泥"（deco-stutco）建筑里吸取的灵感，有时他又在杯子里画上一些建筑内容，有时是造型，有时是建筑肌理。之后他也开始使用花纸和釉上彩，这两者都是陶艺家在快速装饰时使用的工具材

1 Ron Nagle quoted in Barbaralee Diamonstein, *Handmade in America: Conversations with Fourteen Craftmasters* (New York: Abrams, 1983), p.169.
2 Ron Nagle in interview with author, May 1999.

料。他的作品形式变化很多，有时是有机体的造型，有时是精确的几何形，有时甚至他会把杯子的底去掉，这样，它们就变成一个空心的小方柱，而把手则变成一个残缺的雕塑局部。他的作品可以很快从一个系列过渡到另外一个，要想从中截取任何一个来代表他的“化学反应式物体”的风格确实困难，但他的《杯子——无题》(1975)无疑是他最有趣、最简洁的早期美国后现代主义作品之一。这件作品只有8厘米高，却是对纽约充满争议的由弗兰克·劳埃德·赖特(Frank Lloyd Wright)和他最具争议的建筑作品——纽约的所罗门·R·古根海姆博物馆的巨型建筑的直接截取和反讽。

到了20世纪70年代，注意力就转向洛杉矶的乔纳德(chouinard)艺术学院了，尽管此时拉尔夫·巴塞拉(R. Bacerra)、阿德里安·萨克斯(A. Saxe)、彼得·谢尔(P. Shire)、艾尔莎·拉迪(E. Rady)，都还只是艺术学院的学生。一开始的时候，他们还不太显眼，但之后他们创作的“拟亚代”(quasi-Asian)风格的作品及作品题目的指向，明显就已经是针对当时有争议的反现代主义的保守风格，尽管它们仍然保留了原先的技术表达。没有太久，他们的风格开始变得有些激进。巴什拉最后成为系主任，在图案和装饰的技术发展上造诣颇高。他的作品更像是一种特殊的混合体，糅合了日本伊万里(Imari)图案的装饰语言、皇家纳贝希马(Nabeshima)瓷器的高贵气质、版画家埃舍尔(M. C. Escher)视错觉的光学艺术，还有特殊的平面绘画语言及安迪·沃霍尔的版画风格等，是一个快乐至上的集成物，是装饰过度和严格工艺控制的互补结合体。

夏尔从后结构主义几何形的有趣形式中汲取养分，使用明亮的原色创作，使得他成为受索特萨斯(Sottasass)影响的“孟菲斯群体”(Memphis group)中的一员。拉迪(Rody)的作品，类似于香奈儿风格的碗一样尖锐易碎，这可能是装饰艺术运动的理念在后现代陶瓷表达中的某种境界。最后一位就是萨克斯(Saxe)，一位创作出广为人知艺术形式的艺术家。他的作品是重构对宫廷瓷器这一作为权力和特权工具器物认知所做出的思考和复杂感受的反应。他会通过精妙的多层次造型来表达他所理解的陶瓷作为力量和功能象征的概念。这个狂躁的大个子，长着一头红头发的偶像破坏者，却有着非凡的国际影响力。他博学、激情、充满争议，是他在20世纪的最后20年重新定义了陶艺的规则。他使用欧洲瓷厂如迈森(Meissen)、塞弗尔(Sévres)、宁芬堡(Nymphenburg)和切尔西(Chelsea)的产于18世纪的传统产品。萨克斯旁征博引地解释为何这种作品能让他充满创作冲动。他具有修复美学内涵的能力，这个能力使他能把传统皇家陶瓷工厂产品这个曾倍受轻视的陶瓷艺术体系转化，把这些无论在现代主义还是在反现代主义视角里，都被认为是不可救药的堕落陶瓷，引入(当代艺术的)大范畴中。

萨克斯的作品跨越了当时陶艺界两种主要的审美品位，即“乡间别墅”(cottage aesthetic)和“都市宫殿”(pure)式的两种审美，前者诚实、直接，甚至在某种程度上接近纯洁；而后者则被早于萨克斯十多年就出道的科特勒定义为(至少从乡村别墅式的审美的视角)是颓废的、夸张的和过度装饰的，有道德缺陷甚至是堕落的寓意。绝大多数现代主义式的陶艺家作品有着对材质质感的追求和对有机形态的喜爱，“乡间别墅”的质朴审美显然在视觉和感受上多少与此有些类似，所以，在这一点上，就很好理解为什么这些反现代者和现代主义者会成为共同联合起来对抗后现代主义者的人。至于其他怪俗、超物体式的艺术家，使用金银但不是在阿纳森那样讽刺的背景下模仿金属，大多只是为了表达这些表面中最华丽和感性的美。这是在陶艺创作方向的第三种选择。目前为止，在这点上恐怕没有人提出异议。

科特勒曾经尝试过这种游戏方式，但就所使用的幽默程度及用商品化的方式来努力消除对视觉过于刺痛的强烈程度上，很显然应该是萨克斯。他将一种既属于符号学，又有美学属性的金色改造成为表达其美学观念的个人符号。其实他的釉色功夫本来就很高超，就他所烧制出来的经典釉色（比如天目釉和青釉等）的精致程度，并不亚于历史上其中任何一种名釉，而且他知道今天的观众很容易会被作品最明显的视觉表面吸引。但更关键的是他更意识到另外一种情感反应，那就是观众会明晰这些精制背后肯定蕴藏着丰富语义和活力的冲动，这种反应又反过来使他们对只注重表面效果的视觉本能感受感到不安，正如《纽约客》（*New Yorker*）的艺术评论家彼得·施杰达尔（Peter Schjeldahl）所写："这种负罪感的欢愉使得萨克斯的作品呈现出迷人但虚幻的繁荣，像在靠近一只随时准备张嘴咬人的名犬。"[1]他创作过的一些作品表面甚至有5种以上不同的金质釉，每一层都比下面一层细腻，也更有层次。但他却粗暴地将这种珍贵的细腻附着在看似廉价的塑料玩具形象或者屋顶上悬挂着的织锦在随风摇摆的一栋市井小房子上，他也会把一些街头俚语也写进作品中。社会底层对神圣宫殿侵入的冲突场面在他的作品中随处可见，这也是令许多人感到不安的理由。

萨克斯不是一个挪用主义者，从这个意义上看来，他的作品既看起来不像著名的迈森或塞弗尔瓷器，也不像其他那些著名的宫廷瓷器，但他却使用了它们所共有的明亮干净的丰富色块。看似他挪用了些它们的釉，也直接从塞弗尔产品的把手上直接翻模并直接使用过它们的装饰，但所有这些都使得最终的作品呈现甚至比原作还要华丽精制。并且，这样也同时拓宽了原作的意义。就像施杰达尔所指出的那样，他的作品对艺术史的贡献不是在模仿而是"食人族的狂欢"（enraptured and cannibalistic）[1]。这也难怪两位澳大利亚的艺术史家贾斯汀·克莱门斯（Justin Clemens）和马克·彭宁斯（Mark Pennings）决定在维多利亚州工艺博物馆举办一个名为"文化理论和工艺实践"（Cultural Theory and Craft Practice）的研讨会时，他们选择把萨克斯的照片作为他们这次研讨会海报的形象代言人，很显然就是想探寻在后现代主义情景下手工艺空间拓展的可能。

萨克斯和理查德·诺金（R. Notkin）的作品是以政治题材为言说方式，安妮·克劳斯（A. Kraus）探索梦境和叙事，辛迪·科洛齐耶斯基（C. Kolodziejski）却在营造一种奇妙"历史感"的容器，充斥在作品表面是一些荒谬的春宫图或诸如此类的形象等，以上这些都属于一个被施杰达尔制作出来的新鲜名词——"灵器"（the Smart Pot）。就像萨克斯自己在定义这种类型的器皿时划出的范畴："这是一个埋藏有深层含义的物体，有艺术想象表达在其中。在这种想象的深处，所有的文化都可以被吸纳进来。'灵器'本身已经从'纯洁'之处撤离抽身出来，并把它所能吸取到的关于自然和文化的所有信息都牵扯了进来。'灵器'原本自身的意义已经被彻底搅混，以至于最终的混乱和乱象本身重新组合成为新的'纯粹'——一种极致的纯粹。'灵器'把传统意义上对艺术和工艺的特征进行再透视，其结果是在试图揭示对这个价值的困惑，以及揭示这些价值的所指在此刻正如何污染着对价值的使用。"[1]

在20世纪70年代末期，一群纽约的艺术家（尽管其中的大部分人来自加州）在画家扎侃尼奇（R. Zakanitch）的工作室里以"装

---

1 Peter Schjeldahl, "The Smart Pot: Adrian Saxe and the Post-Everything Ceramics," in Jeff Perrone and Peter Schjeldahl, *Adrian Saxe* (Kansas City: University of Missouri, 1986), p.11.

饰-遗传的抗药性（the inherited resistance to decoration）”为题举行了一系列历史性的讨论，最终的成果对装饰理论和女性主义艺术运动的重要性不言而喻，甚至成为西方非主流艺术运动的一个里程碑事件。从这次讨论开始，舆论开始转向如何建立一种新的建筑风格评价体系，以及如何推动“图案和装饰运动”（P&D）上，参与这些艺术理论讨论的艺术家包括罗伯特·库什纳（R. Kushner）、内德·史密斯（N. Smith）和米里亚姆·夏皮罗（M. Schapiro）等。这次运动的中心理念就是认可了才华横溢的艺术史学者艾米·戈尔丁（A. Goldin）所提出的：“装饰不是愚钝的填充，还可以是智慧的留空。”[1]的主张。

从数量上来讲，陶艺家对“新图案装饰运动”参与得不太多，但都有非常重要的意义，比如陶艺家贝蒂·伍德曼（B. Woodman）和陶瓷壁画装饰艺术家科兹诺夫（J. Kozloff）。这些参与的重要性随着策展人约翰·佩雷乌夫斯·塔特姆（John Perreaulfs Tattem）1977年在纽约P.S.1美术馆策划的“图案和装饰运动”展和1979年在费城ICA美术馆举办的“装饰的呐喊”（Decorative Impulses）等一系列重要展览而逐渐呈现出来。随后1981年纽约古根海姆美术馆举办的“美国19位涌现的美术家”展中，有5位“图案和装饰运动”的艺术家位列其中，这反过来又成为“图案和装饰运动”的助推器。还有通过纽约圣所罗门画廊（Holly Solomon Gallery）及其他美术馆等举办的一系列“图案和装饰运动”的展览，都为长期在图案和装饰领域探索的陶艺家直接提供了能量。突然之间，“装饰”，这一长期被认定为只是一种高级工艺技术的“坏品味”的艺术形式，现在忽然开始成了一个充满可敬之处的新的艺术认知理念。

“图案和装饰运动”为小众刊物讨论后现代和陶艺提供了很好的文本资料，特别是乔治·伍德曼（George Woodman）的文章《陶瓷装饰与作为陶艺的概念》（*Ceramic Decorations and the Concept of Ceramics as Decorative Art*）。乔治本人是一个“图案和装饰”运动阵营中的画家，也是陶艺家贝蒂·伍德曼的丈夫，他在1979年纽约州锡拉丘兹（Syracuse）举办的首届国际陶艺大会上宣读了这篇文章。这篇后来被时常引用，以非常清晰和具有说服力的方式点出了装饰的本质所在，即装饰本身既不是被动的，也不是次要的。他甚至预言道：“对年轻而敏感的陶艺家而言，有一种东西会慢慢地变得重要起来，那就是‘装饰的立场’。这可能会是陶艺在吸收外部营养时最重要的东西。（对装饰的）种种忽视错判和要把装饰努力从‘次要’艺术转换成‘主要’艺术的努力等，都是对装饰性质误解的结果，部分原因是文化价值观日益弱化，以及把装饰先入为主地假定为逐渐消亡和做作的文化观这一人为框架下的关键假设造成的”。[2]

站在“图案和装饰”运动这个角度来看，贝蒂·伍德曼是陶艺界最为争议和有影响的传播者。她影响了许多美国和欧洲的艺术家。是这位坚持不懈的女艺术家赋予陶土原始与永恒以新的生命，她的作品在某种意义上是“与功能做一些概念游戏，但不是通常意义上吃饭喝茶时的实用，也不是只在装饰台面上的摆放。它们可以被使用，但是要在一种热情奔放的装饰状态下。”[2]她丈夫乔治·伍德曼对装饰复兴的预言是对的，从20世纪80年代随着拉尔夫·巴塞拉（Ralph Bacerra）以越界的方式对皇家瓷作品的再创作，到菲利普·马贝里（Phillip Maberry）1983年在纽约

---

1 Quoted in George Woodman, “Ceramic Decorations and the Concept of Ceramics as Decorative Art,” in Garth Clark (ed.), *Transactions of the Ceramics Symposium 1979* (Los Angeles: Institute for Ceramic History, 1980), p.106.

2 Quoted in George Woodman, “Ceramic Decorations and the Concept of Ceramics as Decorative Art,” in Garth Clark (ed.), *Transactions of the Ceramics Symposium 1979* (Los Angeles: Institute for Ceramic History, 1980), p.110.

最有争议和探索精神的惠特尼双年展上展出的整房间装饰装置作品，装饰复兴的预言已变成现实。

最后还需要提到陶艺的人物雕塑，这也是现代艺术中曾经敏感的话题。平心而论，在两次世界大战之间的几十年中，那些现代主义雕塑大家很少触碰泥塑人物，这也是可以理解的，毕竟触碰这一时期略显矫情的陶瓷人物雕塑多少会使现代主义者们牙疼。事实上，直到今天仍然还会在一些不喜欢多愁善感的人中看到这种现象的影子。不过也有例外，如卢西奥·丰塔纳（Lucio Fontana）从1925年开始，就始终活跃在具象陶艺创作的现场，另外还有一些“到此一游”的艺术家，偶尔用陶瓷来创作，比如：埃利·纳德尔曼（Elie Nadelman）、野口勇（Isamu Noguchi）、路易丝·内维尔森（Louise Nevelson）等，直到阿纳森出现在我们的视野中，加上新古典主义者史蒂文·德·史泰伯勒（Stephen De Staebler）以他个人特点的创作方式在20世纪60年代也开始直接推动着人体雕塑的发展。玛格丽特·伊斯瑞尔（M. Israel）、帕蒂·藁科（P. Warashina）、迈克尔·卢塞罗（M. Lucero）、彼得·范登伯格（P. VandenBerge），以及杰克·厄尔（J. Earl），还有其他一些在20世纪六七十年代以陶瓷为媒材创作人体雕塑的艺术家等，其中一些艺术家的创作一直延续到20世纪80年代，本书将以他们后来的作品为代表。

菲利普·马贝里
（Phillip Makerry）
《天堂泉》，1983年
陶、多媒材，惠特妮双年展装置

在逐渐升温的后现代人体雕塑中，有一个艺术家需要被重点提出：维奥拉·弗雷（V. Frey）。她从20世纪60年代就开始以人体为主题创作。作为一个湾区艺术家，她也深受阿纳森的影响。她不是怪俗艺术家，尽管早期的作品显露出一些这方面的端倪，但最终她的作品更多带着波普的元素。在20世纪70年代早期，她开始摆弄一些面目狰狞的动物似的雕塑，把自己成名的雕塑人形嘴唇替代成动物嘴唇等。这些雕塑在那时尽管看起来很滑稽，但却已经带有一种令人不安和前卫“人类”的特质。不过之后她开始转向人体雕塑领域。有些是自己塑形，独立完成，而有些则是使用社会学家列维-施特劳斯（Claude Levi-Strauss）称之为“生物碎片”（cultural detritus）的方式，即组合的文化碎片，就是把自己完成的模具与工厂生产、街边小店的雕塑模具混在一起使用。弗瑞着迷于收集这类小造型，她几乎每个周末都会出现在旧金山巨大的露天阿拉美达二手市场，以满足她的这种收藏欲。

对弗瑞而言，跳蚤市场几乎就是一座“教堂”，随处可见的第三世界小国家制造的“廉价”标识、时光转换的感伤、简单的混乱场面等，都在跳蚤市场这个无尽大的平面上被尽情展现出来。（这些混合的杂交场景）在阳光的映衬下，带给她的几乎是一种宗教风格般的质感，甚至就在她之后创作那巨大的（约3米高）人体雕塑时，弗瑞仍然把这种平民色彩当成她最理想的人体雕塑的范式。同时她也对当时被所谓有品位的艺术世界所抛弃的东西所吸引，从她1975年至1977年间创作的作品中可以看出，她运用了那种“数人同时乱涂”的被人蔑视的拼凑形象方式创作，在观众接受了她的这些涂鸦式的斑斓色彩后，她又将其转用到绘画和雕塑作品上，甚至运用模具成形将这些符号立体组装在一起，最终呈现的是一种不同于主流艺术但具有深层异质感和美学特质的另类典范。她充满色彩的作品语言从20世纪70年代晚期开始，无论在形式还是在观念思维上都呈现出明显的后现代主义特质。如果是一个对后现代艺术理念稍显有些强迫症的读者，可以解读为她成功地吸取了许多影响了后现代主义进程的理论家的概念想法，将它们以极端文本和智慧的方式消化进她直观的陶艺人体中，并与她的搭档查尔斯·菲斯克（Charles Fiske）一道，把（后现代主义的）这些概念传授给加州艺术学院奥克兰分校上下几代的学生。

从20世纪60年代晚期到70年代早期，欧洲（主要是英国）出现了另一股后现代陶艺的力量，主要集中在位于伦敦的皇家艺术学院（Royal College of Art）。这所学院在后现代陶艺领域的盛行之前已经有了一些先锋之作，也出现了一些后现代陶艺的重量级人物，德兰·库克森（D. Cookson）是英国最早的波普陶艺家，他在20世纪60年代末和70年代初创作的作品当时被明显低估了，他的那些颇为有趣的陶艺形象，比如坚果、螺钉，或其他的工业物品，是用明显沙子质感的陶泥做的，没上釉没上色，只是纯粹的泥，使这些工业物充满了雕塑的张力。

皇家艺术学院引导了当时被某些声音称之为“新陶艺”（the new ceramics）的现象，这要归功于当时的陶瓷系主任大卫·昆士伯利（D. Queensberry）爵士，昆士伯利接手陶瓷系之初，那还只是一所专为英国大型（但正在缩小）陶瓷工厂提供设计师后备军的主要的“托儿所”。艺术观念在这里不是必备品，手工创作是被禁止的，甚至当时有人开玩笑说如果有谁敢在这里拉坯，就要被拉到肯辛顿的法庭上被千刀万剐。昆士伯利爵士来了之后，很快就意识到陶瓷如果只为工业设计恐怕不能长久，陶瓷设计师的需求在直线下降，而陶艺工作室创作的影响却在一天天扩大。所以，在他的坚持下，尽管陶瓷系依然保持着与工业陶瓷的联系，但教学重点开始转向陶艺教学。当然，他不会瞎变，他觉得尽管“新陶艺”有其内在的优势，但他有些担心这个“新陶艺”会完全取代纯粹的陶瓷设计，而使后者可能成为他称之为“失败的亨利摩尔综合征”（the failed Henry Moore Syndrome）的次等艺术，所以，他鼓励年轻的艺术家不要只从传统工艺中吸取营养，还要从技术领域出发，在陶艺创作过程中给工业技术以一席之地。尽管这些只是一些教学上的经验直觉，也只在他所选择的学生中产生影响，但从他那些20世纪70年代初毕业的学生将在这十年乃至下一个十年间主宰英国陶艺，甚至于以后对英国陶艺发展的统治性影响可以看出，爵士当初的决定英明无比。

皇家艺术学院陶艺系与工业陶瓷联系的价值从当时一些学生的创作中可以看出来：保罗·阿斯布利（P. Astbury）使用各种复杂的模具，用喷砂枪和其他一些处理工业陶瓷的方法处理作品表面，这些在里奇圣经似的《陶者之书》（*A potter's book*）中是看不到的。杰奎琳·庞塞莱特（J. Poncelet）开始从一种高级餐具的工业原料——骨瓷着手进行创作。卡罗尔·麦卡尼科尔（C. McNicoll）在她的偶像赞德拉·罗德斯（Zandra Rhodes）鼓励下，通过充满创新概念的模制拼装技术，创作出完美的作品。例如在一个特邀空间的豪华大沙发上你可能会发现一个怪异的杯子，做工精致。但细看之下，杯底却有人的脚趾露出。格蕾丝·巴顿（G. Barton）用学校特殊的花纸设备来为她注浆成型的朴素的小瓷雕上印出非常精细具体的网格风景图案。英戈博尔·斯特罗布（I. Strobl），一位奥地利平面设计师，使用上述的所有手段来制作了一批极具天赋的后现代主义的作品，他的关注点更多是集中在人类如何将一个动物王国转化成为消费产品目录的主题。

安东尼·本尼特（A. Bennett）将观看陶瓷的观众引入漫画世界，并代之以三维卡通形象的作品示人。他使用了大量的模具，有时候为了达到某种特别坚挺的线条效果，他可以牺牲手的痕迹，摆脱手工造型的工艺外

上图：
卡罗尔·麦卡尼科尔
(Carol McNicoll)
《露出脚趾的杯子》，
1972年
陶，高18厘米

观，甚至直接使用某些特殊的工业化外形来创作他的人体雕塑。而相对高科技的制作方式而言，阿斯布利（P. Astbury）更喜欢相对传统些的制作方式，但他把技术和科幻小说作为创作的出发点，从而创造出一批令人难忘的机器人或其他后工业式的造型。他不仅在造型的细节上使用了一些画满电路图的花纸，而且通过在这些精细的金属零件塑造出表面腐蚀的感觉，揭示了人工智能的日益脆弱。艾莉森·布莱顿（A. Britton），最早开始在学校里制作一些精致的奇异物，但之后她在图案与装饰之间找到了一个创作的空间，波洛克的行动绘画给了她那种非对称的泥片成型作品某种活动的能量。伊丽莎白·弗瑞奇（E. Fritsch）一开始是从皇家音乐学院转学过来的学生，最早的专业是竖琴，之后也成为最成功的陶艺家之一。她对陶艺的最大贡献是把陶艺造型从三维立体中抽离出来压平，然后再赋予造型与画面，（通过调动陶瓷的空间表达来指挥空间，这种）作为在后现代背景下最具智慧的装饰结构的范例，至今仍在冲击着我们的视觉经验。

在相对平静的20世纪70年代，还有许多艺术家先后从伦敦的皇家艺术学院毕业，有马丁·史密斯（M. Smith）、尼古拉斯·霍莫基（N. Homoky）和麦德琳·奥杜多（M. Odundo）等。这批艺术家作品中有两个主要元素给大家留下了深刻影响，首先就是这些作品在有意识地进行着后现代的努力，尽管“后现代”这个词在当时使用的还不多。在当时朋克还没有变得更加虚无、尖刻、哥特式、以毒品使用为中心的时刻，这些头发染得黄黄绿绿，剪的参差不齐的艺术家，将他们的作品视为比任何其他作品都更具朋克风格。考虑到当时对陶瓷理解更多是功能性的大背景下，这些艺术家的作品创作其实是站在文化冲撞的边缘。不过，这还不完全是他们这些朋克作品在当时存在目的的真实关联和指向，因为对朋克艺术家而言，能把两件衣服正常地用针缝在一起就能被当成是有很高的技巧了，朋克对任何工艺美术的爱好者而言不是过分就是乱来，所以，当然不会有任何朋克杂志如《撕裂》（*Ripped and Torn*）、《呕吐物》（*Vomit*）、《鼻胶》（*Sniffin Glue*）等来刊登这些陶艺作品。他们这些大部分出自皇家艺术学院体系的尺寸适中、技巧高超、做工精细的陶艺作品，最终还是很直接地面向了中产阶级中的上层市场。

20世纪70年代中期，我本人就是这所学院一名陶艺专业的学生，我了解这些艺术家的审美、对不同观点的争论和其他问题所在，他们对陶艺来自何处，以及在与陶艺、工艺和美术三角关系中所处的位置有着清晰的认识，他们清楚地知道当代陶艺与陶瓷工艺美术的关联关系，也知道他们正在改变陶艺的理念，从而使之对抗当时所谓的现代

下图：
英戈博尔·斯特罗布
(Ingeborg Strobl)
《鸡与蛋》，1972年
瓷，高10厘米

主义和更为有传统的英式陶瓷。当时最有势力，同时也最为反对这股潮流的声音来自彼得·富勒（P. Fuller），一位终生都是里奇式的艺术批评家。他对这些作品的看法尤其严厉，曾专门针对此类作品撰文批评，认为陶艺被日益忽略掉其“装饰艺术和工艺美术的肥沃土壤，从而走进一个误区。”[1]在富勒的理想中，它应该待在它属于的地方，比如在人们真实生活的厨房里，而不是一厢情愿地掺和到低级的美术圈中。

如果不是英国手工艺协会，皇家艺术学院的学生们前期取得的这些成就很可能不会被当时视觉艺术的雷达发现。维克多·马格里（Victor Magrie），一位颇具慧眼且语出惊人的英国手工艺协会会长，目光犀利、言辞犀利。马格里本人曾是一位陶艺家，知道当时陶艺界需要一些特殊的刺激来促进工艺美术形成新的理念。他大胆地给一些皇家艺术学院毕业不久的学生举办个展，在协会年展上也大胆启用了不少新面孔，在当时很多德高望重的老艺术家都没有获得如此殊荣的情况下，此举引起了极大的争议。所幸无论从这些年轻艺术家早期作品的轰动效应，还是从他隐藏在内心深处激进的个人理念而言，他所选中的这些艺术家看起来是承担他理念的最好人选，可以传递当时他想要打破陶瓷作为乡村田园牧歌式的浪漫器皿印象，能在日益进步和城市化的现实社会中找出一条新的创作之路。

作为当时英国唯一一所开设陶艺研究生课程的学院，毋庸置疑，皇家艺术学院确实主导了整个英国的陶艺发展。但并不是所有的后现代艺术的行为（或一些英国艺术家所称的“PoMo”）都是来自这所学院。仍有一些非皇家艺术学院的学生需要在这里被重点提出；理查德·史立（R. Slee）和安德鲁·罗德（A. Lord），两个先后在1970年和1971年从伦敦圣马丁艺术设计学院毕业的学生。史莱被认为是英国后现代艺术领域最有创新意识的艺术家，他的作品从毕业后一直保持着发展和变化，以对应这个在流行文化中永无止境的乱象世界，这种观念曾给当时的工艺美术界出了一道难题。另外一位艺术家罗德在毕业后就以“横穿”（crossed over）的方式迅速跨入到当时的美术界，这是英国唯一一位完成穿越的陶艺家，从某一方面讲，应该不过分地说他更是一位陶艺的开拓者，虽然作品可以被认定属于后现代主义，但却出于对现代主义大师的崇敬和艺术立场，罗德早期的作品混杂着对荷兰代尔夫特陶瓷的喜爱，选择性地学习了现代派画家静物作品中对阴影、光线和结构的处理方式，作品从谦逊地只放置三到五件静物，扩展到甚至是五十件以上的器皿为一组，使作品呈现出一种毋庸置疑的力量。在完全保持着容器传统支撑的前提下，在充满对现代主义偏见的极端狭隘的独木桥上执着前行。事实上，他的作品和他在后现代艺术中的成就并没有让他赢得作为开拓者的尊重，反而使他成为一个备受争议和批评的人物，即使在后现代主义建制中也是如此。

直到20世纪80年代，欧洲其他国家的陶艺家才开始成为后现代陶艺运动的参与者，本书的作者马克·德尔·维奇奥（Mark Del Viahio）对此有过很好的分析。不过，本书会重点讨论一个艺术家——意大利的艺术家、设计师及建筑师埃托雷·索特萨斯（E. Sottsass）。索特萨斯对陶瓷的喜爱可以追溯到50年前，他在当时甚至直接参与了陶瓷的工业生产及对一些特制产品和限量版陶瓷的设计。直到最近，随着布鲁诺·比肖弗伯格（Bruno Bischofberger）出版了对他陶瓷作品的研究书籍，陶艺界才开始意识到他那时对陶瓷材料理解的延伸和挖掘有多重要。

最后，还有一个关于后现代主义和陶艺方面比较紧迫的话题需要直面来讨论，即专

---

1 Peter Fuller, “Review: Textiles North”, *Crafts*, March/April 1982, pp.49–50.

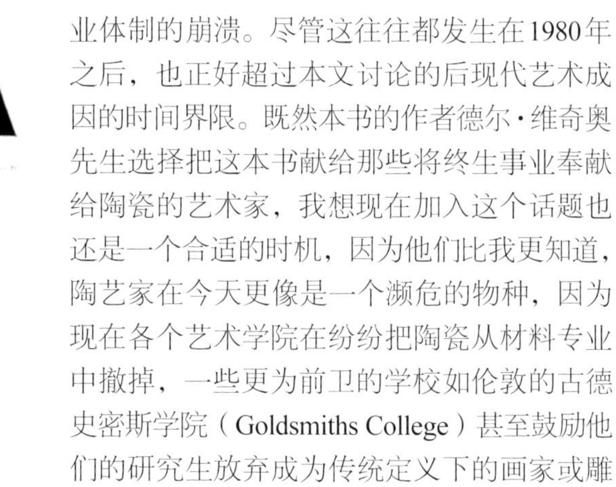

左上图：
埃托雷·索特萨斯
（Ettore Sottsass）
《樱桃》，1972年
陶，高27厘米

右图：
埃托雷·索特萨斯
（Ettore Sottsass）
《人猿泰山》（设计图），
1999年

左下图：
埃托雷·索特萨斯
（Ettore Sottsass）
《贞德》，1999年
设计图

业体制的崩溃。尽管这往往都发生在1980年之后，也正好超过本文讨论的后现代艺术成因的时间界限。既然本书的作者德尔·维奇奥先生选择把这本书献给那些将终生事业奉献给陶瓷的艺术家，我想现在加入这个话题也还是一个合适的时机，因为他们比我更知道，陶艺家在今天更像是一个濒危的物种，因为现在各个艺术学院在纷纷把陶瓷从材料专业中撤掉，一些更为前卫的学校如伦敦的古德史密斯学院（Goldsmiths College）甚至鼓励他们的研究生放弃成为传统定义下的画家或雕塑家，转向成为更自由流动的多媒材的观念艺术家。这显然要归功于是后现代主义的功劳。批评者觉得这可能会把艺术引向艺术玩票主义，而支持者则觉得这种刺激会使工艺美术变得观念优先，而非之前的技巧优先。

这种对材料的开放态度，启发了一些重要的后现代艺术家，他们使用陶瓷并把陶瓷带到他们的创作轨道中。从1930年开始，有很多艺术家开始转向创作和设计陶瓷，经济原因在当时是重要因素。既然美术作品不好销，他们意识到为何不尝试与美术相关的装饰艺术来支撑他们的艺术生涯呢？20世纪50年代，欧洲画家对陶艺产生了浓厚的兴趣，其中，毕加索在法国瓦罗里（Vallauris）镇创作的大量室外陶瓷作品为这个趋势加温不少，还有米罗（J. Miro）、科克托（J. Cocteau）、勃拉克（G. Braque）、塔皮埃斯（A. Tapies）等其他一些现代艺术大师也使用陶瓷创作，这些人的先后参与为陶瓷进入当时艺术世界不断产生出持续的爆炸效应。当然对其中一些艺术家来说，对陶瓷的探索可能只是小试牛刀，但还有一些艺术家认为选择用陶瓷材料进行雕塑作品创作是很严肃的行为，比如在艺术家米罗一生的雕塑创作中，都有陶瓷参与其中。

在后现代语境下，那些不是传统意义上的画家或雕塑家借用陶瓷材料创作的习惯更是由来已久。对他们而言，陶瓷材料早已不是以装饰艺术背景下的使用为目的，像阿尔曼（Arman）、米格尔·巴塞洛（M. Barcelo）、托尼·克雷格（T. Cragg）、托马斯·舒特（T. Shutte）、西亚·阿玛贾尼（S. Armajani）、安东尼·葛姆雷（A. Gormley）、基思·哈林（K. Haring）、杰夫·昆斯（J. Koons）等很多当代艺术家已经把陶瓷作为一种重要材料用在他们的作品中，虽然有些艺术家还在使用陶瓷的传统概念进行后现代语境下的创作，但大部分后现代艺术家是把开放的陶瓷概念作为他们作品中多种媒介的一部分，比如安东尼·卡罗（A. Caro）在创作《特洛伊战争》（*The Trojan War*）、《最后的审判》（*The Last Judgement*）等叙事装置作品时，就把陶土、金属和木材混合使用，呈现出作品所需的庞大的史诗般的气质，也有很多当代艺术家的作品全部是用陶瓷创作。

最近在纽约的一场拍卖说明了这点，杰夫·昆斯的陶瓷雕塑《粉红豹》（*Pink Panther*）被拍出180万美元的天价，这是20世纪陶艺作品从来没有过的天价。更为深远的是，这些在传统陶艺家眼中只是偶尔使用陶瓷材料的艺术家一定不只是“一日游”的概念，他们的参与实际上强化了陶瓷对当代艺术的介入。在经过长期被美术主流市场排除在外后，陶艺终于能踩进这一领域是一件令人高兴的事。陶艺界对此似乎还有些偏见，因为对那些在陶艺圈里已经建立了相当知名度和影响，以及有着稳定价格标准的传统陶艺家来讲，与具有高市场知名度和竞争优势的知名艺术家竞争的挑战也许并不会让他们那么容易激动，但这个冲击对陶艺长远的影响将会使陶艺获益良多。一旦陶瓷成为当代艺术的媒介，这就会使陶瓷材料突破原有的廉价印象，并会在将来逐步打破材料的各种限制。陶艺还没有习惯去挑战那些由更为优秀的艺术家经营了几十年竞争激烈的艺术市场，所以他们要在当代艺术的领域中变得更为专业些来面对生存的挑战。这个压力早就该有，同时也会一直存在。不过对原先陶艺材料的细分和特殊化，也不会在一夜之间消失，就像制作功能器皿的实用陶艺家，不管环境如何变化，它们的生产还会照旧如常，但未来的陶艺世界不太可能还像现在这样一直基于原先保守的理念，如果只专注于传统陶艺教育的排他性，或痴迷于陶艺的技术和过程，不一定会在后现代无界限的世界中存活下来。

反过来说，后现代主义自己在运作了40年之后，在今天会不会已经走到了尽头，这是一个很有意思的21世纪的问题。回望过去，绝大部分的艺术活动只能持续七到十年的时间，现在已经有了大量批评后现代主义的论述。对某些人来说，后现代主义全球化是所有罪恶综合征的罪魁祸首，其核心是消费主义，并以其消费复兴的内心愿望，创造出跨文化的“克里奥尔”（Creolization）现象，即文化间小族群混合生存的合法性。《牛津简明文学术语字典》的作者克里斯·鲍狄克（C. Baldick）将“后现代主义”称为自20世纪60年代以来发达资本主义社会盛行的一种文化状况，并将这种现象视为：“碎片化感受的文化，怀旧风格的折中，一次性的消费模拟，以及混乱丰富的无深度表面”。在这种文化中，经典价值观中关于深度、连贯性、意义，以及原创性等的理解，都被后现代海量空洞信息所产生的随机漩涡所抽离或消解。这无疑概括了后现代主义的大部分特质，他指出：“‘后’作为一个被后现代运动支持者们损坏的一个前缀，已经成为一个贬义词。尽管从高、低艺术的等级被这场运动拉平的事实中，我们似乎看到了某种救赎和平均主义，看到后现代的行动努力已经打破了艺术与工艺之间的分层界限，但同时也能感觉这个努力所付出的代价巨大。直到今天，后现代运动发展为一场消费资本主义，以及信仰空虚者们的狂欢，只为了取悦这个学术名词，率意而不负责任地带来的社会后遗症。”[1]

鲍狄克当然是正确的，但并不意味着我们对此没有疑问。后现代主义制造出最为无耻的陈词滥调的大爆炸，而且，也误读误引了历

上图：
托尼·克雷格（Tony Cragg）
《大教堂、流星、椅子》，1996年
陶

下图：
安东尼·葛姆雷（Antony Gormley）
《欧洲土地》，1997年
德国吉尔美术馆装置

1 Chris Baldick, *The Concise Orford Dictionary of Literary Terms* (London and New York: Oxford University Press, 1990), p.212.

杰夫·昆斯（Jeff Koons）
《粉红豹》，1988年
陶瓷，高137厘米

史的注脚。包括女权主义和概念主义，在后现代主义的庇护下横行霸道的各种主义，以后现代语境下艺术的名义去肆意破坏和践踏美学，且绝大多数缺乏深度，将我们强行按在后现代艺术界关于道德、政治正确，甚至何为生命意义的枯燥的论争中。受其影响，事实上今天已经出现了大量没有实际能力和意义的同化的手工方式。在此概念的另外一层意思下，城市被粉色、蓝色、灰色等燥热和粗鲁比例的建筑充斥着，看起来像是一个个巨型的儿童玩具，扰乱了大部分城市的天际线。后现代主义在最糟糕的时候比现代主义更像是一场视觉灾难，这一点毋庸置疑。现代主义在它最低潮的时期，确实曾导致建筑以一种更容易被忽视的枯燥和无特征的乏味出现，导致了一些人认为现代主义在20世纪50年代后的衰落对城市具有极大的腐蚀性。同时要注意到，查尔斯王子，一位英国最反动的皇家建筑评论者，曾在广播里公开讲过现代主义对伦敦建筑的破坏甚至大于二战时期的大轰炸。

我们会说后现代主义很容易模仿，但最糟糕的是，它丑陋得可怕，庸俗得可怕，尤其体现在建筑规模上。但反过来还有一种事实，那就是后现代主义（对社会）一直都是一剂补药。色彩重新充满了我们的生活，记忆带着不寻常的视角和新鲜感重新回来，对装饰的热爱似乎是人类与生俱来的一种情感，如今已经在社会中复活，建筑也再次向公众展示自我，关于美的观念又在谨慎地重新回来。但最终是什么使后现代主义如此伟大？人们无法对它概括和总结，因为它的无特性和无边界性。因此，它永远也不会产生出现代主义那种令人生畏的或不容异己的、死板的教条主义，后现代主义使身处其中的人各自不同、品行各异。它的理论太泛，所以它建立出艺术王国的次序自由无限，就像法尔尼所言："它代表着无原则的原则。"[1]所以，它挑战了中心化的理论和教条，这有点像网络世界，它的边界无法被限制，以至于最后无法去完全掌控和规定监管。后现代在某种方式上一定会灭亡，但至少不是现在。它喧嚣的生活，也许现在只过了一半，而另一半还在继续。从这一点上看，因为我们的陶瓷已经在这个后现代生态群里留下了记录，所以，我们今天仍然能享用着它的一些成果。同样，这项运动还复兴了今天的创新设计，这是自20世纪60年代以来，设计这一一度停滞不前的领域最重大的进步。

现在，还有一种声音，认为后现代并不是一种独立的行为概念，而只是现代主义自身的一个亚文化群。就像爱德华·罗斯坦（Edward Rothstein）提出的："把后现代文化归于现代主义的水域到底有没有可能？如果是，甚至后–后现代主义都很有可能成为现代主义的一个变体。"[2]事实上，现代主义也是有弹性的，在超现实主义、新现代主义，或查尔斯·詹克斯所谓的"新调制解调器"（New Moderns）[3]等这些运动中，现代主义已经恢复元气并开始以它一贯的进攻姿态出现。我们重新讨论这些现代主义的运动，部分是基于这样一个可能的基础认知，即现代主义者尚未完全实现其美学理想。原先备受诟病的现代主义建筑设计最终在物理实现上之所以并不完美，是因为当时的建筑技术无法满足他们的雄心壮志。今天，已经有足够丰富的系统和新材料来支撑现代主义建筑师创造出他们理想的平滑完整和透明的超验结构。所以，在意识到这一点后，现代主义可以以更加雄心勃勃和完美的形式回归。

但对陶艺来说，后现代主义还是一个充满了未知机遇的理念，它把材料曾被压制的感觉和历史完全改变，就像克莱门斯（Justin Clemens）1999年在阿姆斯特丹的陶艺千年

1 Eric Fernie, op. cit., p.351.
2 Edward Rothstein, op. cit.
3 See Charles Jencks, *The New Moderns: From Late to Neo-Modernism* (New York: Rizzoli, and London: Academy Editions, 1990).

大会上宣读的论文《后现代主义，或容器的碎片》(*Postmodernity, or The Shattering of the Vessels*)中指出的："后现代主义揭示出这样一个事实，那就是在今天，比起其他的选择，艺术总是更多依靠于手工工艺——即，'手工艺是艺术的基本条件，这不能简单地被指责为是美学退化的影子。'"克莱蒙斯相信，后现代性已经导致"美术"和"工艺美术"两者都失去其指向并已错位。经过去资本化和离散的双重打击后，作为"美术"的绘画和雕塑已经失去了它们居于艺术原来中心地位的合法性，被新的艺术门类(比如影像艺术或声音艺术)取代，而原先被排斥在"美术"之外那些基于手工艺的形式，正以其与当代艺术越来越清晰的关联性，逐渐(替代绘画和雕塑)清晰地成为占主导地位的主角。[1]

这一个历史性的机遇，只是只有部分被抓住了。"现在这是一个机会"，克莱蒙斯指出："对于(新的实践和诗学的)陶艺而言，抓住这次机遇不仅仅只是为了建立一个以生产为目的的技术王国。(陶艺)在本质上既不完全认同手的逻辑，也不反对或服从其他艺术的规定，陶艺是一种独特的艺术，在所有艺术中，有着最悠远的历史背景，是全世界所有艺术门类所共有的艺术方式中真正全球化的，它……在今天发现自己处于美学技术创新的前沿。"[1]这一时刻并不一定是艺术运动的顶峰，但一定是新的陶艺概念产生最关键的时期。

对这个问题的讨论在德尔·维奇奥的最后一章"后工业主义"中最为突出。作为对一个刚出现的陶艺形象的观察，很少有书能比本书对后工业主义论述得更为清晰。作为环境主义的一个概念，"交错生态区(Ecotone)"是在描述一个区域内原本相邻的多种生态系统重合共生的现象，比如湿地和森林。在今天这个背景下，用"交错生态区"来观察后工业时代的陶艺作品很合适，这些作品存在于传统工艺和工业技术界限的交汇处，它正在产生新的愿景和新的过程。而这一切都是从两者之间在交换各自擅长的能量中取得的。后工业主义的作品现在对新一代的年轻陶艺家群体已经产生出吸引力，正在逐渐脱离其边缘的属性，成为当代陶艺美学中的主要声音。

本书使用了一个特殊的后现代视角，来检阅归在其名下的陶艺概念。杰出的艺术评论家德尔·维奇奥通过此书，主要关注60岁以下的艺术家和其作品，将后现代陶艺的上述特征组合在一起。德尔·维奇奥和我一起(在纽约)开始建立了致力于推广后现代陶艺家的第一家画廊，这个经历使德尔·维奇奥可以不用像大多数画册的编者那样，坐在办公桌前的幻灯片箱里挑选作品，而是更为直接地参与和联络了这些近二十年来活跃着的艺术家个体和事件。作为本书作者，他曾亲自抚摸过在本书中出现的几乎每一件作品，可能会有一些例外但也不多。他熟悉每一件作品的重量、尺寸，以及它们的肌理等。德尔·维奇奥主张作品应该是展览的主体而不是布置展览的人，所以书中绝大多数作品出现在不同画廊、美术馆和公共空间的约400个展览中时，德尔·维奇奥都参与了它们的设计、顾问或建议，对展览空间把握的能力使得他在这些艺术家中声誉日隆，这也使得本书变得更为不同。通过策划者德尔·维奇奥敏锐的把握能力，书中精选的艺术家代表作品及本书特有的结构使作品在章节之间可以相互沟通、言说，尽最大可能揭示出与艺术家的关联，通过实证而非说教，使本书成为后现代陶艺这一历时几十年至今的艺术运动实际的参考点。

---

1 Justin Clemens, "Postmodernity or the Shattering of the Vessels", in Dawn Bennett, Garth Clark, Mark Del Vecchio (eds), *Ceramic Millennium: Transactions of the 8th International Ceramics Symposium* (New York: Ceramic Arts Foundation, 2000), p.83.

目录

第一章

后现代主义视角

彼得・谢尔（Peter Shire）
迈克尔・杜瓦尔（Michael Duvall）
阿尔特・尼尔森（Art Nelson）
朱迪思・萨洛蒙（Judith Salomon）
罗赛琳・德莱斯利（Roseline Delisle）
马丁・博迪尔森・卡道尔（Martin Bodilsen Kaldahl）
波蒂尔・曼兹（Bodil Manz）
艾尔莎・拉迪（Elsa Rady）
霍华德・科特勒（Howard Kottler）
罗恩・纳格尔（Ron Nagle）

如果将后现代主义理解为一个特定的形式或视角，大多数人会认定关键词是多彩、波普、几何、自我中心、智能，甚至是直白或好玩的等。这种将自身的“外观”赋予明亮的颜色、有趣的形式、友好的图案和明显的时尚，看上去是某种对成人开放的高级游戏室，但隐匿的结构很清楚地是源自现代主义。尽管有着混乱的色彩和对现代主义的各种不敬，但它的根基还是建构在由利特维尔德（Gerrit Rietveld）、诺伊特拉（Richard Neutra）、科布西埃（Le Corbusier）、密斯·凡·德罗（Mies van der Rohe）、格罗皮乌斯（Walter Gropius）等人开创的国际风格的现代主义建筑样式上，不过整体风格由某些后现代建筑师定义得最清楚，即埃托雷·索特萨斯（Ettore Sottsass）、亚历山德罗·门迪尼（Alessandro Mendini）、马蒂奥·图恩（Matheo Thun）、罗伯特·文丘里（Robert Venturi）和迈克尔·格雷夫斯（Michael Graves）这些人，而且以上这些伟大的建筑师也都曾设计过可以被生产的陶瓷，不过真正的后现代陶艺还是出自工作室陶艺家。

彼得·谢尔（P. Shire）是孟菲斯团体成员，这是一个由索特萨斯以米兰为基地创立的权威的建筑合作组织，成员中包含了上文提到的大部分建筑师。这些人相互协助工作，是一个很明显的后现代主义结合体的团体。作为孟菲斯团体的成员之一，谢尔创作了很多家具和陶艺作品，并影响了该团体成员对“土和火”的态度。这位洛杉矶人的作品各个部分中大多是相互独立的小单元，正如他那件最著名的作品《移动管道式的蝎子》显示出他在受众多现代主义概念影响中对俄罗斯结构主义艺术的偏爱。同样迈克尔·杜瓦尔（M. Duvall）作为这个风格最好的例子也捕捉了建筑语言中“远观”的特性。用了大量的单色来给他异域风格的集合结构带来了一个新的定义。

纠缠在一起的玩具、鲜艳的小丑屋，这些在今天儿童游戏室和育婴房里司空见惯的范式，在当时也进到了湾区艺术家阿尔特·尼尔森（A. Nelson）视野里，她的《器皿蜕变》系列就受此影响，用一种同时有着内外双层造型的拉坯绝技，将坯体拉成大尺寸的罐中罐，这些堆积在一起转动的器皿引导着观众不仅是视觉上的观玩，同时也挑战着来重组这些视觉图腾物的冲动。与此相类似的是另一位美国艺术家朱迪思·萨洛蒙（J. Salomon）也在创作类似的单纯和青春风格的作品，她的作品乍之下外观朴素，只是以低调的色彩鲜艳的薄片搭建起来的风格作品。但在近距离端详之下，却能看出她把泥板上组合在一起的釉多么滋润和响亮。

出生在加拿大的罗赛琳·德莱斯利（R. Delisle）一直钟情于使用纯洁的白瓷色和画家伊夫·克莱因（Yves Klein）的蓝和黑类色系。她的线型拟人化的造型会把我们带回到20世纪20年代德国包豪斯未来主义式的奥斯卡·施莱默（Oskar Schlememer）[1]的芭蕾舞舞蹈设计或者意大利陶瓷设计师索特萨斯1956年在陶瓷设计系列中带出的某些情感中去。

丹麦人马丁·博迪尔森·卡道尔（M. Kaldahl）也有关注线型的嗜好，与德莱斯利的作品中将线引向人体轮廓上的方式不同，卡道尔作品唤起了对建筑结构的思考。他会把两种层次协调地放在一件作品上，一方面是单色系中可以垂直向上的塔状形，另一方面则是饱满强烈的条纹状，以平行的方向向外扯动，动与静、横与竖的完美结合强化了他作品中蕴含的二元意味。

1 奥斯卡·施莱默（Oskar Schlememer）：包豪斯雕塑和绘画教授，主张艺术的“平衡与和谐”。前卫艺术的导师，曾设计导演木偶系列“三人的芭蕾舞”显示了他对抽象运动感的追求。

上图：
彼得·谢尔（Peter Shire）
《移动管道式的蝎子》，1984年
陶，高41厘米、宽62厘米、长30厘米

下图：
彼得·谢尔（Peter Shire）
《角落》，1986年
陶，高24厘米、宽30厘米

迈克尔·杜瓦尔（Michael Duvall）
《有盖结构的变形》，1986年
陶，高46厘米、宽26厘米

上图：
阿尔特·尼尔森（Art Nelson）
《器皿蜕变》，1984年
陶，高38厘米、宽43厘米

下图：
朱迪思·萨洛蒙（Judith Salomon）
《橙色信封》，1987年
陶，高26厘米、宽46厘米、长23厘米

上图：
罗赛琳·德莱斯利（Roseline Delisle）
从左至右：《菱形14》，高15厘米；《肺炎系列45》，高28厘米；《肺炎系列42》，高18厘米；1988年
瓷

下图：
罗赛琳·德莱斯利（Roseline Delisle）
3个瓷质器皿及绘图，1994年在洛杉矶加思克拉克画廊展出

上图：
马丁·博迪尔森·卡道尔（Martin Bodilsen Kaldahl）
《黄色器皿雕塑》，1997年
陶，高27厘米、宽53厘米

下图：
马丁·博迪尔森·卡道尔（Martin Bodilsen Kaldahl）
《条状器皿雕塑》，1995年
陶，高26厘米、宽48厘米

另一位丹麦艺术家波蒂尔·曼兹（B. Manz）则把上文提到的所有元素都组合到一起并引入了更多细节，她的作品无疑是细致的——许多筒状作品的立面因为极薄以至于在光线下透明的如同蜡纸。不过这个脆薄只是一个假象，曼兹作品结实饱满，但她似乎并不只想把她的作品流于探索瓷泥透明度的这一普通研究，她尝试着将图案画在器物外部时也把它们延伸到器皿的内部，内部的图案映衬在外部的图案上，在透明的光线下像是一个多重的影子。这使得观众的视觉体验在注视着器皿外部装饰的同时，会自动透过器皿进到它的内部。有时她作品的造型颇为简单，只是一个注浆成型的筒状造型，但经过烧成后每一个都因为坯体的厚薄不一，在烧成中变形，最终造型没有一个相像。而且这些造型在经过她用特殊的图案装饰过之后，已经变得更为多样，曼兹以特有风格的线条、色彩、图案，以及几何图解式的方法，将这些蔓延内外的线和面用提前印在花纸上的方式，粘贴烧制在她的器皿之上。她也使用商业用途的花纸，但会精确地剪切过。艺术家的目的是想远离那种手感式的绘制感觉，从而进入一种工业设计感的冷静之中。

左图：
波蒂尔·曼兹（Bodil Manz）
《筒形》，1993年
瓷，高21厘米、直径20厘米

右图：
波蒂尔·曼兹（Bodil Manz）
《筒形》，1995年
瓷，高22厘米、直径24厘米

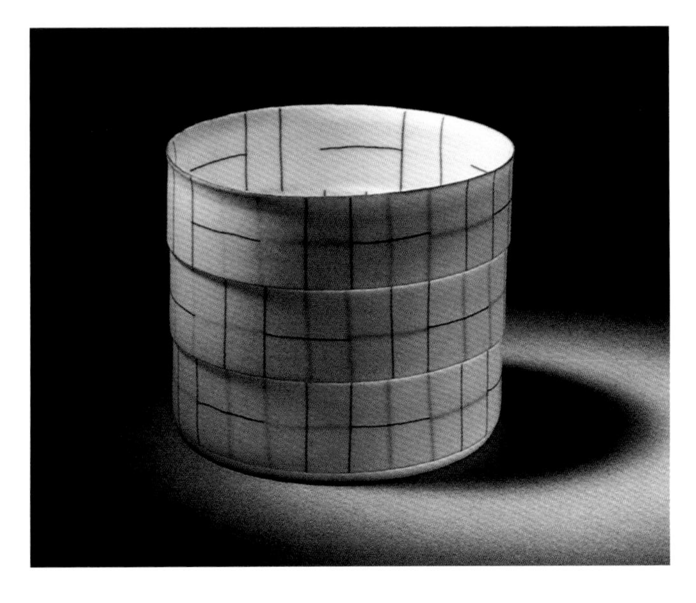

波蒂尔·曼兹（Bodil Manz）
《两个筒形》，1995年
瓷，各高28厘米、直径26厘米

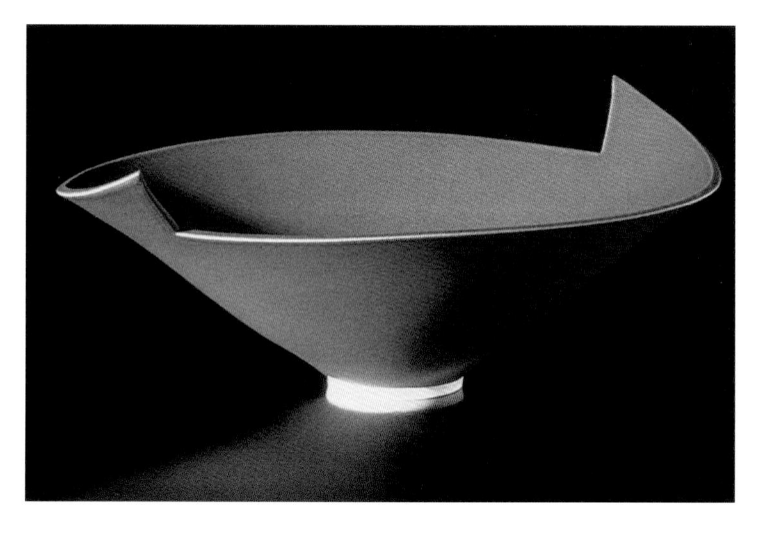

上图：
艾尔莎·拉迪（Elsa Rady）
《蓝翅碗》，1981年
瓷，高10厘米、宽34厘米

下图：
霍华德·科特勒（Howard Kottler）
《玩伴器物》，1987年
陶，高56厘米、直径40厘米

“艺术装饰运动”（Art Deco）和早期现代主义的设计对后现代主义的视角一直产生着隐性的影响。从艾尔莎·拉迪（E. Rady）的《蓝色飞行物》中可以让人联想到20世纪20年代，一个优雅和简约风格化的时代。她在加州威尼斯工作室创作的作品明显带有这种古典的痕迹和精工裁剪的香奈儿套装式的影子。而另一位后现代主义陶艺的先锋霍华德·科特勒（H. Kottler）虽然在1989年英年早逝，但他曾是“艺术装饰运动”的狂热分子，从手袋、20世纪30年代日本则武（Noritake）骨瓷，以及其他与“艺术装饰运动”的相关物等，他都收藏得相当完整。“艺术装饰运动”对他作品的影响最早可追至20世纪60年代他对作品“信号城市”（Radio City）的表面处理方法，同样也出现在之后他更具风格化的以重启阳物崇拜为关注点的系列作品中。

霍华德·科特勒（Howard Kottler）
《大跳跳兔器物》，1989年
瓷，高73厘米、直径36厘米

罗恩·纳格尔（R. Nagle）是后现代主义领域里聪明艺术与恶搞行为的高手。他是波普—抽象主义的中心人物，尽管他自嘲式地称自己为一个“白魔鬼式的形式主义者”。如果不是理解错误的话，在20世纪60年代早期，他先是一个古典主义的顽童，在由范克思（Peter Voulkos）引领的席卷全美的抽象表现主义运动中，纳格尔最早几年也曾有过几件像样的表现主义作品，但很快他的作品就以最喜爱的具有波普元素的纯色风格出现：如冲浪板、20世纪50年代的汽车翼、二战前旧金山的“水泥装饰”“deco-stucco”建筑、批量使用的地毯上的图案等，加上他把低温彩绘与釉合成的那种超级色彩变化的能力等。除了肯·普莱斯对纳格尔产生了巨大影响外，纳格尔在1963年前往洛杉矶费鲁斯画廊（Ferus Gallery）去观看欧洲画家莫兰迪作品展览的一次旅行注定是他创作的一次转折点，这次旅行使他定下心来让自己成为就着眼于只作几个小小主题的艺术家，比如说只做杯子，从此他开始史无前例地开始经年致力于探索这些小造型。正如艺评家大卫·海奇（David Hickey）在1999年《艺术前沿》（*Art forum*）杂志上撰写的文章中提到的“假如法贝热（Fabergé）[1]就生活在加州，喜欢吃墨西哥菜和冲浪，也被注入了波普艺术的智慧，我想说的是，即使在他最天才的那个阶段，他也不能和今天的纳格尔相提并论。”

左图：
罗恩·纳格尔（Ron Nagle）
《眼疾》，1999年
瓷、釉上加色，高17厘米、宽10厘米

右图：
罗恩·纳格尔（Ron Nagle）
《树干与缠枝》，1998年
低温陶、釉上加色，高10厘米、宽13厘米、长6厘米

1 法贝热（Fabergé）：俄罗斯裔世界现代珠宝设计大师。设计作品以用色唯美鲜艳，用料精工完美而闻名西方上层社会。曾为俄国皇室设计“帝国复活节彩蛋”、水晶瓶中的珐琅玫瑰、结婚时的王冠等。1903年法贝热在伦敦开设分店，后为英国王室成员定制作品，例如为英国国王爱德华八世宠物犬为原型的玉髓雕件等。

罗恩·纳格尔（Ron Nagle）
《与萨蒂同行》，1998年
低温陶、釉上加色，高8厘米、
宽18厘米、长4厘米

第二章
后极少主义

阿莱夫・埃布基亚・塞斯比（Alev Ebüzziya Siesbye）
沃特・达姆（Wouter Dam）
托马斯・纳瑟（Thomas Naethe）
弗里茨・罗斯曼（Fritz Rossmann）
芭芭拉・卡斯（Barbara Kaas）
迈克尔・克莱夫（Michael Cleff）
尼古拉斯・雷纳（Nicholas Rena）
肯・伊斯特曼（Ken Eastman）
马丁・史密斯（Martin Smith）
麦德琳・奥杜多（Magdalene Odundo）
深见陶治（Sueharu Fukami）
吉川雅道（Masamichi Yoshikawa）
戈尔特・莱普（Geert Lap）

有些观点认为后现代艺术从20世纪50年代就开始显现，另外一部分人则认为后现代是在之后20世纪60年代紧随着托尼·史密斯（Tony Smith）、卡尔·安德烈（Carl André）和唐纳德·贾德（Donald Judd）等这些人的极少主义艺术活动后逐渐浮现的。我相信两种观点都是正确的，极少主义的确构成了现代主义最后的亮点。但与此同时，还有一些20世纪50年代的作品，特别是索特萨斯的陶瓷作品，他那些把所有风格元素堆砌起来的作品不久之后成为后现代主义艺术的一个标志。尽管稍显混乱，但极少主义的确对后现代的形态产生了强大的影响。就以下作品的讨论应该可以证明，后极少主义是所有现代陶瓷艺术中最为令人满意的形式之一。

尽管陶艺家总和“少即是多（less is more）”的论调有着密切联系，但这并不意味着就对原始的乡村风格陶罐审美的认同。在原始村落中被简单烧制出来的很少装饰润色的陶罐很明显工艺简单，在不牺牲形式美的情况下节约了更耗时的外观处理（似乎应和了现代主义的口号）。然而，对于现代陶艺家来说，简化的美学不应该被这么简单地理解，它应该是通过精心控制来实现。火有一种释放表现主义性质的倾向，柴烧釉灰的点、橘红的火色斑、窑汗、金属质感、陶体边缘的釉面裂痕处的色彩变幻等，这些都可以创造出极少主义者所憎恶的丰富多彩的表面。这些艺术化的表面在陶艺家这里都可以被承认，但必须要小心地加以抑制。烧成时需要仔细控制已经成为一种趋势，这个尺度的掌握需要严格的平衡，抑制太多，作品会缺乏生命力，反之，材料运用过于自由，作品纯净的张力将可能会消失。

世界主义者阿莱夫·埃布基亚·塞斯比（A. Siesbye）出生于土耳其，她在丹麦学得如何制作陶瓷，在巴黎设立了工作室。她是第一批“新”极少主义艺术家之一。早在20世纪60年代，因其承诺只做同一种器形作品的极其严苛的创作态度，震动了丹麦的同事们。她的标志性的碗型在她整个艺术生涯中只有过细微的修改，通过修正碗底下面那些极小的足（最大的直径不超过4厘米），使得碗在桌面平放时，可以提供出视觉上漂浮的感觉。但她并非像荷兰艺术家戈尔特·莱普（G. Lap）那样做极端的减法，某种程度上她还是在探索材料的触摸感和材质表现的质感，这些都是正统的极少主义希望抑制的，但在后现代主义这里却成为改变游戏规则的表现方式之一。塞斯比会将薄瓷条添加在作品上，可能是一条，有时候也会是两条，镶嵌在器物颈部和唇部间的陶泥上，用以提示和庆贺粗砂质陶泥质地的感官感受。

左图：
阿莱夫·埃布基亚·塞斯比（Alev Ebüzziya Siesbye）
《蓝紫色的碗》，1984年
陶，高17厘米、直径21厘米

右图：
阿莱夫·埃布基亚·塞斯比（Alev Ebüzziya Siesbye）
《带条带的无名碗》，1986年
陶，高22厘米、直径27厘米

荷兰艺术家沃特·达姆（W. Dam），采用了和塞斯比类似的设计。他在器皿上布满浓烈饱和的单色彩釉，但在器皿边缘留出陶泥质地，以此来调动器皿形式上的视觉兴奋点。他作品的与众不同之处在于他抛弃了传统的容器造型形式，将器皿翻起来，把陶器通常意义上的底座除掉，只留下一个管状通道，器物两端的口都开放着。这时，除了这些作品仍然有着器皿一样的形式外，还允许视觉可以通过任何一端（通常器皿只允许一个口部），最终使环绕包裹起来的空间与周遭空间有所关联。作品同样也在暗示观众可以对自己进行拟人化的想象，在不需要明确跨越抽象或文本边界的前提下，赋予器身部分身体感官的想象。

托马斯·纳瑟（T. Naethe），德国艺术家，他的作品利用了陶泥砂质本色特殊的肌理感，使观众可以在视觉上意识到粗陶的独特气质。只是他的作品以更粗糙、更自信、更具质感的方式来体现出这一点。

上图：
沃特·达姆（Wouter Dam）
《带白线的黑色形体》，2000年
陶，高27厘米、宽29厘米

下图：
沃特·达姆（Wouter Dam）
《蓝形》，2000年
陶，高30厘米、宽33厘米、长26厘米

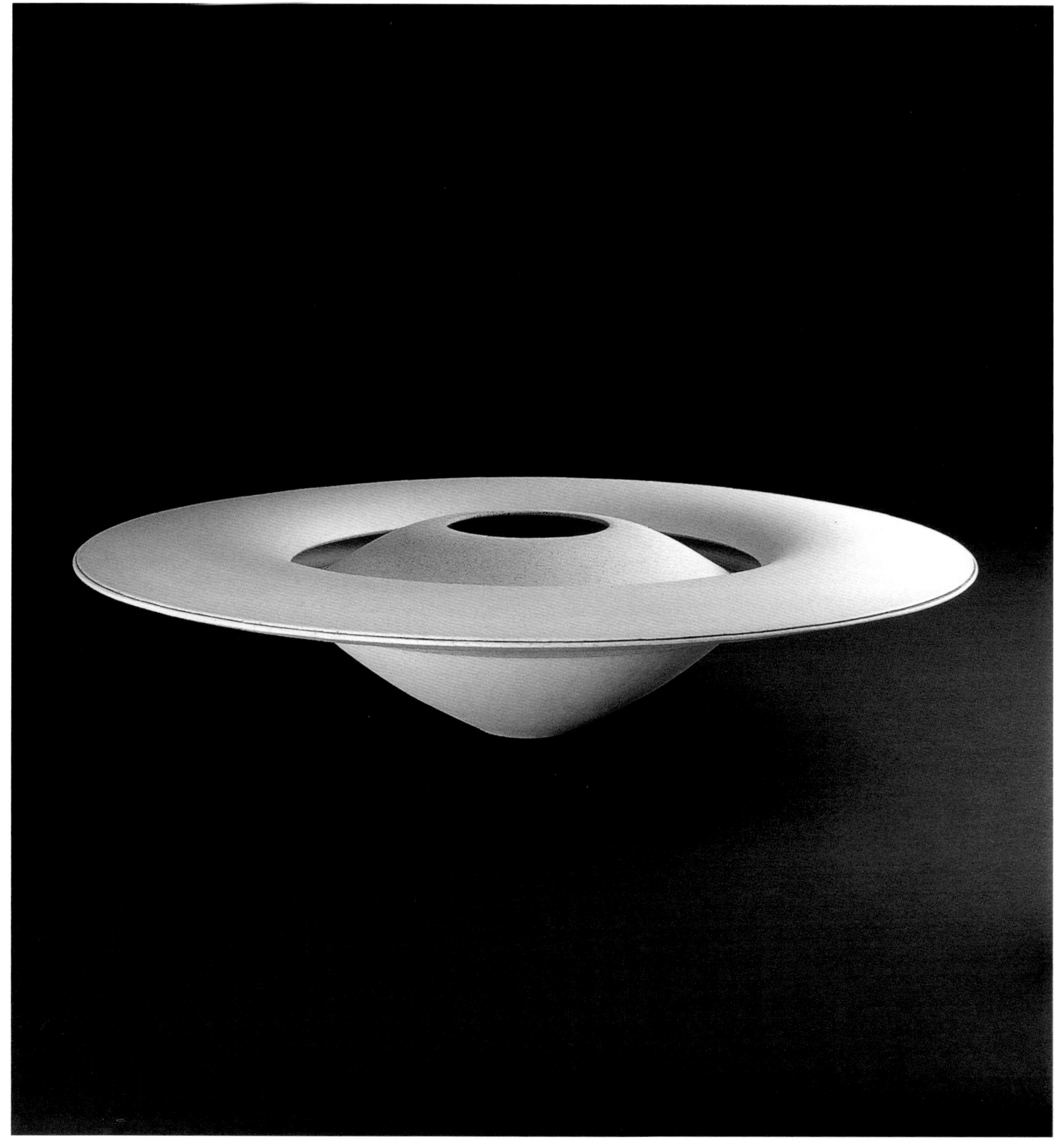

本页图：
托马斯·纳瑟（Thomas Naethe）
《器皿 Nr.2》，1995年
陶，高14厘米、直径65厘米

下页图：
托马斯·纳瑟（Thomas Naethe）
《器皿 Nr.4》，1999年
陶，高26厘米

弗里茨·罗斯曼（F. Rossmann）是德国格伦豪森陶艺社（Keramikgruppe Grenzhausen）的成员之一，这是个非常成功的陶艺合作体，由六位年轻艺术家建立的集工作室、画廊和其他共享设施的综合体。这个团体经常联展，虽然他们不坚持共同的审美观，但他们的作品是互补的。其中几位艺术家被本书收录在后极少主义的范畴中，罗斯曼就是其中之一。他只用黑白两色来进一步实现对作品的简化，不仅去除了色彩引发情绪性联想的某种必然性，还卸下陶器上釉后所可能暗示的文化历史包袱，这些作品是对形式、材质和表面效果进行非常智慧的处理时各种感悟的承载。

弗里茨·罗斯曼（Fritz Rossmann）
《双瓶》，1998年
陶，左：高52厘米、直径25厘米；
右：高34厘米、直径15厘米

芭芭拉·卡斯（B. Kaas），另一位德国格伦豪森陶艺社的成员，在她白色平面化的造型中谨慎地使用黑色线条勾勒来强化其轮廓。她的工作室同事迈克尔·克莱夫（M. Cleff）也在自己的作品中以线条作为视觉锚，和卡斯不同的是他用更柔和含蓄的态度来对待材料。克莱夫那件赢得意大利法恩扎第50届国际陶艺竞赛大奖的作品选择了用温暖、传统的志野釉做基底，器物表面还原烧成后釉色饱满和多变。同时，艺术家为了打破纯釉色的自然，使用纤细优雅的钴蓝色线条，将观赏者的眼光引到器皿表面提前压好的各个小孔中。加思·克拉克（Garth Clark）在《陶瓷艺术笔记》（*Ceramic Art Notes*）中，将克莱夫的作品描述为：犹如17世纪日本志野陶人与极少主义画家阿格尼丝·马丁（Agnes Martin）的爱情结晶（马丁画作以将悬浮的线条以表格样的条状排列为人所熟知）。

上图：
芭芭拉·卡斯（Barbara Kaas）
《意义的容器》，1997年
陶，高40厘米、宽29厘米、长7厘米

上图：
迈克尔·克莱夫（Michael Cleff）
《无题》，1997年
陶，高23厘米、宽16厘米、长9厘米

上图：
马丁·史密斯（Martin Smith）
《盘子#2：红在黄之上的灰色》，1983年
低温陶、化妆土，高10厘米、宽33厘米、长33厘米

下图：
马丁·史密斯（Martin Smith）
《移位和叠进》，1986年
低温陶、石板、金叶，高31厘米、直径36厘米

艺术家尼古拉斯·雷纳（N. Rena），肯·伊斯特曼（K. Eastman）和马丁·史密斯（M. Smith）三位除开都生活在有着守旧克制基因传统的英国外，还有其他相似之处，那就是他们都毕业于伦敦的皇家艺术学院。史密斯现在是艺术学院的教授，雷纳是他的学生。最后，就像在先前内容中简要提到的，他们都在陶土和建筑中找到了共生和灵感的纽带。

肯·伊斯特曼（Ken Eastman）
《无标题的器皿》，1990年
低温陶，高20厘米、宽24厘米

从20世纪80年代开始，史密斯就被意大利文艺复兴时期的建筑深深吸引，特别是在他1984年用切割成薄片的砖块装配的盘子系列造型中，反映出他对这种帕拉迪奥式（Palladian-style）风格的古典建筑中露天广场和庭院的迷恋。他目前的作品也同样保持着和建筑物的联系，他将工业红瓦陶切割并用喷砂磨出犹如朱红色天鹅绒般的质感，然后在作品内表面加上了金箔和银箔，把日常的朴素器物染了一层华丽的光晕，从而令人惊叹地触及了享乐主义的色彩，用视觉强迫和诙谐对照的方式对世上最普通的建筑材料——红陶瓦片做出某种反讽。这也是为什么主张新极少主义的元老——建筑师约翰·包森（J. Pawson）作为《极少主义》（*Minimum*）一书的作者，会特意在1996年的鹿特丹为史密斯策划回顾展，就是在给予史密斯为极少主义理念提供推动力的肯定。

伊斯特曼的陶瓷作品表面虽是画上去的，但他尽可能避免使用会让作品有太多装饰性的色彩。不管从他早期略显复杂的器型，还是现在更具有雕塑感的作品，都保持着土质色调和节制的色彩关系，所以作品的色彩不是沉闷而是庄重。雷纳在1993年进入皇家艺术学院成为陶艺家前曾是位实习建筑师，相比他另外两位英国同学，他的作品和建筑的关系最直接，以宽阔的方形泥片组成作品厚重的墙壁，带出一种要拥抱地球似的重量质感，作品也在三人中显得最为大气。因为作品表面在烧制前已经上色和打磨过，发出类似玻璃的光泽。远观时，雷纳的器型表面平坦且整体呈浅色，有深蓝、栗色和肉桂色的倾向。当近距离观察时，可以看出器物表面的微妙斑纹，兼备深度和运动的双重变化。

本页左图：
尼古拉斯·雷纳
（Nicholas Rena）
《待命姿态》，2000年
抛光低温陶，高36厘米

本页右图：
尼古拉斯·雷纳
（Nicholas Rena）
《无题》，2000年
抛光低温陶，高50厘米、直径26厘米

下页左图：
麦德琳·奥杜多
（Magdalene Odundo）
《无名器》，1997年
抛光低温陶，高46厘米、宽28厘米

下页右图：
麦德琳·奥杜多
（Magdalene Odundo）
《无名器》，1997年
抛光低温陶，高45厘米、宽28厘米

麦德琳·奥杜多（M.Odundo）抛光的陶罐和雷纳的作品有些相似的效果，不同的是她用最古老的方法——光滑的石头和其他工具来对陶器表面进行打磨抛光。奥杜多也是位从皇家陶瓷学院毕业的英国陶艺家，但她更多是从她的非洲根系（她在肯尼亚出生）中吸取灵感，她的陶罐有着她所赞赏的非洲撒哈拉以南地区泥条成型的容器所携带的纯净和优雅的传统气息。然而她并没有停留在详述与种族相关的历史关联，而是由此入手，用抽象、简化和夸张等手法来改变容器的腰、足、肩、颈和口部之间的常规关系。最初她使用熏烧来创作出陶器丰富且光泽的表面质感，现在她则关注于以非常纯粹的类似于黑色瓜形的单色表面来创作。

深见陶治（Sueharu Fukami）
1995年在京都画廊的展览场景

经典的青瓷源于中国的宋朝，它的出现是为了模仿玉石这种被中国人珍爱的类宝石。就颜色而言，青瓷的色调有很多变化，从近乎透明的釉色，到只有一点灰色、绿色或蓝色，到更深层次的颜色，如翡翠绿、淡天蓝和烟熏灰色等。作为青瓷的顶峰，宋瓷以朴素和卓越的半透明色深深震撼着后世的陶人们，并在极少主义中的视角中呈现出前所未有的力量。日本分别从中国和朝鲜引入了青瓷，最后却成了最为精通青瓷的国家。深见陶治（Fukami Sueharu）和吉川雅道（Yoshikawa Masamichi）是两位日本当代出色的青瓷大师。深见追求泥板成型的钵型和花器纯净的表面，就像在他命名为《刀锋》的大型雕塑和其他类似图腾崇拜形式的作品一样，他的器皿形状极其化繁就简，如同他作品的釉色一般追求洁净无瑕，甚至只是影响他作品润滑表面的微小瑕疵都不能被允许。吉川雅道从立体主义和构成主义中吸取灵感，制作的钵形看似结构复杂，但随着澄净的青釉覆盖在他白色瓷土构成的架构上时，最终会把视觉上的复杂结构统一成一个整体。

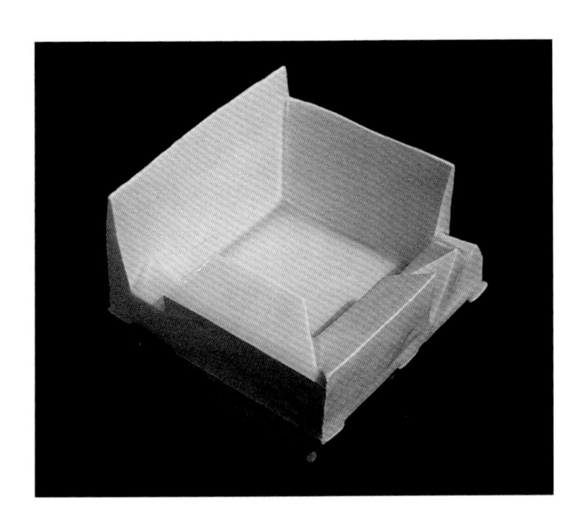

上图：
深见陶治（Sueharu Fukami）
《对盒子的想象（展开）》，1995年
瓷，高20厘米、宽13厘米、长12厘米

下图：
吉川雅道（Masamichi Yoshikawa）
《一个开放空间》，1998年
瓷，高15厘米、宽30厘米、长31厘米

作为最顶尖的极少主义陶艺家，戈尔特·莱普（G. Lap）被众多陶艺家崇拜。他的作品在圈内已经成为某种被确定的符号，就连艺术家朋友们也抢着收藏他的作品。他的崇拜者五花八门，从可能有联系的画家克利，到不太可能有联系的观念艺术家奥森伯格。这个来自荷兰的艺术家创作的器皿造型如同极少艺术家唐纳德·贾德（Donald Judd）做的雕塑。由于他为人低调喜静，所以从未试图宣扬自己的艺术风格或鼓励学校以其个人的审美观作为基础教学。尽管如此，他还是通过他的代表作品和成就赢得了在陶艺领域的地位。他的陶质作品通常先用拉坯方式精确地拉出十几个一样的造型，最后，确定一个最接近想法的造型后，把其余的砸碎。他先在泥坯上上色，再配合“拉达”色浆完成表面效果（拉达是一种把化妆土沉淀后介于水和土之间的混浊层，低温烧后会呈薄薄的釉质感的透明液体），这样，烧成熔化后的拉达透明色浆可以成为泥自然真实的色彩，不像后期添加上去的釉或化妆土的表面。

本页上图：
戈尔特·莱普
（Geert Lap）
《蓝色器物——无题》，
1991年
高47厘米
《黄色器物——无题》，
1991年
陶，高46厘米

本页右图：
戈尔特·莱普
（Geert Lap）
《黑器》，1993年
陶，高31厘米、直径22厘米

下页图：
戈尔特·莱普
（Geert Lap）
《丰富的白色器皿》，
1997年
陶，高79厘米、直径76厘米

第三章
图案和装饰

贝蒂·伍德曼（Betty Woodman）
乔伊斯·科兹洛夫（Joyce Kozloff）
菲利普·马贝里（Phillip Maberry）
杰奎琳·庞塞莱特（Jacqueline Poncelet）
艾莉森·布莱顿（Alison Britton）
瑞克·迪林汉姆（Rick Dillingham）
古斯塔沃·佩雷斯（Gustavo Perez）
北村顺子（Junko Kitamura）
詹姆斯·劳顿（James Lawton）
加里·迪帕斯夸尔（Gary DiPasquale）
拉尔夫·巴塞拉（Ralph Bacerra）

本页图：
贝蒂·伍德曼（Betty Woodman）
《丹佛到拿波里的某一处》，1992年
在费城当代艺术中心的展览装置

下页左图：
贝蒂·伍德曼（Betty Woodman）
《江户瓷枕罐》，1997年
陶，高61厘米、宽71厘米、长56厘米

下页右图：
贝蒂·伍德曼（Betty Woodman）
《动脉口》，1986年
陶，高67厘米、宽43厘米、长43厘米

1977年在纽约P.S.1美术馆举办的“图案和装饰”展和1979年在费城当代艺术研究院名为“装饰的呐喊”(Decorative Impulses)的展览改变了图案和装饰的世界。装饰从被归类到传统工艺美术中，到被承认为是一门严肃艺术，也许是后现代艺术跨越现代主义教条的最大一步。因为如果要在一批现代艺术家中找出一个共同点的话，那就是他们都不喜欢具有装饰性，可陶艺家们从未放弃过在现代社会中这一不受重视的表现语言，这也是陶瓷这一媒介材料被现代美术边缘化的因素之一。因此，“装饰”这种曾经被认定是矛盾的概念一旦得到学术界的认可，就被赋予了一个新的合法化的当代标签和一个未来。

“图案和装饰运动”是1970年被一群艺术家以这次运动的英文首字母组合冠名为“P&D”运动正式发起的，它的创始人包括画家罗伯特·库什纳(R. Kushner)、米里亚姆·夏皮罗(M. Schapiro)和罗伯特·扎侃尼奇(R. Zakanitch)等。这个运动同时也有女权主义的主张，因为这场运动为普通的手工艺，特别是为被视为女性符号的一些手工艺门类提供了一种认可方式，为之开拓了一个更为兼容的特别视角来欣赏女性的作品。比如朱蒂·芝加哥(Judy Chicago)极富争议但大获成功的大型协作装置作品《晚餐》，作品中有低温彩绘描画的餐碟和刺绣餐垫，并秉以修正主义式的视角审视女性在历史中的角色。朱蒂·芝加哥虽然不是这个团体的成员，但确实也是这次图案装饰运动创造出的(女性)新自由的受益者。

参与著名的“P&D”运动的两位纽约艺术家贝蒂·伍德曼(B. Woodman)和乔伊斯·科兹洛夫(J. Kozloff)都是陶艺家。而贝蒂·伍德曼的丈夫乔治·伍德曼(G. Woodman)又是1981年在纽约古根海姆美术馆举办评选的“美国新兴艺术19人”大型展览艺术家中的其中一员。乔治是新装饰理论的推广人，甚至到20世纪70年代中期他还和妻子贝蒂·伍德曼合作设计她作品中的装饰，不过之后，贝蒂就沿着这条装饰道路独立前行。贝蒂的作品前期致力于以实用功能艺术家身份，在传统器皿造型的背景下创作。像她的《水罐枕》就是一件大型拉坯横放的地中海样式的作品，从20世纪70年代开始直至现在都还是她作品语言的一部分，这成为她创造的最有特点的一组形象，唐三彩釉的黄和绿为她多彩的作品表面语言提供了最初的原动力。但很快她就开始把器皿从展台转向墙面，将剖析作品本身变成创作目的，并开始在绘画与雕塑之间开辟出某种意义上的空间。

在纽约麦克斯·普罗泰奇（Max Protetch）画廊举办的贝蒂·伍德曼年度展上，伍德曼开始以贴着墙的基座作为她三维向二维转化的视觉支撑，来安装她那些挂在墙上变成平面的花瓶（创作时，她已经将平面的花瓶分解成不同的部件），安装时她把那些花瓶上成组的零部件分解，经过重新定位之后再把它们分散固定在墙上。这些零部件四处平贴在墙面到处都是，以中间的器皿为中心向四周发散，这些碎片上散发着艺术家作品特有的明亮色彩。至此，伍德曼的逍遥学式样的展出方式在美国本土和海外诞生，伍德曼通过在美国和国外不知疲倦地巡回展览，以及她渴望看到陶瓷与最高艺术标准被一起欣赏的雄心壮志，加上饱满的艺术能量和她拓展陶瓷审美的热情，对这个领域产生了难以估量的冲击力和影响。

科兹洛夫也选择在墙面上创作，有过几次与贝蒂·伍德曼合作创作的经历，她也开始专门从事瓷砖壁画形式的创作，以公共艺术项目创作的方式来满足她创作雄心勃勃的更大型的艺术作品。

另一位活跃在20世纪70年代末80年代初的前卫艺术家是菲利普·马贝里（P. Murberry），在伍德曼去了波泰克画廊之前很长的一段时间里，他和伍德曼都在纽约最前卫的哈德勒/罗德里格斯画廊（Hadler/Rodiguez）各自举办展览。从一开始马贝里就对如何把他的装饰性陶瓷加入大型装置组合中感兴趣。他的布满画廊空间的作品《天堂泉》是1983年纽约惠特尼双年展的亮点作品之一。他是为数不多的能被如此高规格的观念艺术视角展览邀请的陶艺家，之后他继续以两种方式来创作作品：大型的壁画装置、将有蔓藤状把手的器皿坐落在古典的陶瓷基座上。1998年，他在马萨诸塞州的私人建筑中创作了一件约2 000平方米的装置作品。

乔伊斯·科兹洛夫
（Joyce Kozloff）
1990年特拉华州威明顿火车站壁画，高6米、宽9.5米、长4.5米

上图：
菲利普·马贝里（Phillip Maberry）
1988年在纽约加思·克拉克画廊的装置

下图：
菲利普·马贝里（Phillip Maberry）
《姐妹维度》，1989年
低温陶，高62厘米、宽64厘米

杰奎琳·庞塞莱特（J. Poncelet）和艾莉森·布莱顿（A. Britton）都是皇家艺术学院的毕业生，这是20世纪70年代早期除美国本土之外另一所导致后现代主义陶艺喷发的学校。这些来自伦敦的学生通过在学校共同创作的经历，开始有意识地以一种对既定艺术的不合作态度进行创作，对无论是所谓现代主义艺术的理念，还是当时风头正劲的来自伯纳德·里奇（Bernard Leach）及他的盎格鲁—东方主义式（Anglo-Oriental）的器皿处理方式，都被这些人视为是强加于人们对陶瓷理解的限制而拒绝。庞塞莱特在20世纪70年代创作了一系列具有开创意义的功能性的碗，造型取自极薄的注浆成型的骨瓷，流动状的不同色剂在这些半透明的造型中制造出特殊的活力，作品虽小但颇具视觉冲击力。到了20世纪80年代，她转而使用更粗的陶泥来创作，作品尺寸更大，她对此类创作也更自信。把质感作为新装饰美学认知，曾是20世纪80年代逐渐升温的这股潮流中的重要组成部分。布莱顿自认为自己从行动画家波洛克的绘画方式中得到灵感，在她泥片成型的作品中制造出一种特有的笨拙带弯角的造型。尽管这些作品名义上还是器皿，装饰主题还是延续着原先流动多彩的鲜艳图案，但这些作品事实上已经不是传统意义上的器皿。这些作品直接立在地板上或倚靠在墙上，更像一个独立存在的雕塑。

上图：
杰奎琳·庞塞莱特（Jacqueline Poncelet）
《带尾巴的三足形》，1984年
色泥镶嵌、化妆土、釉，以及釉上彩，高36厘米、宽74厘米、长86厘米

下图：
艾莉森·布莱顿（Alison Britton）
《青花双体器》，1987年
低温陶，高33厘米、宽61厘米

瑞克·迪林汉姆（R. Dillingham）在学院读书时就已经是一个美洲土著陶瓷的经营者了。他现在被认为是从那些挖掘出土的土著陶瓷碎片中学习的直接受益者。今天的这种认知习惯在当时并不多见，但他把一些碎片进行重组的行为已经显示出他的观念特质。通过重组作品提取出这些文化碎片曾经的信息，并用复原的态度来提示文化信息如何被对待的理由。迪林汉姆强化了把碎片这种文明的见证物或文化符号重组的系统。不过他自己的陶瓷碎片并不是不小心摔碎的，而是小心翼翼地在烧制前的坯体上轻轻刻出痕来，这样烧后就可以得到准确的碎片，然后再赋予每一块碎片以不同色域，或镶嵌性的装饰，或在某处局部镀金等，最后重组完成一件新的意义的作品。

墨西哥的陶艺大家古斯塔沃·佩雷斯（G. Perez）追求一种把器皿的表面用类似于部落纹样式的方式进行流畅的切割，最终在器型的表面制造出线条和图案的狂欢，同时也在强烈提醒我们这个新的皮肤已经成为他每一个作品被重新诠释的外壁。

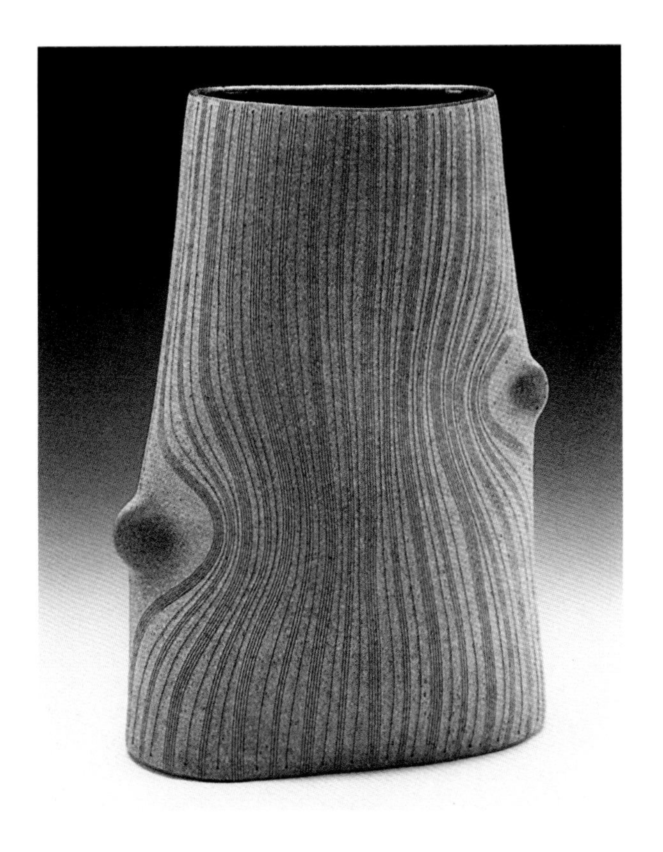

上图：
瑞克·迪林汉姆（Rick Dillingham）
《大球体》，1987年
乐烧陶、金叶，高28厘米、直径41厘米

下图：
古斯塔沃·佩雷斯（Gustavo Perez）
《无题》，1995年
陶，高31厘米、宽21厘米

左图：
北村顺子（Junko Kitamura）
《无题器物#8》，1993年
陶，高53厘米、直径14厘米

右图：
詹姆斯·劳顿（James Lawton）
《带书写纹的壶》，1989年
低温陶，高28厘米、宽28厘米、长9厘米

加里·迪帕斯夸尔（Gary DiPasquale）
《条状瓶》，1985年
陶，高46厘米、宽18厘米、长17厘米

北村顺子（J. Kitamura）在她位于日本京都的工作室创作时追求一种严格的工艺观，她在器皿上刻出几百个精细的小孔并把白色的瓷泥嵌进小孔的面上，这是取自古朝鲜三岛法的化妆土技巧和绳纹技术，同时也在提示着日本佛教庙宇庭院中著名的《沙画》里云水纹令人眩晕的自由流动。说到日本，就会想到乐烧，乐烧最早是由日本产生的烧成方式，由日本茶道引申而来，原意是追求一种更为丰富的色彩和更为即时的烧成方法。乐烧指首先在素烧的坯上上釉，再在一个特殊的窑里用非常快的升温速度烧制，到达烧成温度后直接从窑里拿出还原，快速降温而成，不像其他的烧成方式需要很长的烧成时间。詹姆斯·劳顿（J. Lawdon）是一位以乐烧方式创作的艺术家，但劳顿似乎并不只是想醉心于乐烧不可预知的釉色特征，与其说他的作品是在乐烧，不如说更是在合成、权衡及操控，从而在过程中得到一个均衡和完美的烧成结果。相比而言，加里·迪帕斯夸尔（G. Dipasquale）的作品就是以相对直接和好玩的方式出现，他不时地创作出一些特殊的作品，或专为设计品商店来创作批量化的手工器物，比如为他纽约家附近的伯尔尼思（Barneys）店的设计，但总的作品风格一如既往地有着他处理表面色彩，以及图案时的独特风格。

拉尔夫·巴塞拉（R. Bacerra）是今天陶瓷装饰艺术界中最为超前的艺术家。这位天才的陶艺家把各种不同文化的影响转化成他特殊的混合审美，看起来日本伊万里风格的装饰是他装饰的基础起点，但他随即又加入了日本17世纪伊豆时代锅岛窑陶瓷的装饰语言，还有现代图案画家埃舍尔（M. C. Escher）那令人目眩的图案可以阴阳转换的视觉艺术，你甚至还可以从中找出安迪·沃霍尔的绘画痕迹，特别是这位波普大师的花卉系列形象，就在巴什拉许多珍珠色的釉上彩装饰的器皿上多次出现。他的作品通常先高温烧成白色的坯体，然后再放到窑里烧不下十次，每一次都局部加上一层釉上彩，以温度递减来安排这些釉彩的分布。看上去这一定是个非常复杂的操作过程，得期待每次烧成都不出事故，因为任何一次事故都可能使整个作品报废，尽管次品率很高，但如果一次成功，那恍若织锦般的色彩和图案，你不需要眼睛都能感受到这种眩晕的美感，就像纽约时报的评论员肯·约翰逊（Ken Johnson）1999年所述：“有时真的就希望前卫的艺术只要能如此无耻地奢华着（Unashamedly sumptuous）就够了。”

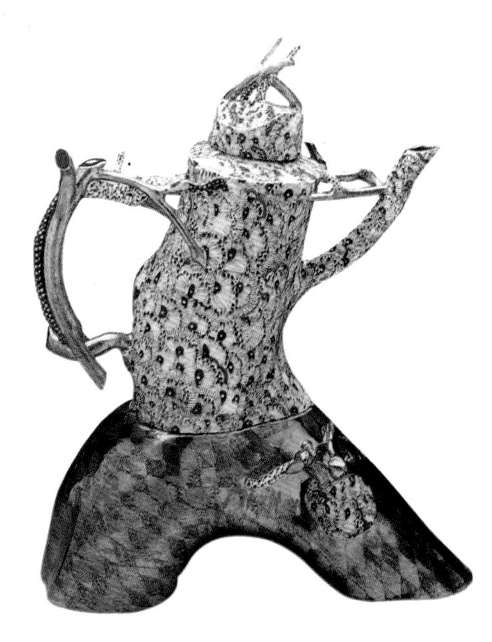

上页图：
拉尔夫·巴塞拉（Ralph Bacerra）
《自画像容器》，1994年
陶，高83厘米、宽46厘米

本页上图：
拉尔夫·巴塞拉（Ralph Bacerra）
《无题盘》，1988年，
陶，直径56厘米

本页下图：
拉尔夫·巴塞拉（Ralph Bacerra）
《枝条壶》，1990年，
陶，高43厘米

第四章

多语义器皿

安德鲁·罗德（Andrew Lord）
格温·汉森·皮戈特（Gwyn Hanssen Pigott）
艾尔莎·拉迪（Elsa Rady）

詹姆斯·马金思（James Makins）
鲍比·赛维尔曼（Bobby Silverman）
金·迪奇（Kim Dickey）

珍妮·奎恩（Jeanne Quinn）
埃米尔·黑格尔（Emil Heger）
皮耶特·斯塔克曼斯（Piet Stockmans）

关于陶瓷艺术的连续性审美观念是天生的，虑及成本效益，陶瓷作坊一般不会只做单件器皿，因此等着素烧的器皿就像列队的士兵一样批量排放着。就像12世纪波斯数学家、诗人奥马尔·海亚姆（Omar Khayyam）的“沿着墙站立着一溜罐子”旁边补了一个批注：“有些连贯，有些却不”。那些在制坯车前工作的制陶师倾向于连续性的工作，从而拉出大批量统一相似如同一个器形的陶坯，这个场景是制陶历史的一部分。并且，一遍又一遍重复制作相同造型的器皿，也使得制陶师对造型更为理解，可以毫不费力轻松地塑型拉坯。还有，作为器皿语义的一部分，陶器原本还在绘画的传统里有着重要地位，从毕加索到莫兰迪、凡·高和乔治·布拉克（Georges Braque）。陶器在太多的静物画中被作为视觉锚点，因此，当代陶艺家要寻找话语权，就必须得学会背离固定模式的思维，反向思考，把注意力集中到如何将陶器从曾经出现过的绘画名作之中抽离出来，将它们重归到三维领域的同时，保留着它和静物画原作的关联性。

英国出生的安德鲁·罗德（A. Lord）并不是第一个将陶瓷器皿从平面写实的静物绘画中转换成现实版的静物的，事实上现代主义大师丰塔纳（Lucio Fontana）在20世纪40年代就曾作过这样的尝试，但罗德却是从根本上把它观念化的第一人。很有意思的是，器皿在某种程度上是被画家们先抽象化的，是现代主义画家们在画面上进行光与色的变化实验中逐渐抽象的一个过程。为此，罗德往返于各大美术馆和博物馆之间，并细心揣摩这些微妙的组合。从20世纪70年代始，他开始尝试用两个或三个器皿为一组来创作，并着重在光线的变换中找出各种不同的感受（上午、下午，灯光、日光等）。罗德甚至依据光影素描的原理用釉在器皿某些部分表面实际画出高光和阴影，用立体的方式加强这种平面绘画式的静物感。1980年他在美国的首次展览是在纽约的布鲁姆/海尔曼画廊（Blum/Helman Gallery），这是一家在当时引领艺术潮流的画廊。展览之所以成功，是因为在展览现场他根据画廊空间复杂的建筑结构来安置作品，并使之更好地契合了自己的理念。在1986年罗德的另外一个展览中，时任《洛杉矶先驱报》（*Los Angeles Herald Examiener*）的艺术评论员克里斯托弗·奈特（Christopher Knight）写道：“罗德雕塑中这些明显来自经典绘画中的图形已然自成一体，他应该就是那些为数不多的真正艺术家中的一员。他们正在缓慢但卓有成效地将被图像化的雕塑从近二十年来枯竭和臃肿的堕落中解救出来。”

从这一点上来说，罗德的集群作品是从低调谦逊的背景中发展出来的，对于量和层的美感研究使他逐渐在集群数量上逐渐增加，现在的作品已经达到以60件器皿为一组。近几年来，他对陶瓷表面处理的一些手法已经有了一些变化，到现在为止，他作品的视觉表面已经不再来自绘画，而更像有机的器官，与身体最初的感受有关，比如嗅觉、刺痛和触摸等。

安德鲁·罗德（Andrew Lord）
《卷曲的五件物品和锡板》，1992年
陶、胶、金叶、中国墨，高30厘米、宽24厘米、长120厘米

安德鲁·罗德（Andrew Lord）
《十二件墨西哥器物，第一次展》，1995～1998年
陶、胶、金叶、中国墨，尺寸不等

澳大利亚的陶艺家格温·汉森·皮戈特（G. Pigott）倒是从最通常意义的静物概念上开始创作的。作为一个颇为成功的实用陶艺家，她既与法国传统的炻器陶工合作，又有与英国最前卫的先驱实用陶艺家迈克尔·卡杜（Michael Cardew）一同工作的经历。她能制作出相当不错的传统形态的器皿，但却无奈地发现如果把它们单独放在展厅时，因为它们看起来太传统了，所以这些漂亮的器皿会被观众忽视。在一次展览中，她大胆地把她的作品进行重组后引起了大家的关注，（从评论中）她才意识到已经闯进静物画的世界中了，她开始关注对静物有研究的画家并逐渐在这个过程中爱上莫兰迪的画，这个用一生的时间只画一些站立在小桌子上的瓶瓶罐罐的简单结合的艺术家的作品。皮戈特通过将柴烧出的浅棕色、乳白色、咖啡色，以及本白色等精致色彩瓷器的组合放置，完美地对应了莫兰迪低调节制的色彩。正是通过作品，才让画家与陶艺家之间完成了某种超越时空的结合。

艾尔莎·拉迪（E. Rady）是以一个画家的眼光来看待她的多样性器皿组合的，这使她的作品指向与静物的关联非常清晰。在这些作品中，即使她还在使用着她早期的一些造型，但在效果上仍然可以带来同样的震撼。詹姆斯·马金思（J. Makins）做得是一些在陶瓷世界里最为精致的当代实用器皿（尽管这个世界还在被里奇式的保守的东方陶艺观所控制），器皿强调拉坯痕迹，这些保持着向上旋转的精细圈痕完美地出现在他的壶、杯、水罐、花器，以及烛台等器皿上。在他决定要做雕塑性质的器皿作品时，他会为每一个器皿都提前备好添加了不同色剂的瓷泥，从果绿色、黄色、到蓝色不等，在拉坯阶段将器皿的口部拉细拉高，烧成后再把它们汇聚组装在一个大盘子里。这时，所有器皿表面的旋转拉坯线都在以各自不同的色彩相互旋转着，像极了一堆视错觉的糖果色的旋转舞者。

左图：
格温·汉森·皮戈特（Gwyn Hanssen Pigott）
《静物#2（七件）》，1995年
瓷，高26厘米

右图：
格温·汉森·皮戈特（Gwyn Hanssen Pigott）
《长色静物》，1993～1994年
瓷，高27厘米

上图：
艾尔莎·拉迪（Elsa Rady）
《静物#59》，1999年
瓷、金属搁板，高53厘米、宽46厘米、长31厘米

下图：
詹姆斯·马金思（James Makins）
《男性痕迹》，1992年
瓷，高28厘米、直径51厘米

鲍比·赛维尔曼（Bobby Silverman）
2000年在纽约布鲁克林法瑞尔/波莱克美术馆展览场景

鲍比·赛维尔曼（B. Silverman）、金·迪奇（K. Dickey），还有珍妮·奎恩（J. Quinn）都是以筑巢方式创作，这是多件器皿的另一种组合方式。因其节约空间的天然优势，所以这是在好几个世纪以前就成为陶瓷特有的传统了。但是，在纽约布鲁克林克法雷尔/波拉克美术馆（Rarrall/Pollack Fine Art）展览时，像赛维尔曼的作品这种充满活力的场景化装置却被认为是在侵略而非节省空间。他的作品是用一组多层次的波斯色彩的碗和杯，有规律地将它们叠放在一起，通过叠加感所产生的视觉冲击作为创作观念。这点同样可以用在迪奇的作品之上。尽管她的作品更多是以那种充沛和多产的有机物叠加，每一层作品以次第打开的形式叠加放置，更像一朵复杂而奇异的花。奎恩对巢状结构的作品理解颇有创意，作品并不是一个在另一个上面的简单叠加，而是根据它们的造型结构来相互迎合，用一种更加奇妙的方式呈现。就像作品《品味》，就是两个像连体双胞胎的茶壶，通过它们的壶嘴相连在一起。

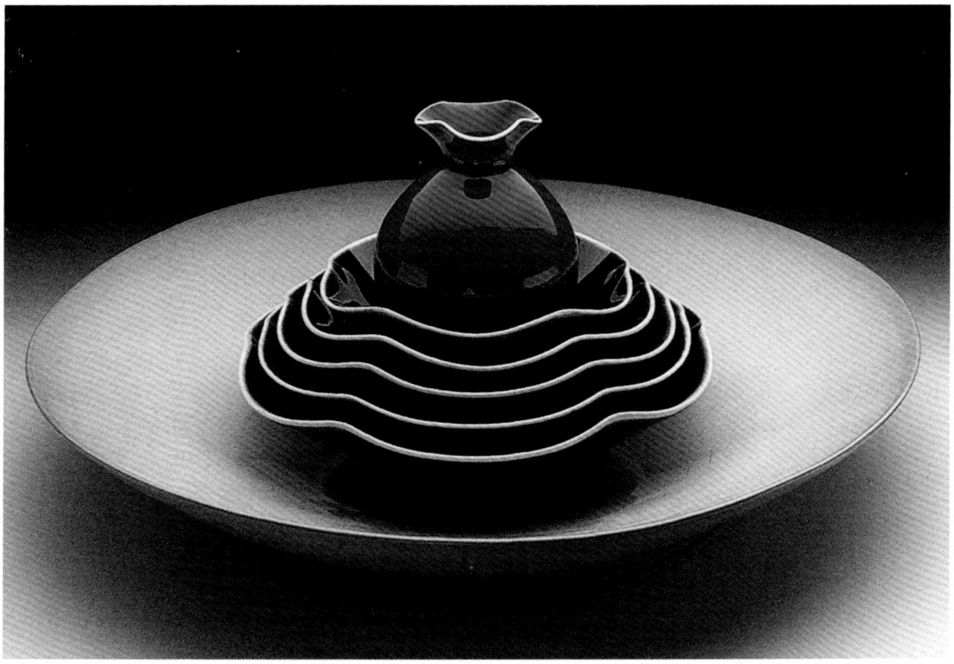

鲍比·赛维尔曼（Bobby Silverman）
《叠摞的碗与小罐（黄色）》，2000年
瓷，高20厘米、直径51厘米

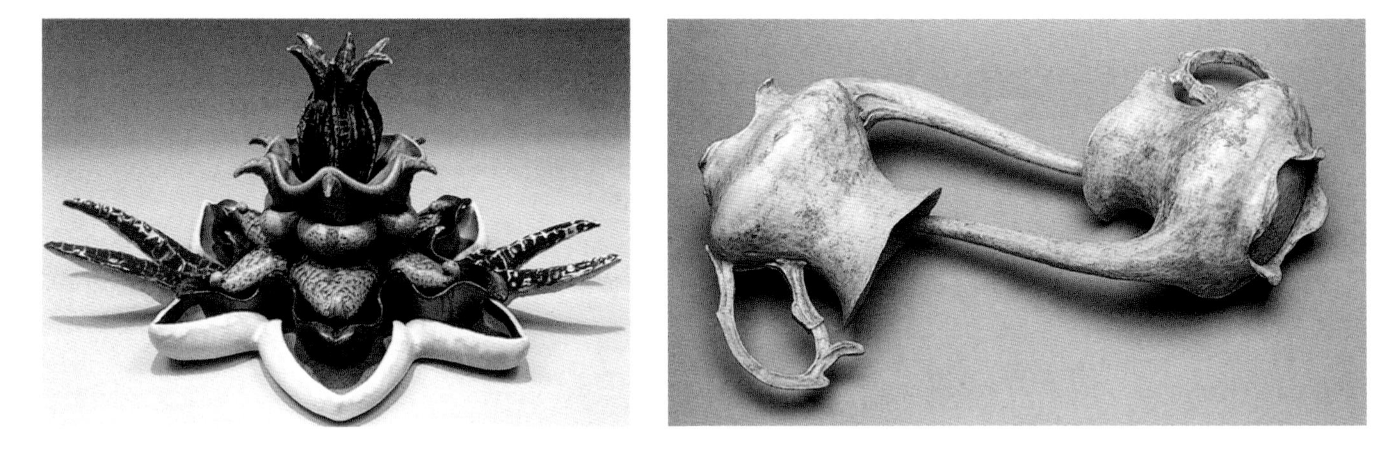

左上图：
金·迪奇（Kim Dickey）
《五件一组》，1994年
瓷，高27厘米、宽56厘米

右上图：
珍妮·奎恩（Jeanne Quinn）
《品尝》，1997年
上釉低温陶，高17厘米、宽50厘米、长48厘米

下图：
埃米尔·黑格尔（Emil Heger）
《机床加工（6件）》，1998年
陶，高111厘米/件

埃米尔·黑格尔（E. Heger），另一位来自德国格伦豪森陶艺社的艺术家。他对多件器皿组合的诉求不同，在罗德和皮戈特的器皿占据着台面中心的时候，黑格尔的作品占领了地面，他没有任何试图将作品置入静物画语境中的意思。他创作的《器皿森林》中的每件器物都不再是我们熟悉的厨房中的小物件，而是高达两米以上，这是一种与观众等大的物体而不是我们常见的人为可控的小物件，从而以森林般的层次感来直面观众。对观众而言，这更是一种和人类的对抗，一种身处其中的关于空间领地与作品的对峙。

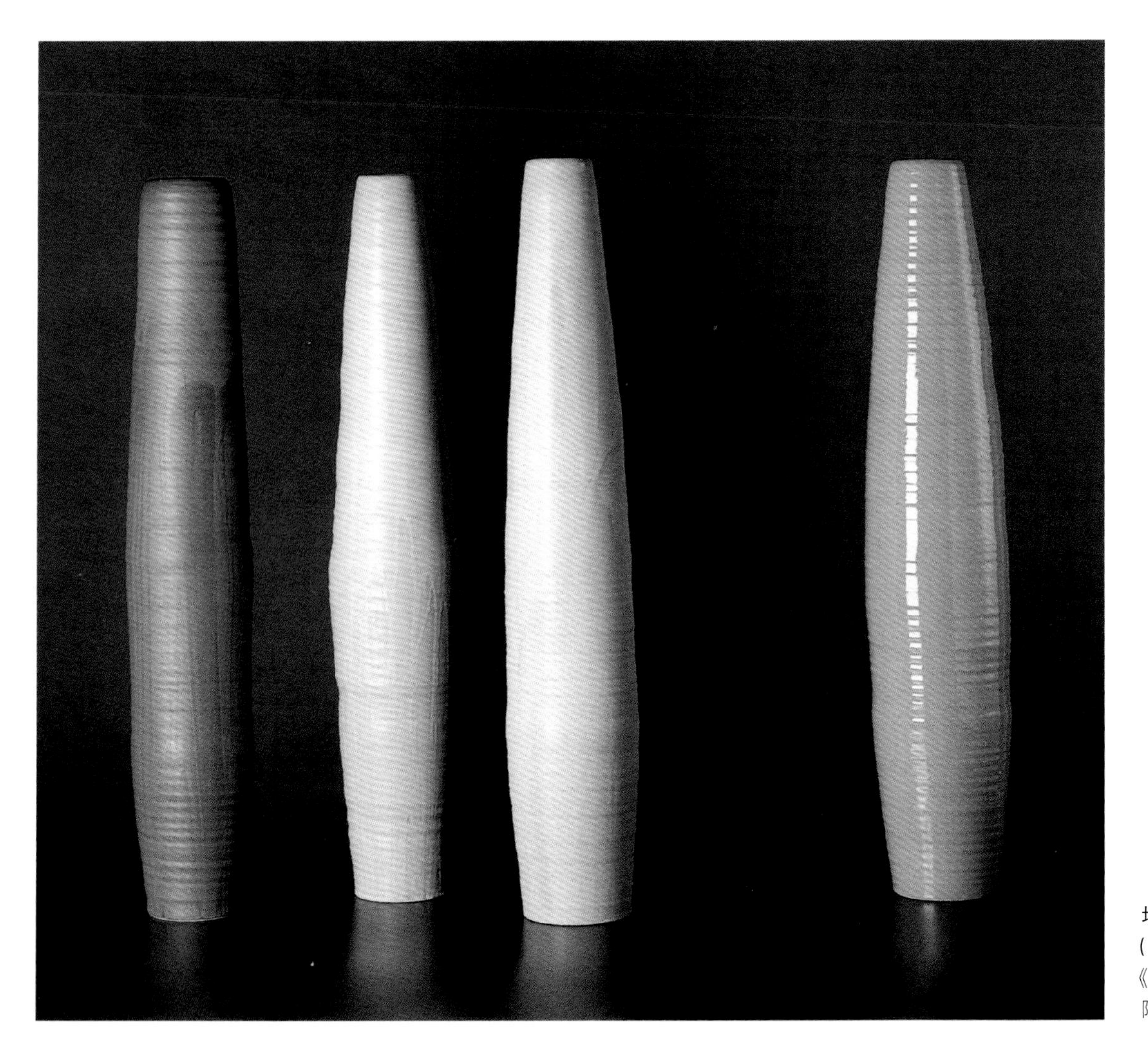

埃米尔·黑格尔
（Emil Heger）
《机床加工》，1998年
陶，高108厘米/件

比利时艺术家皮耶特·斯塔克曼斯（P. Stockmans）为容器组合的概念带来了无限的野心和对更大数量的渴望，这是种只需本能就能感受到的艺术家一种对数量和集群的气质。斯塔克曼斯用多产到似乎有工业介入痕迹的方法创作出许多杯子，这些杯子可能装满盘和碗，也可能用来占领整个教堂。就如1999年为世界陶艺千年大会所创作的作品，在荷兰代芬特尔天主教的大教堂（荷兰海诺的一座哥特式修道院）里。上千个器皿布满了整个教堂，来对应中世纪时天主教会众在此集会朝拜的某种缺席。更为重要的是，他是这个领域中从未有过的持之以恒地以极简单方式持久创作的艺术家，他的所有作品只有两种元素：蓝色化妆土和白色瓷泥。但事实证明，这并没有妨碍他用简单元素创作的活跃性，几十年来，他就是以如此简单的元素一次又一次地让观众惊奇，并一次又一次地推翻艺术家原先的关注点。改变形式，作品从墙上移到地下然后又移上台面，用他的装置装满整个空间，使得这些单件的小器物们充满了先验的美感。

本页图：
皮耶特·斯塔克曼斯
（Piet Stockmans）
《物体#5（153件器物）》，
1998年
瓷、木，高5厘米、宽64厘米、长64厘米

下页图：
皮耶特·斯塔克曼斯
（Piet Stockmans）
《骨灰盒》
1998在荷兰海诺教堂中的装置

第五章
抽象的有机体

克劳迪・卡萨诺瓦斯（Claudi Casanovas）
让-弗朗索瓦・富伊尔豪克斯（Jean-François Fouilhoux）
劳森・奥耶坎（Lawson Oyekan）

安格斯・苏提（Angus Suttie）
凯西・巴特里（Kathy Butterly）
芭波斯・海恩（Babs Haenen）
艾琳・凡克（Irene Vonck）

托尼・马斯（Tony Marsh）
史蒂夫・海纳曼（Steve Heinemann）
克里斯・古斯丁（Chris Gustin）
季奥・拉斯托米尔斯基（Geo Lastomirsky）

有一种未经证实的观点认为，有机形式是对黏土天生“自然”的本能反应，但许多陶艺家并不赞同。确实，只要做出处理，陶土就和我们想要的一样，像可塑的变色龙那样变成你所想要的那个有机造型。坦率地讲，只有还没有被开采出来的自然土才具备纯自然和有机的概念，而以烧陶为目的的泥土已经多被提前加工过。如此说来，我们对黏土所做的一切，包括过滤、拉坯、烧制、上釉，都成为一种非自然的、有预谋的生产行为。但有机形态和黏土间的确有着漫长而特殊的历史，黏土很容易呈现自然世界的质感和形状。几千年来，陶工们一直在发掘和利用黏土的这种与自然界的亲和特性。

人类一开始做的土罐是葫芦状的，葫芦形时常会给早期的原始陶器带来灵感，甚至它们还会偶尔被直接拿来翻模，原始陶器也会常模仿那些用自然界中芦苇叶、小枝、树皮等编织的篮子。随着时间推移，制陶者找到并创造了那些效仿或者通过抽象处理来沿袭天然质感的手工陶瓷形式。陶瓷史上充满了有机形态的杰作，从宋朝瓜形罐、德国迈森（Meissen）和塞弗尔（Sèvres）的手工花卉彩绘容器、18世纪中叶英国斯特福德（Stattfordshire）的果蔬茶壶、到新艺术运动中瑞典和法国制作的带有感性浪漫色彩的自然植物造型的陶瓷产品，以及其后芬德西克尔（fin-de-siècle）的陶瓷等。

加思·克拉克（Garth Clark）在其《潘多拉之盒》（*Pandora's Box*）的目录文章《超越论争》（*Rising above the Polemic*）中指出，这种风格给人的印象是“制作者和造物者”（the maker and The Maker）之间以自然作为合作的基础。“潘多拉之盒”是由已故的埃文·亨德森（Ewen Henderson）策划的展览，1995年由伦敦英国手工艺委员会组织。克拉克认为将有机形态抽象化可以减少观众和艺术家之间的对抗，当一个陶器上覆盖着质地从自然中熔化烧出的釉料肌理，而绘制的色彩又是从岩石和植物中提炼出来，观众往往会认为作品不仅只是艺术家利用技能完成，作品的完成还有天赋自然的参与等。其实不仅只是观众感受如此，陶瓷在烧制过程中看似自发地滴落、发泡和熔化流动，包括艺术家有意识的艺术感受等，都会融合，像巴比松画派用低温釉彩绘画法绘制出的复杂多样的陶瓷花篮。

本页图：
克劳迪·卡萨诺瓦斯（Claudi Casanovas）
《大转盘》，1991年
陶，直径142厘米

下页图：
克劳迪·卡萨诺瓦斯（Claudi Casanovas）
《拉夫拉火山石》，1996年
抛光低温陶，高74厘米、宽120厘米

火山熔岩式的质感在西班牙艺术家克劳迪·卡萨诺瓦斯（C. Casanovas）的陶艺作品中并不仅仅是审美那么简单，它同样反映的是艺术家的生活。卡萨诺瓦斯的工作室和家就在比利牛斯山区的加泰罗尼亚小镇欧特（Olt），离巴塞罗那两个小时的车程。如果说当代陶艺家经过几十年的努力，对泥和火的把握已经更接近自然生成的效果，那卡萨诺瓦斯就把这种感受更向前延伸了几步。仅仅看图片其实无法传达他作品最重要的两个特质：尺寸和强度。他的作品体型巨大，一些盘子型的作品甚至重达两百公斤，需要两到三人来搬动，而他的那件高达一米八的双耳瓶甚至要用升降机来帮助移动。

他有一套自己独创的方法来创作巨型作品，他的工作室有液压升降机、液压滑轮，还有可拆卸的窑，可以围绕在作品的四周临时搭建。他的作品所带来的另外一个震撼点是作品表面效果的强烈程度。他的作品如此伤痕累累，如此焦灼，表面张力太大，太具有腐蚀感，以至于人们会被作品纯粹的愤怒感吓一跳。需要重申的是，多重语意是他作品表面要素的成因，这些表面效果并不是随意出现的，也不是拜窑火所赐，每一步都是艺术家通过仔细思考来努力达到的，是一种似乎是拜自然之力所赐的效果。他使用各种方法以期达到这种效果，有些方法看似简单，用火枪在不完全燃烧时对着作品燃烧，将作品某个局部烧黑。还有一些需要在成型阶段进行特殊处理，比如把大量的面包屑和泥揉在一起进行创作，烧成时面包屑会被烧掉，在表面留下强烈的肌痕和内嵌的蜂窝洞的感觉，如《大漩涡板》作品表面所带出的某种宇宙感的腐蚀肌理。

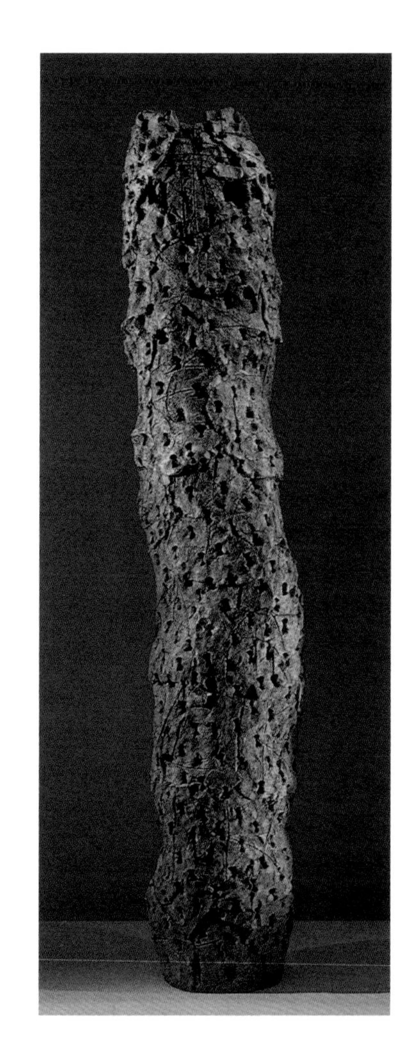

让-弗朗索瓦·富伊尔豪克斯（J. Fouilhoux）和劳森·奥耶坎（L. Oyekan）两位艺术家都是取法自然。奥耶坎的陶瓷器皿在感觉和尺寸上多少有些卡萨诺瓦斯的影子，都是对艺术家熟悉的自然做出的反应。奥耶坎在尼日尔出生长大，荒芜的非洲草原上点缀着巨大的蚁塔的情景显然与艺术家产生了共鸣。奥耶坎的类似蚁塔的作品矗立在那儿，间或出现有洞穴的孔，他的作品在传达着在非洲草原上人特有的感受。我们必须要认真阅读这些作品，并小心自己的解读方式，因为不论卡萨诺瓦斯还是奥耶坎，他们作品的意义还都不只是关于环境，环境只是对作品解读的开始点。奥耶坎的作品反映出很复杂的心理感受，那些居于作品之上的洞眼除了智慧地完成对自然的显性象征，还在事实上象征奥耶坎的眼睛，将观众变成为艺术家视角中的风景，从而也占据了该作品拥有者的空间领地。法国陶艺家富伊尔豪克斯（Fouilhoux）的作品，堆满了厚厚一层清釉的碗，则是和卡萨诺瓦斯和奥耶坎全然不同的艺术世界：用冷静来代替他们的热情，用冰水来代替山石，他用作品营造的内涵更像是一堵冰川，是从冰冻物质中雕刻出的锋利平面。

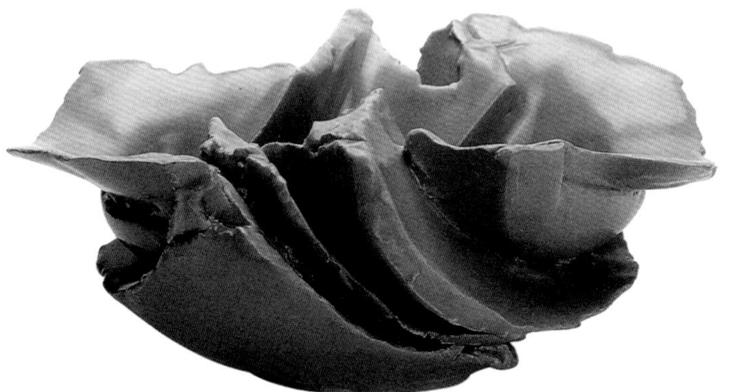

上图：
劳森·奥耶坎（Lawson Oyekan）
《无名器》，1996年
陶，高127厘米、宽26厘米

左下图：
劳森·奥耶坎（Lawson Oyekan）
《逐光（躯干研究系列）》，
1993～1995年
陶，高43厘米、直径43厘米/件

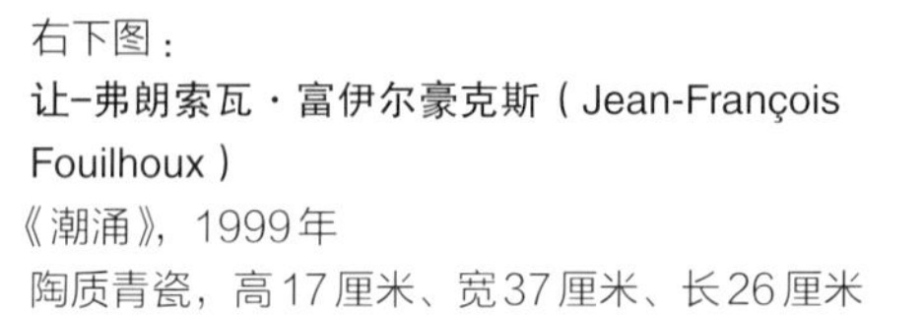

右下图：
让-弗朗索瓦·富伊尔豪克斯（Jean-François Fouilhoux）
《潮涌》，1999年
陶质青瓷，高17厘米、宽37厘米、长26厘米

生态主义者安格斯·苏提（A. Suttie）的器皿有着一种紧迫的残酷感，事实上作品都是他在和艾滋病搏斗的时间里创作出来的。1993年，艺术家在46岁时病逝。尽管最后随着病情的一步步恶化，艺术家放弃了抗争。其间他的器皿大多是以粗暴的方式，甚至就是真实的残忍来创作，在充满谜一样的褶皱、消蚀、惊恐、解体等手段中不停变换，展示出了一种生存与死亡的抗衡力量。这与乐观的凯西·巴特里（K. Butterly）的作品相比有着极大的不同。巴特里在纽约有自己的工作室，不论色泽和尺寸（7～10厘米）还有对作品形象的感受，她的瓷质作品给人的感受就是完美和经典。作品中有机状的形丝般垂柔，合成、张开、生成等，艺术家在带出这些唯美感受的同时却带入了很多其他的元素，把这些奇异的花状陶瓷放在有着怪异美感的基座上，与蕾丝状布料质感的层叠堆在一起，看似故作性感的一堆皱褶物，但本质上是女性主义对女权的拟人化的申诉。

上图：
安格斯·苏提（Angus Suttie）
《无题》，1992年
陶，高113厘米

左下图：
凯西·巴特里（Kathy Butterly）
《女性时代》，1998年
陶、瓷，高13厘米

右下图：
凯西·巴特里（Kathy Butterly）
《喷射》，1998年
陶、瓷，高15厘米

荷兰女艺术家芭波斯·海恩（B. Haenen）的陶瓷造型体现了她早期作为舞者的经历，作品中有着流动、波浪、旋转，以及被持续带出来的流动感，作品表面的颜色并非来自透明的釉，而是来自不均匀的各种色泥的融合。因为瓷质泥本身会有些透明，而最终的效果在由外及里的光与色在半透明的瓷质质地上交相辉映，这就使得艺术家对色彩的构造不仅仅只是表面效果，还有日本奈里（Neriage）绞胎色泥技术的独特延续，最终的结果也印证了她这种色彩处理方式是绘画层面而非装饰层面的。泥浆这种自由和活力的形式与力量近来被另一位极少主义艺术家皮特·斯塔肯（P. Struycken）注意到，这位以大量纯色来处理作品的环境艺术家和海恩一起在阿姆斯特丹的城市现代艺术博物馆展出，随后又在纽约加斯·克拉克画廊（Garth Clark Gallery）展出。在20世纪80年代中期，另一位荷兰艺术家艾琳·凡克（I. Vonck），很奇妙地借着把泥的表面当作是厚画法的油画表面处理方法烧制出一种塑料质感的表面，艺术家用娴熟的油画刮刀技法成功地模仿出厚笔触和堆簇的泥感。

左图：
芭波斯·海恩（Babs Haenen）
《阿纳卡普里斯山》，1993年
瓷，高30厘米、宽24厘米

右图：
芭波斯·海恩（Babs Haenen）
《东方的奇迹》，1998年
瓷，高23厘米、宽48厘米

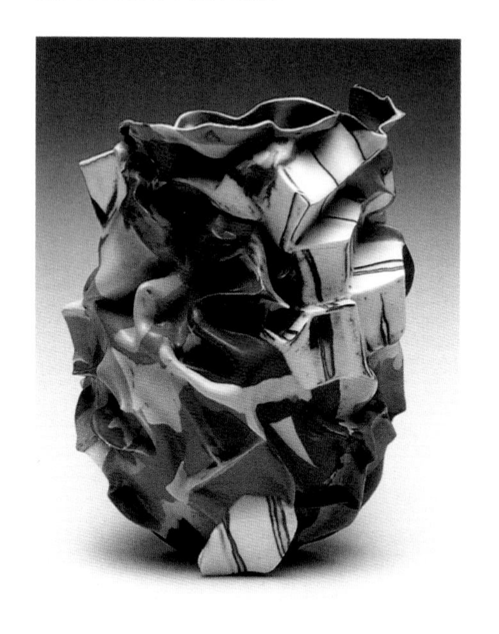

上图：
芭波斯·海恩（Babs Haenen）
1999年在纽约加思克拉克画廊展览场景

下图：
艾琳·凡克（Irene Vonck）
《蓝色器物——无题》，1986年
陶，高40厘米、直径20厘米

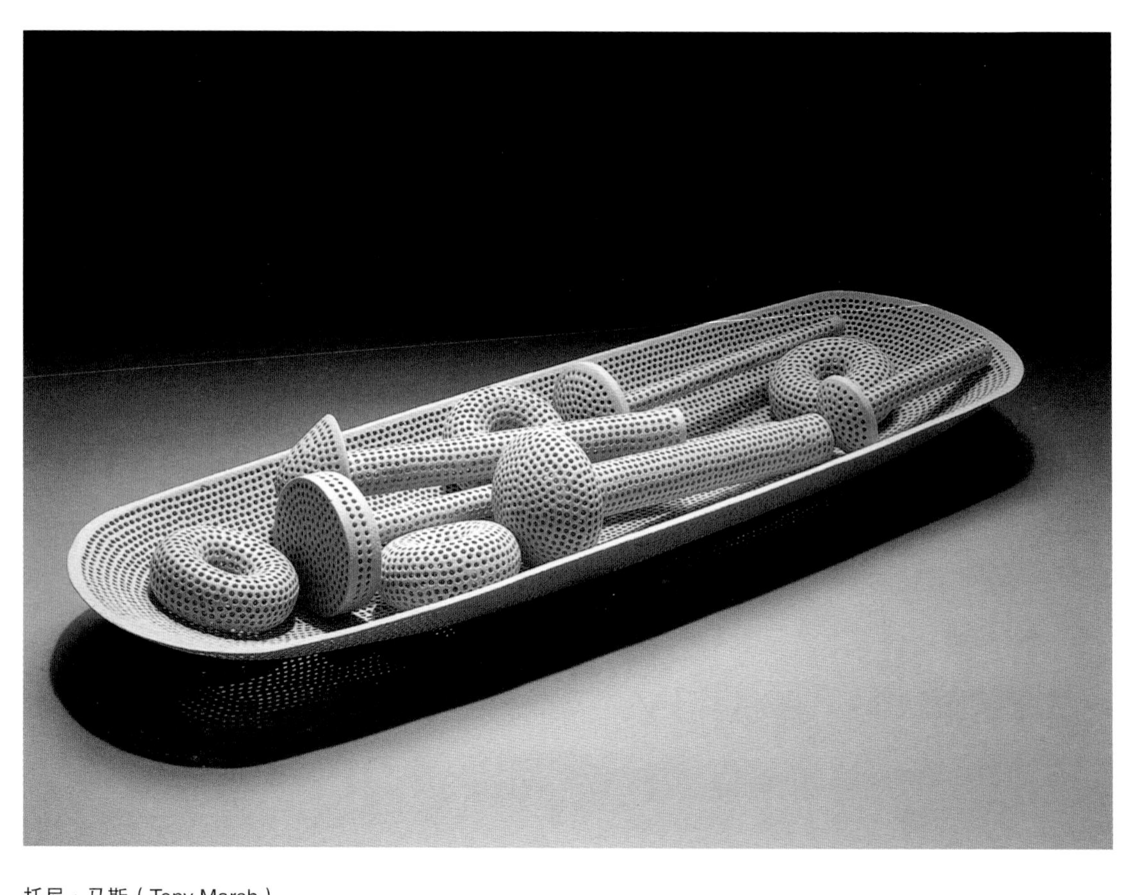

托尼・马斯（Tony Marsh）
《无题》，1996年
瓷泥，高15厘米、宽89厘米

美国的托尼·马斯（T. Marsh）和加拿大的史蒂夫·海纳曼（S. Heinemann）则取自有机形中更为疏离和恬淡的一面，在这里看不见那种参差不齐的边，没有火山岩浆痕迹，也没有大块冰面和性感的暗示，这里的形基本都是对称的，几乎就是一些经典的造型，而且这些器皿的形几乎都在暗示看来是早期波利尼西亚人木制大碗的形。马斯赋予了他作品两张面孔：一张是白色有孔的器皿，似乎是在盐质石块上钻孔而来；而另一张则像一个松饼罐，在收集类似于古代“生成植物”的化石碎片。海纳曼通过熟练地操纵器皿来引出对自然的解释，把潜在的、所有自然界的生命形式简化成精确的几何形，配以漂亮的表面肌理画面，以期带出页岩似的视觉效果，可以释放每一层地质信息和被氧化锈掉的金属那种回归本源的感觉。

托尼·马斯（Tony Marsh）
《圣骨匣》，1995年
低温陶，高13厘米、宽71厘米、长61厘米

史蒂夫·海纳曼（Steve Heinemann）
《无题》，1998年
低温陶、多次烧成，高15厘米、宽15
厘米、长33厘米

两位美国艺术家克里斯·古斯丁（C. Gustin）和季奥·拉斯托米尔斯基（G. Lastomirsky）都创作出了一种有机文化的混血作品，古斯丁以个人化的制作风格，在他类似于古秘鲁马镫壶形的器皿风格上创作，将器皿表面进行喷砂处理或使用亚光釉，使作品最终完成时更像某种自然形成的结果而非人为的痕迹。而拉斯托米尔斯基则同时师从两种来自中国艺术传统造型的影响。首先是来自宜兴的茶壶，一种从明末开始受中国文人士大夫所喜爱而得以成形，继而生成发展成文化符号的器物。同时，他也用另一种中国美学所钟情之物——太湖石［英语世界中被称为文人石（scholar’s rocks）］，作为创作符号来达到宜兴文人制壶相同的所指，拉斯托米尔斯基看来是故意把壶嘴和壶把从它们的身上去掉，将功能性弱化，而强化自然文化的属性。

左图：
克里斯·古斯丁（Chris Gustin）
《搅拌形的壶》，1995年
陶，高36厘米、宽31厘米、长26厘米

右图：
季奥·拉斯托米尔斯基（Geo Lastomirsky）
《茶壶#34》，1997年
低温陶、其他材质，高18厘米、宽24厘米、长17厘米

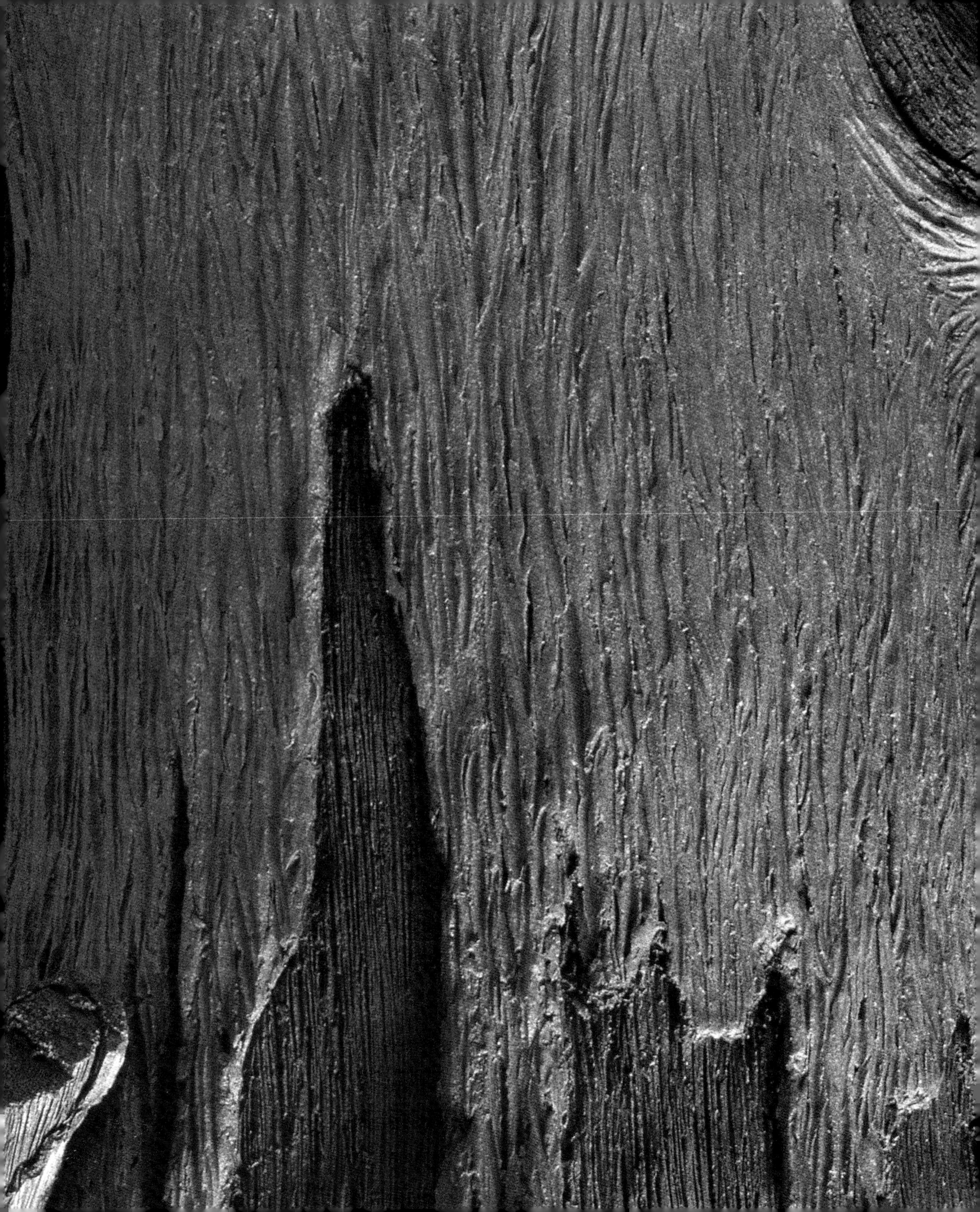

第六章

真实/超真实

玛丽莲·莱文（Marilyn Levine）
保罗·德雷桑（Paul Dresang）
理查德·肖（Richard Shaw）

斯特凡诺·德拉·波塔（Stefano Della Porta）
路易斯·米格尔·苏洛（Luis Miguel Suro）
法兰克·斯泰雅特（Frank Steyaert）

陆文霞（Lu Wenxia）
周定芳（Zhou Dingfang）
陈景亮（Ah Leon）

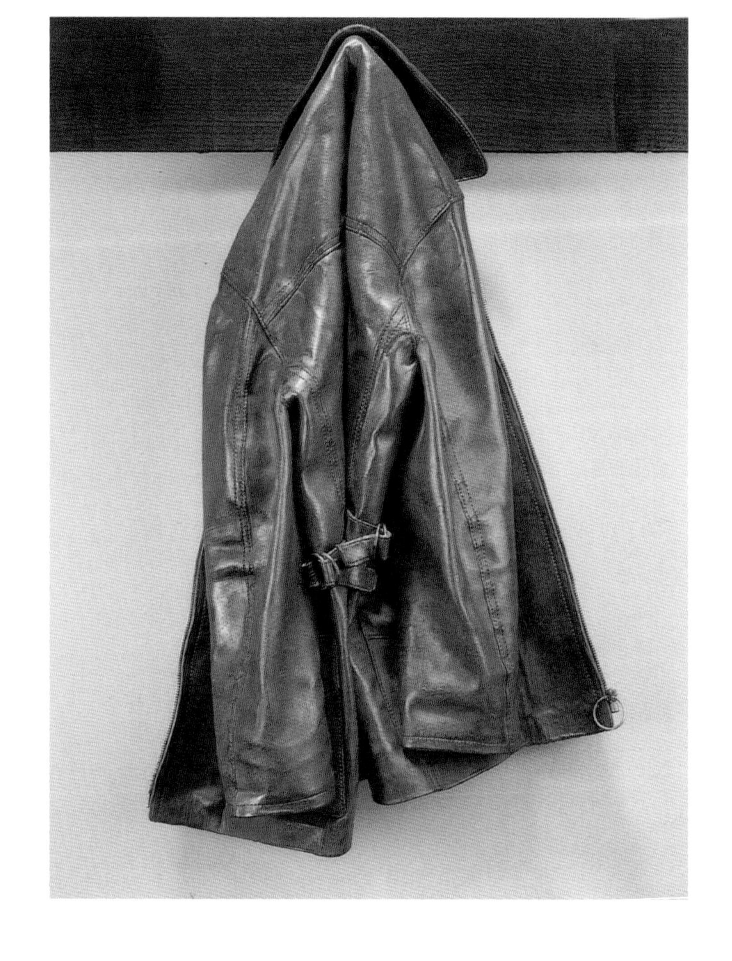

本页左图：
玛丽莲·莱文（Marilyn Levine）
《HRH文件包》，1985年
陶、金属拉链和圈扣，高41厘米、宽43厘米、长17厘米

本页右图：
玛丽莲·莱文（Marilyn Levine）
《鲍勃的皮夹克》，1990年
陶、金属拉链和圈扣，高85厘米、宽53厘米、长20厘米

下页图：
保罗·德雷桑
（Paul Dresang）
《无题》，1998年
瓷，高43厘米

现实主义，又一个曾在现代主义风潮中被淘汰的艺术形式，在20世纪60年代重新回到了美术界并得到了尊重。这个现实主义创造比现实更为真实的一种体验，最终通过挑战人们视觉神经来确信生产加工的证据，同时让作品造出令人不安的不真实感，提高了作品固有的张力和内容。评论家卢西·史密斯（Edward Lucie Smith）为此写道："这是在20世纪60年代末和70年代初世界范围内唯一在商业上获得显著成功的艺术创新风格。尽管这些成功更大程度上归功于私人收藏家，而非对现实主义的流行持怀疑态度的博物馆。因为流行，这种艺术风格以超现实、照相现实、摄影现实、魔幻现实等各种名称为人所知，而在陶瓷语汇中，它被称为超物体。"

新一代的超写实艺术家借用这种错视画（trompe-l'oeil）式的幻觉写真技巧或用照片的方式小心翼翼地将描摹或拍摄的形象立体再现出来，或者用绘画方式在二维的画布上将形象呈现出难以置信的立体感。画家马尔科姆·莫利（M. Morley，他为自己的风格创造了"超级现实主义"一词）和理查德·埃斯特斯（R. Estes）等一起是这个艺术现象的先锋，梅尔·拉莫斯（M. Ramos）、奥黛丽·弗莱克（A. Flack），还有一些其他人在绘画领域紧随其后，而在雕塑圈里则有约翰·德·安德烈（J. D. Andrea）的裸体雕像，人体作品的腋下和私处甚至都被种上真的毛发，还有汉森的一组令人影响深刻的迈阿密游客的肖像雕塑，其中还有当时随处可见的嬉皮士和保安等。而陶艺领域的明星则非玛丽莲·莱文（M. Levine）莫属，那些皮制品的陶瓷在不断地挑战着观众的感受，直至拒绝眼见为实的经验判断。

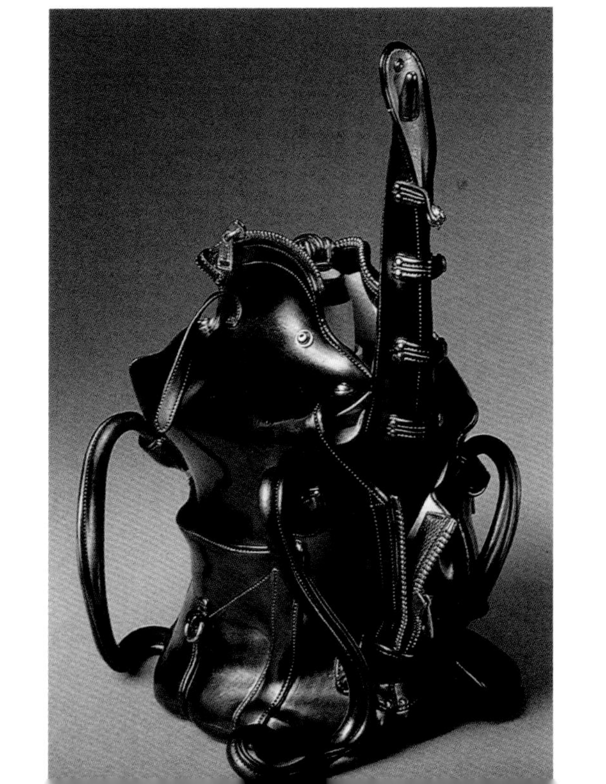

其实就陶瓷而言，（材料模仿）这个概念并不新鲜，用泥模仿皮制品的视觉转换早在中世纪的时候就已经被探索过了，当时就有用泥来仿制皮质器皿甚至还有针线缝的痕迹。在关于视觉转换这一点上，早先的写实主义只是把它粗糙地拿了过来，英格兰斯托克（Stoke-on-Trent）皇家道尔顿工厂（England's Royal Doulton）早在19世纪就生产出一些时尚的陶瓷，其中最为抢眼的就有镶了铜边的精致皮感陶瓷。只是显然莱文在这个技术上更进一步，她把这个概念和这类作品某种意义上变成是观念的艺术形式，一些追随者甚至把她的作品定性为用皮革磨损记录表达关于"人类历史"的作品。用磨损的皮革来象征人类的眼泪和皮肤，这显然有些言过其实。尽管皮制品贯穿了整个实用的历史，但莱文更乐于看到的却是这种触觉置换的联系。相对于用泥来表现皮，莱文似乎更钟情于她的作品在展台上展出时是以真皮似的错觉来完成，为此她会找一件原始的皮制品，然后极为小心地用陶瓷复制并最终以几乎乱真的方式展示。她的作品只与两者之间的转换有关，与艺术史无关，有了转换才能将此物之前世能得以留下一些痕迹。保罗·德雷桑（P. Dresang）则有意地把对皮革的模仿引到一个不同的经验中，他持续地把金属拉链、女性情趣用品，以及同性恋社区中多不为人见的一些物品，以极为象征符号式的皮革配件形式完成出来。

理查德·肖（R. Shaw）用陶和其他精心上色的材料模仿了大量的不同材料和物体，作品融合了几种颇具历史渊源的不同风格。在他的作品中你能看到19世纪美国现实主义绘画大师约翰·哈伯勒（John E. Haberle）和约翰·F·佩托（John F. Peto）的画面，也能看到18世纪瓷厂里古董级名器的影子，比如像内德维勒（Niederviller）就曾生产出全套仿木的陶瓷餐具。在肖的仿木作品画面中，甚至会有个像是纸版画似的东西快要从画面中掉下来。在1979年被克拉克定义为“超物体”的陶艺现象中，肖是一位领军者，而且一直都以最富才情的创作方式来创作。和莱文一样，他也工作生活在旧金山的湾区，这个地方与西雅图和洛杉矶一道成为“超物体”现象的中心。

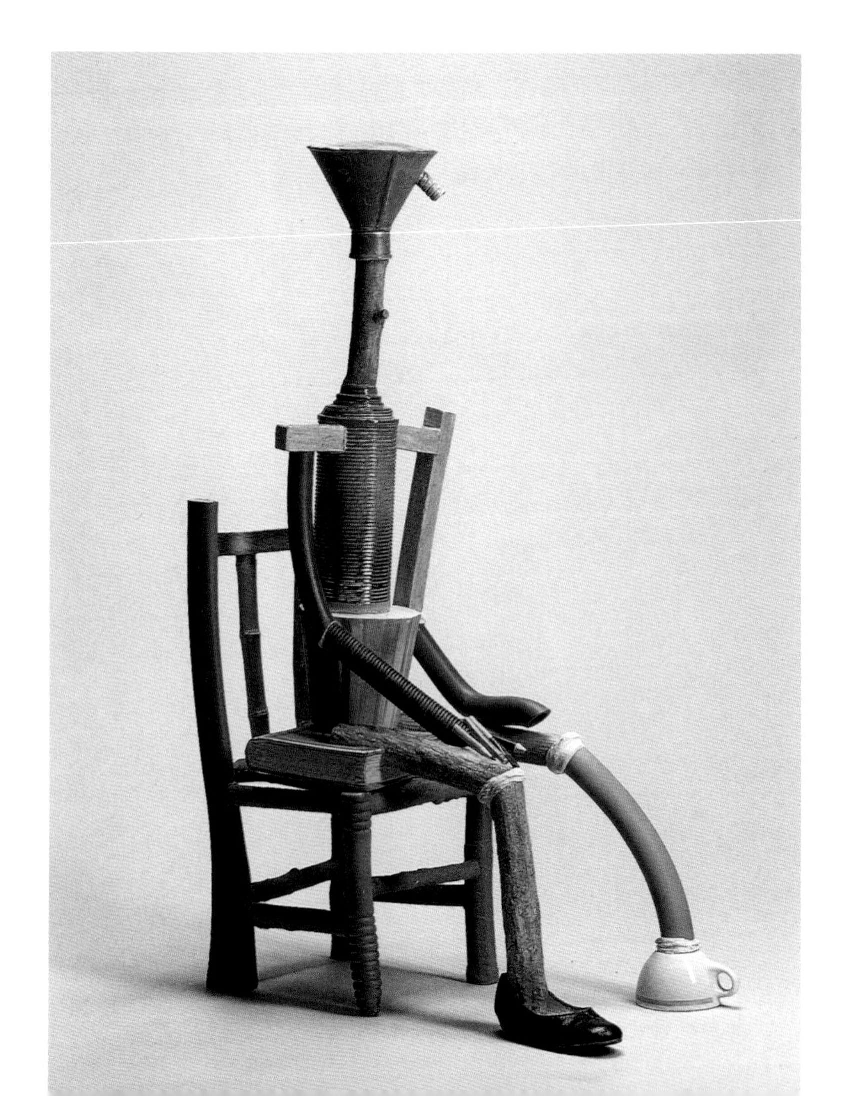

理查德·肖（Richard Shaw）
《白发苍苍的坐者》，1985年
瓷，高83厘米

意大利艺术家斯特凡诺·德拉·波塔（S. Porta）和墨西哥雕塑家路易斯·米格尔·苏洛（L. Suro）几乎是同时把经验中的实体尺寸放大后，发现了“超级”在超写实概念中的另外一层意义。德拉·波塔的作品中巨大的烟灰缸放满了被同比例放大的烟头和药丸，这是矛盾的混合体。一方面因为它们极佳的做工而呈现出极致的美，而另一方面则因为将成瘾性物体形状比例巨大而形成戏剧性的冲突，使观众视觉欲罢不能，从而使这种经验审美变得有些可怕。苏洛同样也制作比原型尺寸大很多的作品来表达同样的观念，在他的整个展览空间里，充满了巨型的棉签、精油、抗酸剂和其他可以能被人辨认出来的关于卫生学、生殖，以及消化不良等相关的巨大的小物件。

上图：
理查德·肖（Richard Shaw）
《广州灯塔》，1985年
瓷，高65厘米

下图：
斯特凡诺·德拉·波塔（Stefano Della Porta）
《焦虑》，1999年
陶，高32厘米、直径74厘米

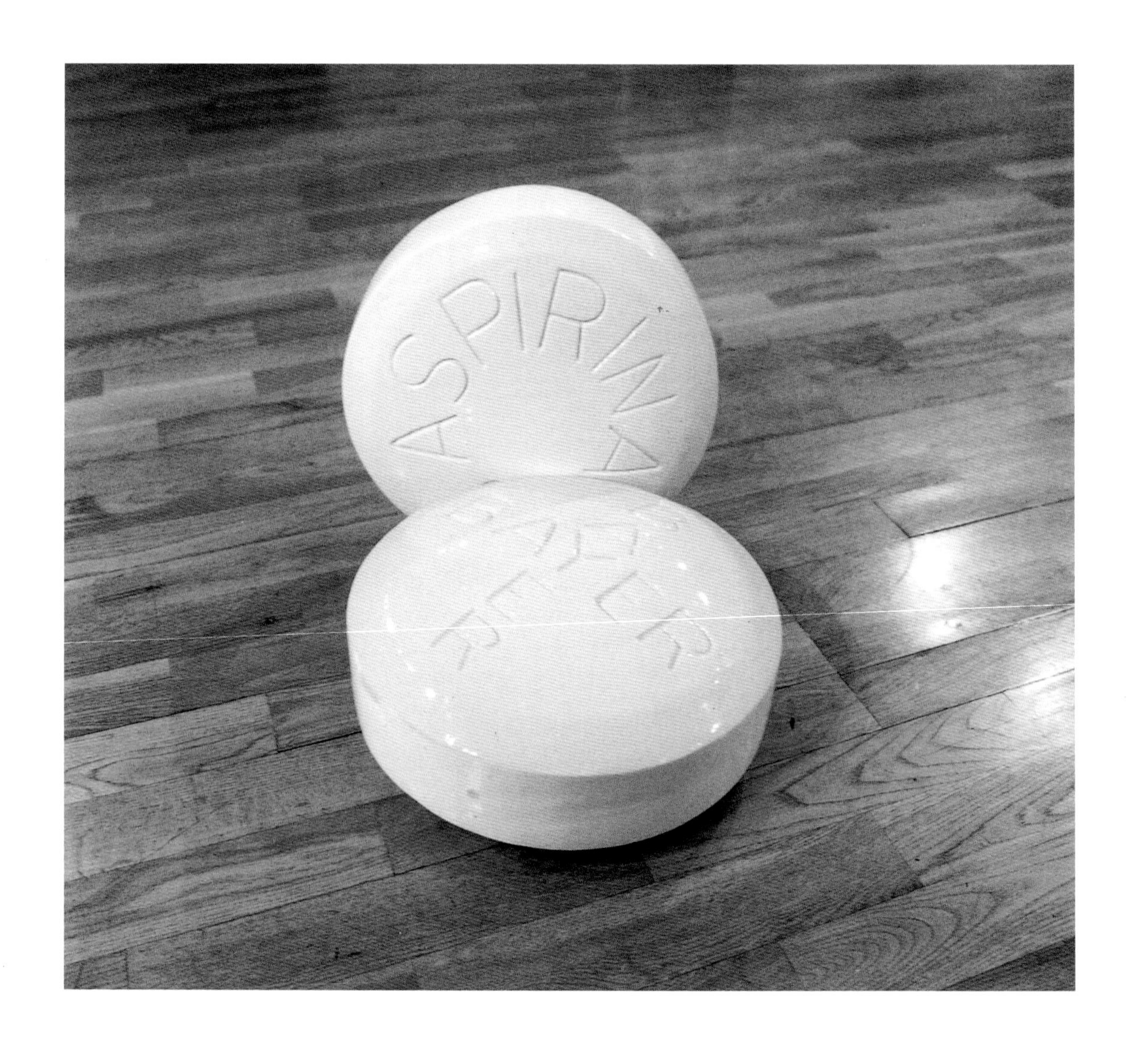

本页图：
路易斯·米格尔·苏洛（Luis Miguel Suro）
《阿司匹林》，1998年
陶，高3厘米、宽15厘米

下页图：
路易斯·米格尔·苏洛（Luis Miguel Suro）
1999年在纽约里奥诺拉·维加画廊展览“日常抄袭者”现场

比利时艺术家法兰克·斯泰雅特（F. Steyaert）通过沉船雕塑的形象来探寻在泥与火的转换中木头随时间转化的状态，他的作品既可以以单个作品出现，也能以大型景观装置的一部分而出现。就像斯泰雅特在阿姆斯特丹文化中心展出时令人震撼的作品，成为1999年陶艺千年展的亮点展览之一。这些残破的船做工精致，几乎一层压一层，但艺术家会在模仿真实的木制感觉和表现泥的触感两者之间着力，来为有时间质感的陶土语言留出空隙，这也是对陶瓷古老热情的一种回应。

法兰克·斯泰雅特（Frank Steyaert）
《无题》，1998年
陶，高57厘米、宽43厘米、长134厘米

法兰克·斯泰雅特（Frank Steyaert）
《组合群》，1990年
陶，高16～77厘米/件

上图（从左到右）：

周定芳（Zhou Dingfang）
《边缘定位》，1999年
陶，高11厘米

陆文霞（Lu Wenxia）和
卢剑星（Lu Jianxing）
《熔化的竹子》，1999年
陶，高23厘米

下图：

陈景亮（Ah Leon）
《桥》，1997年
陶，华盛顿国家博物馆阿瑟·M·萨克勒画廊展览现场，长18米

斯泰雅特这种对物写实的游戏对宜兴的陶艺家们可并不陌生，这些艺术家善于将泥精确地制作出一切他们想要模仿的东西，坚果、石头、布料、竹子甚至五百年的老树干等。近年来最出色的精于此道的宜兴写实雕塑艺术家是两个年轻的女艺术家陆文霞和周定芳，她们工作生活在这个陶镇上，用着宜兴特有的陶泥来真实地描摹着亚麻布、竹子、皮革或者其他她们需要的材料。

当然，还有阿亮（中文名字叫陈景亮），尽管他工作生活在台北，但作品的根却在宜兴。正如最近有关他的作品的一本书《超越宜兴》中所述，他甚至相信是他把外界与宜兴的联系加快了，但显然最明显加快的是他把宜兴紫砂的尺寸界限打破了，光看下面这件老树根式的5到10厘米高的茶壶作品就已经会欺骗你的感受了，他的另一件制作时间长达三年的《桥》于1997年在美国华盛顿史密森国家博物馆弗瑞尔陶瓷馆完整展出，之后在美国各地也巡回展出过。在《超越宜兴》中，克拉克是这样描述这件作品的："从来没有如此结构宏大，兼具纪念意义和魅力的仿真陶艺出现过，这可能是错觉画派的陶瓷之最。"

18米，这是一个惊人的长度。从看似金属的钉子到数百块木板，每一块都是手工制作，用一根针划出条纹，模仿风化的木纹。与他的树干茶壶一样，阿亮拒绝用实际的木片模具来制作他的作品，尽管这会大大加快制作过程，他说，如果这样做，他就不会"拥有"作品。对他来说，重要的是他创造了每一块木头及其历史。作为一个盆景制作高手，阿亮可以随手指着他作品的任何一段脱口而出木头如何因季节和时间的侵蚀来重新获得新生，那些侵蚀感是怎样从风雨中得来，多少年后又会产生多少变化等问题的答案。将对木头随世界变化的历史和对黏土模仿能力的把握合二为一，给了他自身成为超写实大师的能力。

左图：
陈景亮（Ah Leon）
《竖木茶壶》，1992年
陶，高57厘米、宽43厘米、长38厘米

右图：
陈景亮（Ah Leon）
《双壶嘴树枝壶》，1992年
陶，高20厘米、宽81厘米、长15厘米

第七章

历史、文化和时间

理查德·诺金（Richard Notkin）
郝伯特·博克西姆（Hilbert Boxem）
理查德·史立（Richard Slee）
查尔斯·克拉夫特（Charles Krafft）

罗伯特·道森（Robert Dawson）
保罗·斯科特（Paul Scott）
理查德·米莱特（Richard Milette）
格雷森·佩里（Grayson Perry）

辛迪·科洛齐耶斯基（Cindy Kolodziejski）
里奥帕德·富勒姆（Léopold Foulem）
中村锦平（Kohei Nakamura）
阿德里安·萨克斯（Adrian Saxe）

现代主义的一个主要目的之一就是把过去的灰尘抹去，从而能创建一个全新的可能物。在某种程度上，这就是对历史主义的厌恶。一方面，历史循环论确实导致了大量无意识、颓废的艺术和装饰的出现，这种历史品味随着工业品生产者对大量以往风格物仿制生产能力的提高而日显劣质。因此，现代主义者故意禁止直接引用过去的主张是可以理解和必要的。然而随着现代主义逐步成为艺术话语的主流，很明显出现了一个事实上的误区，艺术家的作品不可能不和自身的过去产生联系，也不可能在没有艺术史的基础上重建，所以这样“新式”的结果其实更会是一个历史综合物的“神话”产物。新的形式与风格不是一夜间产生的，也不是一种无限纯艺术的观念物。它是想法在经历了历史背景后的逐步进化，陶艺推广者里奇非常喜欢引用诗人威廉·布莱克（William Black）的一句话：“要想创新，艺术家必须首先骑着马拖着车，在前行者死亡的骨堆上通过。”

后现代主义最有特征也是最有争议的一个方面，是其把一切收入麾下、据为己有的态度。在最极端的情况下，挪用可能涉及艺术家对其他人作品的精确翻制，这样就可以准确地介入艺术再制作当中，就像谢丽·莱文（Sherrie Levine）在马列维奇的图像上再绘画，或迈克·比德洛（Mike Bidlo）重新完成杜尚的《小便池》等，看起来都是非常接近原作的新作。大多时候，挪用是指唱乐里艺术家把一些具有不同风格特点的音乐以合并同类限的方式拿出来合并在一起。这个全新混合而成的多语义风格可能充满幽默感、引导性、反讽甚至是挖苦的品行等，但是不会制造出一个全新的语境。

不过挪用确实可以使陶艺家可以有理由来让他们在这个有着近30 000年材料历史的领域中尽情玩耍一番。跳入这条完美的艺术长河对艺术家而言总是充满激情的。这种激情来自两方面：陶艺家既会被以往历史作品的风格或社会指向性吸引，但同时也会面临挑战，那就是如何重新创作，从泥、釉，以及烧成的技巧中，寻找一个把以往的作品通过某种创作过程重新给予生命的方式。

宜兴陶瓷成为西方陶瓷一个很好的灵感来源，西方艺术家中以挪用宜兴陶瓷为主要创作方式的艺术家就是理查德·诺金（R. Notkin），一位被宜兴茶壶智慧美感以及传达能力着迷的美国艺术家。宜兴早在1526年（明代晚期）就已经有第一把壶被制作出来，宜兴制壶者是中国最早的陶壶制作者，也是最早以陶艺家身份出现的艺术家。在创作完成后，他们已经开始在壶底印上他们自己名字的印章，从此结束了中国历史中制陶者的匿名身份。另外这些陶人也会和其他的文人智者一起合作，诗人、演员、作家、收藏家等，这些文人会根据自己的想法设计出造型，就这些精美手工制作器皿的美、象征和意义吟诗作画，并在茶壶的侧面刻下。

诺金是一个政治迷，但他却与政治完全不合作。他有卫星接收器，这使他可以用卫星电视收看到美国的国会辩论。诺金认识到他其实可以借用宜兴茶壶通用的一些象征经验，来使自己作品增加象征的企图，有些象征符号来自中国文化，比如桃子象征长寿、观音的手指合成一个圆圈象征好运、石榴象征多子多孙等。他意识到他可以把这种象征的本能嵌入到当代艺术的语境中。在他的象征物中，有影射着诸如美国充满争议的核电站、美国的对外政策以及各种冒险的军事行动等。他尽量避免使符号过于难懂，采用的是一些容易沟通的符号，比如用骰子来暗指人生的赌博等。另外，他也从文化间对同一物体象征的不同意义着手，比如坚果（在西方坚果暗指人的顽固不化，而在中国坚果只是长寿的象征）。更极端的是，他把蘑菇云作为壶盖，而壶体则被做成核电站的冷却塔，即使是最不知情的观众通过视觉也能理解这种以象征物来出现的实用器皿的内涵，从而对超强的能量产生出莫名的危机感。

几乎在诺金所有的作品中都能找出宜兴茶壶的影子，他的心型茶壶的灵感就是来自宜兴的佛手茶壶，这是一个基于植物佛手瓜的造型。但在中国，它却被认为人类心脏的象征，甚至包含有心室等具体形状的含义。在展台上，他的心型系列更像一个小型的纪念碑用以记载和纪念人类对自身制造的非人道行为，从而与西方观众对心型符号所象征的人类良知的观看本能来产生碰撞。诺金的作品不仅仅只让宜兴的陶艺家受益与欣赏，他对其他地域的艺术家也产生了影响，比如中国台湾的阿亮和美国的拉斯特米斯基（Geo Lastomirsky）。

上图：
理查德·诺金（Richard Notkin）
《冷却塔茶壶（变异#2）——宜兴系列》，1988年
陶、电光釉，高15厘米、宽23厘米、长10厘米

下图：
理查德·诺金（Richard Notkin）
《六边形路肩茶壶（变异#17）——宜兴系列》，1988年
陶，高13厘米、宽20厘米、长10厘米

左图：
理查德·诺金（Richard Notkin）
《心形茶壶（狼牙棒#2）——宜兴系列》，1988年
陶、电光釉，高15厘米、长102厘米、长16厘米

右图：
理查德·诺金（Richard Notkin）
《头骨金字塔茶壶（智慧的大兵#3）——宜兴系列》，1989年
陶、釉，高15厘米、宽23厘米、长18厘米

荷兰雕塑家郝伯特·博克西姆（H. Boxem）最近完成了一组作品，他把陶瓷史中的经典概念高度抽象化。希腊陶罐的嵌色画、西班牙摩尔人陶器的电光釉装饰、中国明代和荷兰代尔夫特的青花图样等都被他消化进自己作品中。作品的形状大多就是将上述特殊文化风格中某个局部或碎片扭曲糅合，从这个角度上说，一个传统的希腊陶器在此时此刻被扭曲的过程中完成了从器皿向雕塑的转换，是一种文化历史的超现实再现。理查德·史立（R. Slee），一位英国最执着且充满创造力的后现代艺术家。他从20世纪90年代早期开始以英国斯泰福德郡历史上有名的托比杯（toby jug）作为创作题材。托比杯通常是以矮胖小人戴的三角帽为杯子造型，从18世纪流传至今，杯身的人物通常是历史掌故中的具体人物，被矮胖处理后憨态可掬，但是史立把它们的历史背景全都去除掉了，没有了原先有明确时间地点的具体人物，取而代之的是颇具纪念碑意义的史立式的托比杯，一个是原本尺寸4～5倍的造型，且被幽默地赋予市井人物与知识分子的结合体。他的托比杯同时也是各种现代主义风格的结合体，从立体主义到抽象表现主义，在他最为代表性的作品《幽默的托比》中，一张《快乐的脸》把整个水壶的脸都遮住了，不仅可以看出明显的波普文化逻辑，甚至在其中可以找到和蒙太奇摄影艺术家约翰·鲍德沙利（John Baldessari）之间的某种联系。

上图：
郝伯特·博克西姆（Hilbert Boxem）
《开放的容器——希腊 1》，1999年
低温陶，高23厘米

左下图：
理查德·史立（Richard Slee）
《酸酸的托比》，1993年
低温陶，高48厘米

右下图：
理查德·史立（Richard Slee）
《糊涂的托比》，1994年
低温陶，高41厘米

青花或蓝白装饰方法是陶瓷史中重要的装饰方式和风格，18世纪的欧洲青花柳条风格装饰又是这个装饰仓库中最为成功的一种装饰样式，时至今日还在被大量生产着。因为这些联想和记忆中祖辈的高级餐具收藏、中国明代的青花进口瓷、18世纪荷兰代尔福特的青花软瓷等都有关，我们甚至可以在阿姆斯特丹机场的旅游品店里随意看到这些青白装饰的陶制小木屐。没有任何一种装饰能像青花这样不仅弥漫在历史中，而且历久弥新。所以如果我们再看到这类风格或样式时，会产生丰富的联想就毫不奇怪了。

查尔斯·克拉夫特（Charles Krafft）
《陶瓷武器库：项目——手榴弹》，2000年
瓷，高13厘米、宽6厘米

查尔斯·克拉夫特（Charles Krafft）
《陶瓷武器库：项目——暗杀装备》，2000年
瓷，盒子，高5厘米、宽38厘米、长20厘米

在以下章节里，有四位艺术家将被拿来作为后现代语境中的青花艺术现象进行讨论。美国的查尔斯·克拉夫特（C. Krafft）、英国的罗伯特·道森（R. Dawson）、保罗·斯科特（P. Scott）和加拿大魁北克的理查德·米莱特（R. Milette）。每个艺术家有不同的语言特征：克拉夫特是美国最具煽动性的艺术家之一，他以充满文化歧义的方式用作品来制作一个个挑战且隐晦的艺术迷局。他的青花作品最早开始于借“杯（悲）具”来讽刺时下快餐消费的陶瓷，以“欢庆”悲剧的方式来挑战流行文化里的忠诚度，比如二战时期德雷斯顿大轰炸、泰坦尼克号沉船等。从1998年开始，他静下心来用陶瓷来复制1989年前东欧秘密警察佩戴的武器，在他用陶瓷制作的战争博物馆里，就有一把枪的陶瓷复制品，枪的原形是1999年被斯洛文尼亚国防部使用的佩枪，枪身被奇怪地以祥和的青花花卉装饰，讽刺被他们粉饰过的死亡。

左图：
罗伯特·道森（Robert Dawson）
《透视》，1996年
骨瓷，直径27厘米

右图：
罗伯特·道森（Robert Dawson）
《你能从花园中走出来，但你的心能明白吗？》，1996年
骨瓷，直径27厘米

而道森则把青花装饰的盘子作为他自身视角的物化。他极具创意地在挪用传统纹样的同时，把原先盘子上的适合纹样通过收缩、透视、渐变，使作品有了空间和运动的意味。斯科特也将餐盘作为创作对象，但他把青花作为一个陶瓷工业文化大餐的主食来面对，画面上远处阴暗的工业萧条风景与前景的田园牧歌一起出现在盘面上形成鲜明对比。米莱特的视角是把青花看作“文化宝藏”，在壁炉台上放置的器皿配件中，器皿的把手看起来金碧辉煌，但器皿本体却是由看似青花碎瓷片组成的形，一种博物馆修复考古出土的珍品所呈现的昔日辉光。

上图：
保罗・斯科特（Paul Scott）
《塞拉菲尔德斯科特藏品系列，坎布里亚蓝》，1997年
釉下花纸骨瓷，直径25厘米，限量10件

下图：
理查德・米莱特（Richard Milette）
《用青花碎片制成的装饰物》，1995年
陶，组合高43厘米、宽64厘米、长13厘米

格雷森·佩里（G. Perry）和辛迪·科洛齐耶斯基（C. Kolodziejski）两人都对维多利亚式风俗画很着迷。佩里以自己的方式来探索，他假装是一个业余的艺术爱好者，或至少以一个陶艺门外汉的角度，在没有表现出任何明显技艺的前提下，创作出他自己魔术般世界的陶瓷作品，由此来说明艺术没有一定之理。他的造型通常有些笨拙，把手的塑造手法甚至更像是民间艺术，而不是一位事实上工作和生活都来自伦敦、具有很高工艺技巧的艺术家。直到把绘画、浮雕造型、花纸、电光釉，以及多次烧成后越来越漂亮的釉色等元素放在一起的那个时候，他那最为人熟知的辉煌的作品才适时地出现。事实上，尽管器物如此漂亮，但器物表面的画面还是多为有挑逗性的风俗画面。除此之外，作品还添加了大量设计过于装饰的贴花图像，作为一种算是极多主义的装饰风格，但更多呈现出的是一种糜烂的粉饰。佩里以这种风格把家族历史的风情画展现出来（包括皇室以及他本人的历史），乱伦、超级明星的私生活，以及佩里自己模糊的性别转换等，所有这些都被置于这种言语嘈杂的维多利亚式的装饰方式中，以此来吸引和挑战观众。

左图：
格雷森·佩里（Grayson Perry）
《艾莉森姑娘们的报复》，2000年
低温陶，高66厘米、直径26厘米

右图：
格雷森·佩里（Grayson Perry）
《语言之车》，2000年
低温陶，高39厘米、直径28厘米

辛迪・科洛齐耶斯基（Cindy Kolodziejski）
《珍珠项链》，1999年
低温陶，高41厘米、宽18厘米

而科洛齐耶斯基则在她受维多利亚式风格影响的基础上，从另一方面发现了器皿绘画中令人惊讶的节制与优雅。和佩里不同，她的器皿是以自己独创的高超的釉下技巧来绘出这种华丽的釉下质感，她把外界的信息摒除掉，以还原作品本来的技术与形式之美。她用一个器皿的两面来叙述一个故事两个不同的面（来隐喻人和事的双面性），是不同人种、不同性别和性隐喻的丰富外延。这里引用一段雕塑家和作家斯蒂芬・鲁克（Stephen Lueck）写的话："可以把科洛齐耶斯基的作品与文字体验中最妙的那些特殊感受关联起来，就像我们今天这些无神论的现代人类，在彼此都有些小缺陷的亲密朋友间开些善意的玩笑，在掩饰不同秘密的同时还能彼此尊重。科洛齐耶斯基显示了她对维多利亚式陶瓷器型和叙事传统风格足够的尊重，同时她也很智慧地把幽默和五味杂陈的观察态度，微妙地传达给我们这个时代或任何一个时代的人类。"

上图（作品A面）、下图（作品B面）：
辛迪·科洛齐耶斯基（Cindy Kolodziejski）
《汤锅——无题》，1994年
陶，高23厘米、宽36厘米

里奥帕德·富勒姆（L. Foulem）是一个名为“魁北克人”的加拿大陶艺家群体三个创始人之一（另外两个人马蒂厄和米莱特也已被收录本书）。这群艺术家把魁北克（一个加拿大的法语区）作为他们特殊文化的背景共同创作，对当代陶瓷艺术理论作出很大的贡献。富勒姆本人始终在寻找颠覆器皿语义的可能性，例如在对待器皿如何使用或容纳空间的功能——这原本是艺术家们思考的起点或目的之一——的时候，他的解决方法是完全开放的。他甚至会去跳蚤市场中找答案，看到那种过时的纹饰底座、一些怪异的金属盖子时，只要乐意，他都会买来重新打磨干净，然后想象什么样的器皿能进到这个刚刚想象出来的框架中，作品在这个时候可能就已经被激活了。最开始时，艺术家创作了一些看似优雅、简洁的银釉黑陶容器来配合这些物件，但如果试着去掀开盖子，你会惊奇地发现这个看似实用的器皿却压根无法打开，实用性已经被看起来实用的器皿彻底抛弃了。而他现在新的创作则瞄向挑战装饰的意义，准备开始为中国清代陶瓷装饰中那些胭脂红和橘黄色开辟一种另类组合。

上图：
里奥帕德·富勒姆（Léopold Foulem）
《五彩瓷——有着被装扮蓝色男孩的盖罐》，1996年
陶、现成品，高37厘米、宽27厘米

下图：
里奥帕德·富勒姆（Léopold Foulem）
《小狗和猪猪》，1996年
陶、现成品，高20厘米、宽31厘米

18世纪对日本陶艺家中村锦平（Kohei Nakamura）和美国陶艺家阿德里安·萨克斯（A. Saxe）而言是激动人心的世纪，但他们的理解却各不相同，就像中村自己的解释："我不关心如何去了解巴洛克的历史，我只想从视觉上模仿它。这样我就可以不被它的历史所限，在模仿时能自由发挥对我而言无比重要。"他作品中非常重要的一点是作品的建筑造型并非出自某个真实存在的巴洛克建筑，而是艺术家的一个原创，一个出自中村式理解的、手工塑造的巴洛克造型，之后他可能再添加一些科幻元素，比如将它们放置在一个典型巴洛克式的支架上等。像这件《被奇怪挤压过的教堂》，作品通体泥的质感和痕迹被全部笼罩在一片金色釉中，看起来更像一个火箭，要么即将发射升空，要么只是对接、回收。这是一个特别的关于过去、现在和未来的象征组合。

时间和文化结合的方式也同样出现在萨克斯的作品中，他本人甚至就是18世纪风格样式的专家，同时也是后现代陶瓷领域最重要的代表。当澳大利亚维多利亚国家工艺美术馆1996年举办关于后现代"文化理论和工艺实践"的讨论时，他们选择了用这位加州大学洛杉矶分校教授的一把壶来作为这次研讨的吉祥物，来意指其为后现代系统里的典型对象。正如这次研讨的组织者苏西·阿特威尔（Suzie Atwell）写道："（萨克斯）这件在1973年展出过的'无题物—茶壶'会使任何想要完全理解这个作品的人产生阅读障碍，这是一件比杰夫昆斯早了近二十年的艺术品。"（如果阿特威尔说的"阅读障碍"是一个命题，）萨克斯后期的作品甚至导致了更多的阅读障碍。18世纪欧洲宫廷瓷器曾被现代陶艺家鄙视为做作的衰亡之物，但一个着迷于此的当代艺术家却使今天的陶艺世界很友好地接受了它。萨克斯从不直接模仿宫廷瓷器，而是试图捕捉其社会特权和物质财富的本质。他的那件土黄色的容器是20世纪80年代最具代表性的作品之一，除了双方都有一些浮夸的华丽之外，我们可以很清晰地看出它们与迈森和塞弗尔的经典瓷器形象没有任何相似之处。

他的这种努力和观点也很快就被引起了注意，1992年，萨克斯将作品中另外一个形象——葫芦型的器皿以其自身的语言创造出一个更为快乐至上的形象，也因为在纽约展览的关注度而达到了一个新的高度。他在一件作品上甚至尝试了五种之多的金色釉。2000年他在一个名为"出发：盖蒂美术馆的11位艺术家（Departures: 11 Artists at the Getty）"展览中，通过一个情景剧场的方式将他与那些18世纪创造出的经典语言之间的独特关系推向一个顶点。该展览由丽莎·莱昂斯（Lisa Lyons）为洛杉矶的J·保罗·盖蒂博物馆（J. Paul Getty Museum）策展，萨克斯和其他几位北加州顶尖艺术家，如约翰·巴尔德萨里（John Baldessari）、拉里·皮特曼（Lari Pitman）和艾莉森·萨尔（Alison Saar）等应邀对盖蒂历史博物馆内的物品作出回应。我们有幸应邀参加了盖蒂美术馆收藏的历史作品并参与讨论。萨克斯复杂而流光溢彩的瓷器装置占据了整个空间，他的作品被放置在一个巨大的，桌面是白色大理石的金色大桌上，后面放有两个18世纪的拱台（这是盖蒂美术馆的巴洛克式家具中最为贵重和重要的收藏品之一）。但最震撼的是，只有进入这样的空间之后，看到在这些气场宏大的器皿上方安放了诸如篮球明星罗德曼（Dennis Rodman），电影形象奥斯丁·鲍威尔（Austin Poners）等动作人物的小型树脂模型成为点睛之笔时，才使得萨克斯的作品真正展现了艺术家的理想——把18世纪的贵族化和当下街头世俗文化进行调和，形成一个真正的混合体、一幅浮华的浮世绘。

中村锦平（Kohei Nakamura）
《被奇怪挤压过的教堂》，1991年
瓷质陶，高51厘米、宽51厘米

左图：
阿德里安·萨克斯（Adrian Saxe）
《无题——带羚羊钮的立式盖罐》，1984年
瓷、乐烧、陶，高67厘米、宽29厘米、长14厘米

右图：
阿德里安·萨克斯（Adrian Saxe）
《蹦极跳笑出来的金牙》，1990年
瓷，高34厘米、宽19厘米

阿德里安·萨克斯（Adrian Saxe）
《细枝》，1990年
瓷、木，高60厘米、宽94厘米

上图、右图（细节图）：
阿德里安·萨克斯（Adrian Saxe）
2000年洛杉矶J.保罗·盖蒂美术馆策划的“启程——盖蒂美术馆的11位艺术家”展览现场

第八章
图像和器皿

安妮・克劳斯（Anne Kraus）
马特・诺兰（Matt Nolen）
科尔特・魏兹（Kurt Weiser）

爱德华・艾伯勒（Edward Eberle）
丹尼尔・克鲁格尔（Daniel Kruger）
莉迪娅・布兹欧（Lidya Buzio）

区分20世纪80年代的陶瓷艺术品和20世纪早期作品的方法之一，主要是看器皿上是否绘有故事情节的图像。因为现代主义表现陶艺的手法通常是在单色釉的简单器型上饰以无意义的图案和象形文字，器物平整的表面、流动抽象的釉面，以及表面非特定的斑点都可以被接受，只是图像被认为是倒退的。毕竟叙事作用曾经是长期定义和分配给陶器的卑微角色，甚至可以追溯到2 000年前，那是一长段希腊人用黑色线条在粗陋陶罐上描绘神话场景、记录性行为，以及生活瞬间的时代，我们对奥林匹克运动会的理解其实就大多来自希腊陶罐上叙事性插图。格里森·佩里调皮地使用玫瑰花花纸，是用来“报复”爱德华七世时流行在陶瓷上到处都是的粉色玫瑰花纸装饰。这虽然可以被视为是重新使用图像的一个革命符号，但图像化真正被认作是回归。是迈克尔·弗里姆凯斯（M. Frimkess）和霍华德·科特勒（H. Kottler），他们在20世纪60年代的突破性作品更为大胆，也更令人印象深刻，是他们将叙事重新拉回到陶瓷的语汇中。

在艺术家安妮·克劳斯（A. Kraus）的作品中，作品意象会把观众带到一种特殊的，关乎私人情感的内容中，克劳斯原先是画家，但在纽约的大都会博物馆里，她会一直徘徊在德国和法国宫廷瓷器展区前不走，就是因为它们的画质具有如此超越之美，但同时她又会为这些精细的绘画瓷器中缺乏任何实质上的情感深度颇为遗憾，就像被里奥帕德·富勒姆（Léopold Foulem）称之为是一些“平淡无奇的男女相爱的图景”。之后，克劳斯开始考虑改变创作材料，把陶瓷器皿作为一个能更深入记录个人情感的工具，就像电影制作人卡尔瑞兹所指出的：收藏她的作品的行为就像在偷看她的日记，每一个器皿、每一页都从她的生活中撕下的一页。

本页左图：
安妮·克劳斯（Anne Kraus）
《茶壶——英雄系列》，1989年
陶，高20厘米、宽17厘米、长10厘米

本页右图：
安妮·克劳斯（Anne Kraus）
《LKS/NKS花器》，1991年
陶，高24厘米、宽15厘米

下页图：
安妮·克劳斯（Anne Kraus）
《中国杯汽车旅馆（带底座双罐）》，1999年
陶，高37厘米、宽36厘米、长22厘米

"So you're leaving everything behind! What will you do now?"
I'm taken aback. I don't recall saying this. I try to correct them but they look at me like I'm trying to change things. And a part of me realizes that my time has come.
MEXICAN TILE

“日记”的概念其实更接近克劳斯的创作过程，她在她的床边一直放着一个记录梦的日记，这也是她这类作品主题的核心——用悬浮的梦境和异国风格的器皿可以更深入探讨令人痛苦的问题，诸如：信心危机、单相思、梦境中的超现实，以及令人不安的对某些耻辱情景的回忆等。以文字和画面的形象，被以梦幻般超现实的方式带进她作品中。是什么使她的作品有这样的感染力呢？应该与她作品表现形式有关，是因为这些作品以一种装饰性和不具威胁性的风格呈现。她的作品初看之下，颇具装饰感和亲和力，也只有当一个人用手托起她的一个壶、杯子、碗或盘子，仔细阅读上面的蝇头小字时，才会意识到这件作品主题核心往往是情感，而不是在所见的内容。正如《纽约时报》（*New York Times*）评论员肯・约翰逊（Ken Johnson）谈到她的作品时说道：“在为后现代拼凑出来的画面中，她的作品绝不仅仅只是一点有趣那么简单。她的作品更是艺术家精神传记中用于纪念自己某个重要或危机时刻，是一座小小的精神历程的纪念碑。”

马特・诺兰（Matt Nolen）
《圣杯NO.1：金钱》，
1993年
瓷，高41厘米、宽29厘米

马特・诺兰（M. Nolen）工作、生活在纽约，也同样将形象作为创作语言。就如他的圣杯系列作品，无论从视觉还是文本都非常复杂，以至于会接近过分的程度，作品中各国贪婪的货币形象，以及万能的美元充斥着画面，像是对人性一个扭曲的宣言。科尔特・魏兹（K. Weiser）则对陶瓷低温彩绘进行了一个当代性的重组。这种彩绘技巧曾在西方宫廷瓷器中被大量使用，在19世纪末20世纪初，因其优雅易操作被大量贵媛淑女喜爱，她们先订购白胎（高温釉烧过但没有被装饰过的瓷器），这样就可以在家里自己装饰绘画，然后在一个小马弗炉里低温烧制即可。时至今日，这种低温彩绘的俱乐部还在全世界存在，其结果就是这种商业化的创作方式被许多严肃的艺术家排除在外。20世纪60年代的超物体艺术家应该是最早把它请回到当代视觉的中心的一批人，用这种方式主要能让他们在作品上绘出那种人为的画面。纳格尔就是用低温彩绘在他抽象的杯子上一遍又一遍地覆盖，以期获得有层次的色彩，但魏兹是完全沿用迈森宫廷陶瓷同样的方法，用低温彩绘画出他极度精制的画面形象。

不过魏兹在创作过程中也做了些不一样的调整，他在器皿上绘制的形象尺寸比例比以往历史上任何一个釉上彩绘的形象尺寸都大，尽管有时候会只在特定区域用晕染的方式画出写实的空间，但大部分时候他更喜欢画满整个器型，用一个主形将画面从前面到后面整体连贯地联系在一起画。他的画面在风格上基于20世纪50年代之前的魔幻写实主义，但灵感来源却是80年代在泰国旅行时的感受，之后他开始持续不断地创作以热带国家风光为背景的作品，再现了热带动物植物种群，以及裸体人物和超现实的面孔等，其他的作品有的可能取自名画，从哈德逊画派的图景一直到德国浪漫主义等。显然都是他最喜爱的一段时期的风格，但他把这些画面信息以自己的方式来重复处理。色彩丰富的语意和他在高温白瓷釉上绘画所带出的亮度等都使得他的那些器皿——有盖的罐子或茶壶等——以完全不同于其他任何一个以低温彩绘为创作方式的艺术形象出现。由此，作品以苍翠繁茂和机敏情色为一体的魏兹式的器皿，达到一个难以企及的深度。

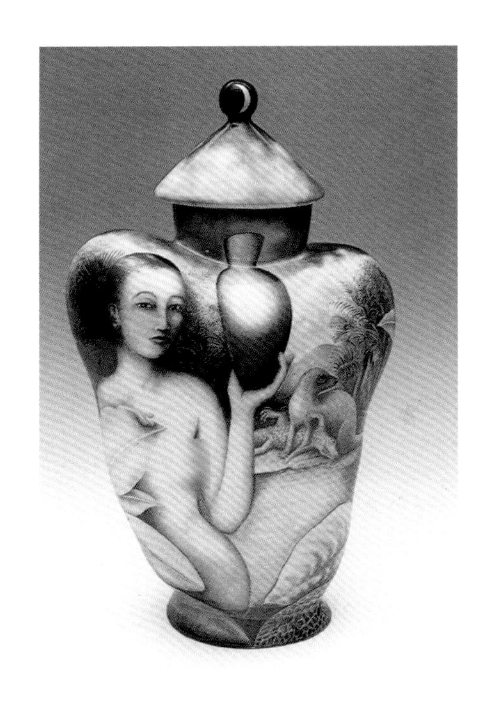

上图：
科尔特·魏兹（Kurt Weiser）
《无题器皿》，1992年
瓷，高45厘米、直径24厘米

左下图（A面），右下图（B面）：
科尔特·魏兹（Kurt Weiser）
《带盖器皿》，1992年
瓷，高43厘米、直径26厘米

爱德华·艾伯勒（E. Eberle）走的则是另一个极端，即：远离色彩。虽然有时也会有些微的金色出现在他的作品上，但近二十年来，他一直拓展自己颇具特点的绘于大件瓷器上的黑白绘画语言。总的来讲，他的作品是受美洲原住民明布雷斯（Mimbres Pottery）陶器的启发，在吸取这些基本的抽象样式后，很快拓展为对古希腊米诺斯陶器（Minoan Pottery）的复杂绘画和一些老前辈画法的研究，并最终形成了自己的风格。艾伯勒的作品给人最直接的视觉冲击是他的绘画技巧，这在当代陶艺界几乎无人能及。他将不同灰调的化妆土刷在器型上，趁湿刮擦出背景再绘人形于其上，可见他对画面中人群组织和层次把握处理得精妙。他瓷器造型制作的能力也同样使人难忘，瓷泥可不像那些黏性很高的陶土容易对付，艾伯勒需要先拉坯、后矫形，接着结合着拉坯时形成的一圈圈波纹再修薄器皿，最后完成的器形完美地立在那里似乎在挑战着重心。他会在每一件作品里都添加一定数量的小的视觉聚焦点，比如形的边缘被优雅的细节收紧折叠、上面小小的把钮和下面四个方足看似随意地搭配在一起等。丰富的画面中每一个细节都与器形和画面相得益彰。艾伯勒有意把作品处理得很薄，因为他用半透明的瓷泥创作，这样化妆土刷好之后再刮掉的痕迹在整个器形的视觉空间中看上去有透明感，从某些方面而言，这些痕迹可以带着观众的视觉穿透画面表层，进入作品内部更深的层次中。

爱德华·艾伯勒（Edward Eberle）
《重新解决》，1991年
瓷，高29厘米、直径17厘米

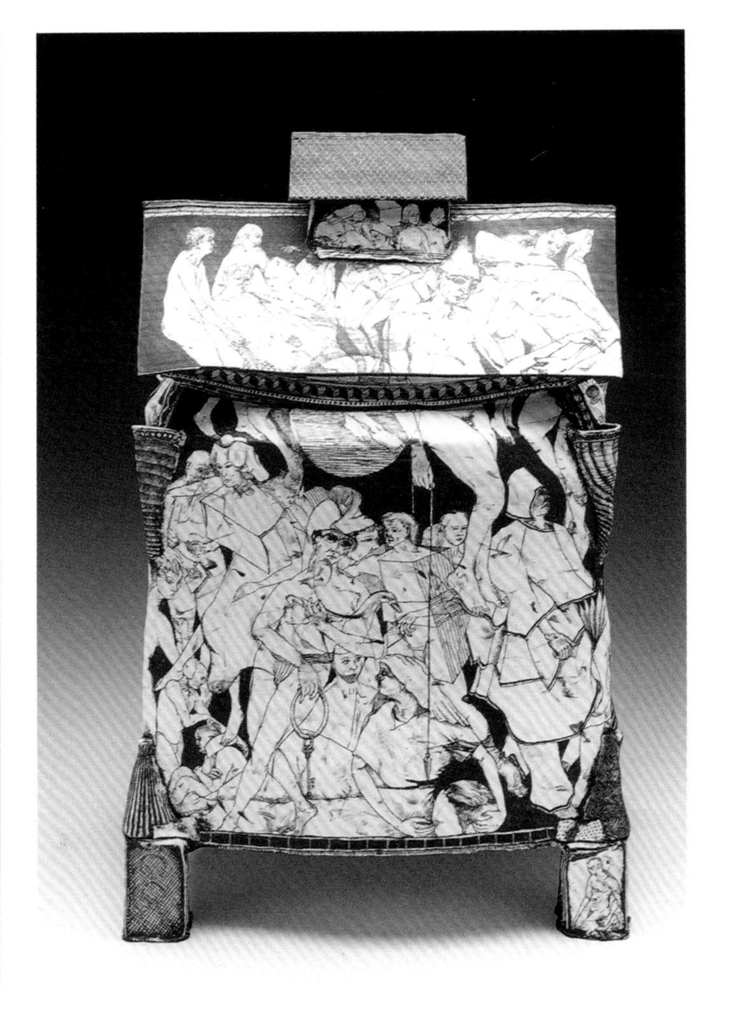

左图：
爱德华·艾伯勒（Edward Eberle）
《哨兵》，1995年
瓷，高43厘米、直径40厘米

右图：
爱德华·艾伯勒（Edward Eberle）
《去往巴士拉尔的25年》，1995年
瓷，高46厘米、宽31厘米、长20厘米

丹尼尔·克鲁格尔（D. Kruger）一位南非出生，现在工作生活在德国的艺术家。他使用摄影花纸的方式创造出一组以裸体男性为中心的肖像系列的器皿。尽管今天的世界已经在某些方面暗合着克鲁格尔作品的关注点，但我们还是不确定是否应该称他的作品为同性恋主题，因为这些裸体的男性看起来诚实阳光，如此完美的天性使他们看起来很少会有涉及性的痕迹。事实上，这些男性照片是从一本德国杂志上摘选的，这本杂志每月会选一个男性自拍的裸体照用于发表并拿来让读者讨论，从画面上可以看出，每个人都握有一个快门线，他们可以自己选择拍摄的时间，所以曝光的时间正好是他们自己感觉最好的时候，之后克鲁格尔再把这些照片转印成陶瓷花纸，将花纸照片低温烧在很薄的瓷片上，固定在花卉缠绕的古典瓷瓶表面。

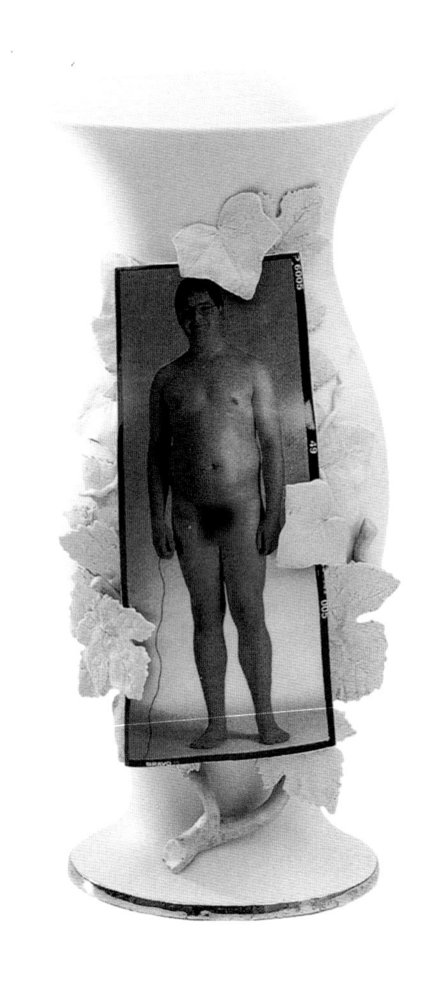

左图：
丹尼尔·克鲁格尔
（Daniel Kruger）
《欧洲陶艺中心系列——无题》，1997年
瓷，高31厘米、直径15厘米

右图：
丹尼尔·克鲁格尔
（Daniel Kruger）
《欧洲陶艺中心系列——无题》，1997年
瓷，高31厘米、直径15厘米

上图：
莉迪娅・布利欧（Lidya Buzio）
《屋顶风景器——无题XXXIX》，1986年
抛光低温陶，高39厘米、宽31厘米

下图：
莉迪娅・布利欧（Lidya Buzio）
《屋顶风景壶——无题》，1993年
抛光低温陶，高10厘米、宽29厘米

最后谈到莉迪娅・布利欧（L. Buzio）的作品。布利欧在乌拉圭出生，并在南美现代主义大师托雷斯・加西亚（Torres Garcia）的工作室里成长。尽管在布利欧刚出生不久，加西亚就过世了，但因为加西亚的儿子接管了工作室并和布利欧的姐姐结了婚，所以从小一直待在工作室的布利欧目睹了工作室如何像磁铁般吸引着南美洲的艺术家，也间接地使布利欧接受了非传统的艺术教育。最初她的作品是与人体有关的象征风格，这与布利欧受姐夫霍拉西奥・托雷斯（Horacio Torres）的绘画风格和另一位艺术家何塞・克莱欧（Jose Collell）的陶艺风格影响有关。但从1972年迁到纽约后，她发现自己开始着迷于她所居住的苏荷区意大利人聚集地那房屋群屋顶的奇妙组合，并开始绘制这种屋顶的风景。加西亚在50年前第一次来到大城市的时候就曾在他的速写本上勾满了城市高楼顶的风景画，布利欧以同样的方式来经历她所崇敬的大师的艺术历程，她的作品并不在模仿这位现代艺术大师，因为相对于托雷斯・加西亚，她的作品更写实，而且更有罗马壁画那种精制的透明感。

1983年在堪萨斯城举办的第三届国际陶艺研讨会的一次非公开讨论中，陶艺界受人尊敬的评论家和美学家菲利普・罗森（Philip Rawson）就布利欧的作品建设性地谈道："对我而言，布利欧是最杰出地诠释了什么是所谓的'陶艺空间'的艺术家之一。一方面是被切割开的表面，暗合着艺术家独立的视觉层次；另一方面是都市楼顶的视角，两者之间的张力在她器皿上似乎产生独特的舞台效应，使得作品的内涵层次从一面自然地过渡到另一面，缔造出美妙的空间层次。除了陶艺家还真没有哪种绘画和雕塑的艺术家能做到这点。"

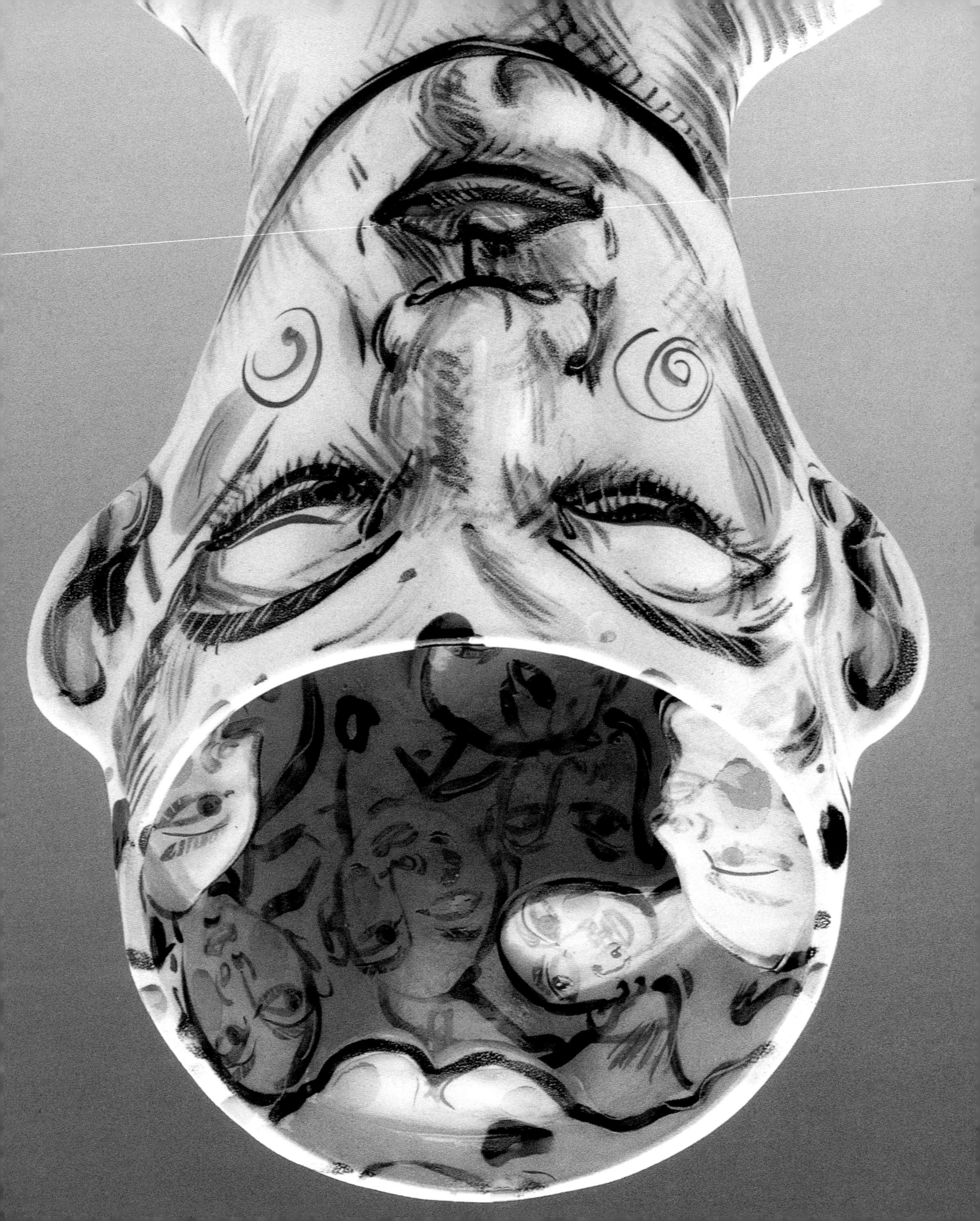

第九章
图像化的器皿

伊丽莎白·弗瑞奇（Elizabeth Fritsch）
琳达·甘–罗素（Linda Gunn-Russell）
苏珊·舒特·沃菲克（Susan Shutt Wulfeck）
迈克尔·谢里尔（Michael Sherrill）
尼古拉斯·霍莫基（Nicholas Homoky）
克劳德·布查德（Claude Bouchard）
保罗·马蒂厄（Paul Mathieu）
高森晓夫（Akio Takamori）
安东尼·本尼特（Anthony Bennett）
格瑞戈·佩斯（Greg Payce）
大卫·里甘（David Regan）

本篇着重探讨器皿和图像的另外一条路径，即尝试把整个器皿当成一个图像或一幅绘画看待。这是艺评家克拉克1986年为《工艺美术》（*Crafts*）杂志撰文《图像化的器皿》（*The Pictorialization of the Vessel*）时，首次提到并定义下来的一种新的陶瓷语义风格。这是当代陶瓷为后现代主义提供的为数不多的视觉方法之一，因为从来没有在陶瓷之前的历史上出现过，这是一次对器皿造型全新的理解。至少在视觉效果上看，可以被看作是一次成功的尝试。艺术家伊丽莎白·弗瑞奇（E. Fritsch）的作品可能是对这一理解最好的注脚，弗瑞奇是最早提出这一观点的艺术家（尽管静物摄影艺术家早就在尝试着把幻觉具体化）。弗瑞奇早在20世纪70年代早期在伦敦皇家艺术学院求学时就深受老师汉斯·库珀（Hans Cooper）的影响，后者当时经常在创作时把器皿压平或椭圆化，使之介于二维和三维空间之间。弗瑞奇从此意识到她可以在操纵我们的视觉感知经验和观念上作文章，比如把一个原始的立体器皿造型逐渐压平，直到把先前一个纯立体的体积压到只有5、6厘米扁时，再结合釉和色剂，用绘画中的透视缩短技巧，使扁平的器皿最终带有一种仿真的立体三维感。

弗瑞奇甚至直接用绘画中的办法来处理器皿的口部，比如视觉上器物实际口部的后面要比前面高一些，绘画是通过错觉再现一个立体的圆形口部，但实际上弗瑞奇所谓的立体器皿也只有几厘米厚而已，器皿的底部也被处理得与口部透视夸张的手法相似，艺术家使用化妆土着色，因势而就，画出器形的足部来强化这种绘画中的立体纵深。这种空间一部分来自实际的空间层次感，另一部分则是被模拟出来的层次感，我们可以称之为“二维半空间”。弗瑞奇就是在这种“二维半空间”的状态中创作，这个陶瓷特有的空间处理方式至弗瑞奇始得以大范围的传播和影响，启发了当代艺术家对空间新的看法。在20世纪80年代，另一位英国艺术家琳达·甘-罗素（L. Gunn-Russell）接受了这一观点，并把它向更深一层推进。同样是在器皿上模拟空间，甘罗素作品的物理空间只有一两厘米甚至更薄，以差不多就是以实际的平面空间去参与创造出三维的空间。

伊丽莎白·弗瑞奇（Elizabeth Fritsch）
《光学元素的杯和罐——乐夜泛舟》，2000年
陶、化妆土，左：高20厘米、宽18厘米、长8厘米；右：高18厘米、宽33厘米、长10厘米

左图：
琳达·甘-罗素（Linda Gunn-Russell）
《器物》，1984年
低温陶，高23厘米、宽15厘米、长5厘米

右图：
琳达·甘-罗素（Linda Gunn-Russell）
《茶壶》，1984年
低温陶，高20厘米、宽20厘米、长5厘米

上图：
苏珊·舒特·沃菲克（Susan Shutt Wulfeck）
《无题——浅灰色的瓶子》，1984年
低温陶，高41厘米

下图：
迈克尔·谢里尔（Michael Sherrill）
《神魂颠倒的茶》，1996年
瓷，高71厘米、宽46厘米、长18厘米

美国艺术家苏珊・舒特・沃菲克（S. Wulfeck）并没有刻意去注意这种层次，她的作品器形只是简单地站立在那里，泥片被切割拼凑成类似于杯子或花器的简单几何体，然后通过化妆土的不同来强化这种立体的简洁感。迈克尔・谢里尔（M. Sherrill）在器物扁平化的基础上用色浆敷于其上，绘画行为在简单平坦的表面更加自由舒展。像本章的许多艺术家都爱制作茶壶一样，谢里尔也制作茶壶，但谢里尔做壶是因为他理解的茶壶是关于线条的元素，壶把和壶嘴相互协调着倚靠在一起产生出建筑绘图式的美感。尼古拉斯・霍莫基（N. Homoky）先把器型保持着立体的原形，然后把这些白色的器皿当成是几张素描纸，以在纸上绘制的方式在器皿上绘出类似器皿的边缘线——通常是蓝色或黑色嵌在瓷泥里的单色线条——这些线条绘制出设计感的平面器形画面，并引导着整个立体造型。克劳德・布查德（C. Bouchard），一个法国陶艺家，同样也以设计的视角来看待他的器皿，与霍莫基相似地通过选择操纵器皿平面和立体属性来创作，勾线形成的边消解了器物真实边缘线，将器物的三维性质弱化还原成平面设计图形。但与前几位不同的是，在器物每个面上他会再用黑色的线条勾出几根线，看起来是艺术家随意快速勾画而出，但这些灵动的笔锋勾出的线，将实体的器皿变得生动起来。

上图：
克劳德・布查德（Claude Bouchard）
《塔拉》，1998年
瓷，高15～26厘米/件

下图：
尼古拉斯・霍莫基（Nicholas Homoky）
《五件套茶具》，1981～1983年
瓷，高10～17厘米/件

有两位艺术家把这种自发的"器皿即图像（Vessel as image）"的方法彻底激进化了，一位是加拿大魁北克人保罗·马蒂厄（P. Mathieu），还有日本出生的美国艺术家高森晓夫（A. Takamori）。他们同时在做着两件事：把器皿当成绘画画面的同时又将器皿当成是绘画时的油画布。马蒂厄用一层又一层叠放的器皿创作，在每一层的盘面上他会画满各种形象，这样随着盘子越叠越多画面会随之变得越来越立体，也越来越成为雕塑，如果有一个人从他的那件《我的茶杯》装置作品中抽走一个杯子，就会发现同样的一个茶杯就被画在下面的一个盘子上，之下的盘子再之下的盘子等，重复如斯。这是一个很聪明的游戏：绘画的精神属性不变，但根据盘子数量的加或减，绘画或多或少就变成了三维体的雕塑。绘画和雕塑在马蒂厄的作品中是被交织在一起的观念。

高森的信封容器系列对美国陶艺界的冲击就像弗瑞奇泥条成型的"二维半作品"对英国所造成的，高森也使用了与弗瑞奇同样的方式，制作出宽大的平面感的器皿，将器皿口部处理成后面高于前面来引导出纵深感。但就高森而言，他的整个器皿已经变成了一个充满绘画的人体剪影，这个想法的直接来源是他在观察日本春宫风俗画时所得，这些木刻版画中的男女双方相互前后左右地缠绕在一起，将他（她）们的空间闭合的同时，合成一个统一在一起的某种观念化的新空间。

保罗·马蒂厄（Paul Mathieu）
《时间之箭》，1990年
瓷，高33厘米、宽36厘米、长36厘米

保罗・马蒂厄（Paul Mathieu）
《我的一杯茶》，1986年
瓷，高15厘米、宽29厘米

上页图：
高森晓夫（Akio Takamori）
《W先生的肖像》，1986年
瓷，高71厘米、宽46厘米、长18厘米

本页上图：
高森晓夫（Akio Takamori）
《折翅的天使——致敬杜安·米肖》，1990年
瓷，胸像高53厘米、宽41厘米、长20厘米，躯干高53厘米、宽26厘米、长15厘米

本页下图：
高森晓夫（Akio Takamori）
《阿佛洛狄忒和厄洛斯》，1991年
瓷，高29厘米、宽53厘米

安东尼·本尼特（A. Bennett），一个英国艺术家为这个观念注入了三维卡通的感官能力，这些器皿是以人或动物的形，但使用绘画、浮雕，还有雕塑的复合体形式出现；加拿大艺术家格瑞戈·佩斯（G. Payce）的拉坯器皿完全把人物形象剥离了出来。他的作品以两个以上的器皿组合方式创作，单个器皿只是器皿，但通过器形外轮廓线的引导，在两个器皿之间的虚空间里会出现人类的形态。虚幻的人体给器皿的口、肩、肚、足等部位以新的解读方式，尽管这个想法并不是第一次出现，比如伦敦的皇家战争博物馆就很戏剧性地展出过一个墨索里尼的陶瓷剪影作品，作者是朱塞佩·贝尔泰利（Giuseppe Bertelli），只是佩斯重新定义和提高了这个想法，在几个器形串在一起的过程中，人物的虚空间被他的器皿以剪影的组合方式引导出来。

上图：
安东尼·本尼特（Anthony Bennett）
《三个奔跑的男人茶壶》，1994年
混色低温陶，高31厘米、宽26厘米

下图：
格瑞戈·佩斯（Greg Payce）
《月亏》（6件），1999年
低温陶，高27厘米、宽76厘米、长18厘米

格瑞戈·佩斯（Greg Payce）
《显而易见》（2件），1999年
低温陶，高91厘米

美国的大卫·里甘（D. Regan）做了许多带盖的容器，风格常常不同，但指意相同，他的容器造型选自动物、人或鱼的身体。在黑色的坯体表面上轻刮细雕，并端放于白色瓷盘上，最后的效果很有特点，像一个三维立体的木版画。

大卫·里甘（David Regan）
《羽毛汤锅》，1996年
瓷、刻花，高28厘米、宽48厘米

大卫·里甘（David Regan）
《蛇形汤锅》，1997年
瓷、刻花，高28厘米、宽72厘米

第十章

人物雕塑

维奥拉・弗雷（Viola Frey）
迈克尔・卢塞罗（Michael Lucero）
谢尔盖・伊苏波夫（Sergei Isupov）
马克・伯恩斯（Mark Burns）
约翰・德法齐奥（John DeFazio）
托比・伯那葛瑞欧（Toby Buonagurio）
汉斯・范・本特姆（Hans van Bentem）
杨・霍尔科姆（Jan Holcomb）
贝弗利・马耶里（Beverly Mayeri）
玛丽莲・里索埃尔（Marilyn Lysohir）
朱迪・穆内利斯（Judy Moonelis）
库库里・维拉德（Kukuli Velarde）
拉兹洛・菲科特（Laszlo Fekete）
马可波罗・保罗・罗拉（Marco Paulo Rolla）
菲利普・爱格林（Philip Eglin）
道格・杰克（Doug Jeck）
朱迪・福克斯（Judy Fox）
让-皮埃尔・拉罗克（Jean-Pierre Larocque）
高森晓夫（Akio Takamori）

器皿和人体雕塑作为两根金色的主弦，始终贯穿在数千年陶瓷历史的交响乐中。从斯洛伐克两万七千年的小陶俑开始，最早出现在这个陶瓷历史演奏现场的就是女性陶俑，尽管还都是些简易的小型模制女人体。一直到二战前，不管是制作原稿还是翻模完成作品，受过古典雕塑训练的艺术家仍然还会把模制泥塑作为学习雕塑和成型的一个主要方法。尤其在1930～1940年间，经过全美经济大萧条及之后的战争，很多雕塑家把创作材料转向陶瓷。究其原因，无非是相对青铜和大理石来讲，陶泥是一个更为经济和容易操作的选择。卢西奥·丰塔纳（L. Fontana）、阿图罗·马蒂尼（A. Martini）、野口勇（Isamu Noguchi）、路易丝·内维尔森（L. Nevelson）和亨利·劳伦斯（H. Laurens）等很多雕塑家都用陶来完成作品，但雕塑家和陶瓷材料结合好景并不长，随着现代主义转向与人体雕塑对立，陶瓷人体，尤其是写实的、有细节的传统模制人体逐渐被现代主义抛弃，雕塑家使用陶瓷材料语言创作的现象消失了。

左图：
维奥拉·弗雷（Viola Frey）
《无题——7月Ⅳ》，1982年
陶，高221厘米

右图：
迈克尔·卢塞罗（Michael Lucero）
《拟人化的男性坐者》，1996年
低温陶，高50厘米、宽31厘米、长15厘米

大概从1960年开始，象征主义的新人体运动开始复兴。这个动力最初源自美国，西海岸的艺术家阿纳森（Robert Arneson）在这场运动中曾发起了对陶制人体形式和内容的双重革命，他拒绝了人体传统中的装饰语言和现代主义式的抽象人体表现，而是直接使用充满对抗性的有异议的话题。阿纳森最大的贡献就是打开了陶艺人体在艺术形式中最有粗犷力量的那扇大门，而且之后一些陶艺家确实也使用了阿纳森的范式，此后湾区又给我们展现了两位同道的力作：史蒂文·德·史泰伯勒（S. De Staebler）沙砾质的现代主义抽象人体及一位后现代雕塑家——维奥拉·弗雷（V. Frey）。

与其他艺术家对商品化人体雕塑的拒绝不同，弗雷是在吸收和收集它们。她将它们直接翻模再生产后，并列放在展台中，将它们作为绘画的主题。再之后她把这些雕塑的尺寸放大，从十多厘米直接放大到一米半，最后到了三米高。（艺术家本人倒是很娇小）当有人在展览上问起她为什么要做如此巨大的作品时，她回答说她在北加州的酒庄长大，记忆中她总是比那些盛酒的桶要矮。她调侃着说："也许最终目的是我想俯视整个酒庄。"从1980年以来，弗雷已经成为陶艺人体雕塑领域最有影响的艺术家，并在欧美和日本等全球大范围地举办展览。

迈克尔·卢塞罗（M. Lucero），一位绝妙的"碎片人体"艺术家，曾是20世纪70年代陶瓷雕塑戏剧性地回归艺术本体的标志之一。他从西雅图迁到纽约之后开始创作他的"梦者"系列，这是一组斜躺着的巨大头颅，被鲜亮的原色在每一个雕塑表面绘出他们不同的梦境。20世纪90年代他创造了两组重要的作品：《前哥伦比亚人体》和《复垦系列》。前者重塑了这个文化符号的象征，并给予一个新的多彩的生活。而在《复垦系列》中，艺术家则使用那些被损坏过的物体来创作，从市场上的非洲艺术品到毫无价值的普通花园水泥雕塑上损毁的部分，卢塞罗回收了这些物品并使用陶瓷重新填补。这是一个承认时间和历史概念的标准的后现代主义行为，从某种意义上说，是他将作品的概念重新完整起来。同时，他的作品出现在这里还有另外一个意义，那就是向处于世纪之交的特立独行的美国陶艺家乔治·E·奥赫（George E. Ohr）致敬。后者在1996年展出的"罗马女雕像作品"中，也曾模仿罗马雕像，用拉坯成型，然后再挤压变皱。

迈克尔·卢塞罗（Michael Lucero）
《灰物梦者》，1984年
低温陶，高51厘米、宽61厘米、长56厘米

迈克尔·卢塞罗（Michael Lucero）
《复垦系列——罗马女雕像》，1996年
陶、石膏，油彩，高121厘米、宽42厘米、长31厘米

看起来俄罗斯艺术家谢尔盖·伊苏波夫（S. Isupov）和卢塞罗都在使用同一块阳光响亮的调色板，原色的使用总会使人十分愉悦（尽管伊苏波夫偶尔会进到阴暗的色调当中），而且，与卢塞罗看法相似的是，伊苏波夫也是在类人形或某个有趣的动物形上绘制有着忧郁气质的形象。

上图：
谢尔盖·伊苏波夫（Sergei Isupov）
《时刻将至》，1997年
瓷、陶瓷色剂，高37厘米、宽29厘米、长20厘米

下图：
谢尔盖·伊苏波夫（Sergei Isupov）
《隐形支撑》，1997年
瓷、陶瓷色剂，高34厘米、宽24厘米、长24厘米

美国艺术家马克·伯恩斯（M. Burns）和约翰·德法齐奥（J. Defazio）同时把人体雕塑推向朋克的边缘。伯恩斯和德法齐奥（后者是伯恩斯的学生）的作品更直接地以性、拜物，以及当时最不雅的观察方式来创作。对这些艺术家创作内容的解读总是需要用挑衅的方式，而且时常要以“限制级”来限定观众的年龄。德法齐奥的作品在1993年威尼斯双年展上展出时，就是把各种商品陶瓷和恋物癖的陶瓷模具组装成他的雕塑，赋予底层蓝领的艳俗趣味，他的作品《王座上的猫王埃尔维斯·普雷斯利肖像》就是用真实的马桶创作，但上面是20世纪60年代商业制作的普雷斯利半身像，这是他对于大众文化层面对巨星猫王之死反应的戏谑态度。纽约音乐电视（MTV）总部会议大厅为纪念猫王需要特制的桌和椅设计，德法齐奥成了最佳人选。他入选的作品是一个组合的镶嵌浮雕，造型复杂，一玻璃物居其上，周身充满了大众社会和下层人的形象，以大量的外族和丧门星式的人类，如比维斯（Beavis）和巴特海德（Butthead）组成了一个底层崇拜网络。但德法齐奥的老师伯恩斯从不使用模具，他宁愿用手工方式将自己的卡通人物形象处理得更有型、更时尚。这是些奇异靓丽的卡通形象，周遭放置了冰激凌和性感的樱桃，将他们奇异的性行为变成一次糖分很足的经历。

纽约艺术家托比·伯那葛瑞欧（T. Buonagurio）和荷兰艺术家汉斯·范·本特姆（H. Bentem）的作品风格都受了日本漫画的影响，漫画是日本连环画传统中《机器即人》的一个产物，比如像铁臂阿童木，一个小神人，有核能的心脏和火箭鞋，能量无穷。

本页上图：
约翰·德法齐奥（John DeFazio）
《王座》，1998年
陶，高152厘米、宽76厘米、长91厘米

本页下图：
马克·伯恩斯（Mark Burns）
《甜蜜的男人派》，1989年
高温陶、低温陶、油彩、现成品，高121厘米

下页左图：
汉斯·范·本特姆（Hans van Bentem）
《天使战士》，1997年
陶，高211～213厘米/件

下页右图：
托比·伯那葛瑞欧（Toby Buonagurio）
《带宠物蟒蛇的仿生托比》，1997年
组装陶，高64厘米、宽58厘米、长31厘米

本特姆的目标是创造一个最彻底的快乐幻想世界，在那里各种文化联合共存以拯救世界。纽约时报艺评家格瑞斯·格鲁克（Grace Glueck）曾在本特姆2000年在纽约的展览评论中写道："从日本漫画卡通转化而来的善意的科幻怪物无疑影响了他的创作，它们看上去是用科技和独具创意的部分构成，但将视角投向了神话和人类学的领域，以及根植于今天的波普文化中隐秘的中世纪骑士精神，形象尽管如此荒谬，但它们正面的激励却大于负面的恐吓。这些巨大的卡通造型既有对釉令人信服地使用，也有复杂的大尺寸陶瓷制作技巧和构造，这些品质为作品增色不少。"伯那葛瑞欧的自画像性质的机器人雕塑是最早的后现代人体雕塑的艺术家之一，她在20世纪70年代中期就开始着手对这一领域的探索，她的作品有着性感科幻的梦想癖，作品混合了植绒、绘画和闪光的表面，完全是一个另类的太空女皇芭芭拉。

美国艺术家杨·霍尔科姆（J. Holcomb）和贝弗利·马耶里（B. Mayeri），以及玛丽莲·里索埃尔（M. Lysohir）都是以画家和雕塑家的共同面目示人。相对于其他陶艺家用釉彩画好再烧的“纯粹性”，这三个人更愿意直接用绘画的丙烯颜色给陶瓷上色，这样他们就不用背负着烧成的危险，而可以直接控制最后的色彩感觉了。三位艺术家都以超现实的视角来检阅人性。霍尔科姆的人物直接进到风景中，平静孤独，借此反映自己与世格格不入的疏离。马耶里则通过将拉长的人物表面进行处理来关注人性可能的扭曲。里索埃尔的小雕塑像复制品组合则在解释一种过程的实在，就像一本连载的插画，而且是早在克隆羊露西被复制出来之前，她就以此种方式用无原作者的复制行为来直接预指了今天的克隆现象。

上图：
杨·霍尔科姆（Jan Holcomb）
《关键时刻》，1986年
陶、油彩，高81厘米、宽71厘米

左下图：
玛丽莲·里索埃尔（Marilyn Lysohir）
《B.A.M组合》，1980年
陶、油彩，高10厘米、宽31厘米、长10厘米

右下图：
贝弗利·马耶里（Beverly Mayeri）
《处于审查中》，1984年
陶、油彩、陶瓷色剂，高38厘米、宽28厘米、长15厘米

女权主义的话题始终是艺术家朱迪·穆内利斯（J. Moonelis）和库库里·维拉德（K. Velarde）的作品中挥之不去的影子，但她们没有使用那些老生常谈的话题，最起码没有喊口号。穆内利斯以20世纪80年代纽约东村艺术运动短暂但辉煌的艺术行为创作出她那能量充分但焦虑异常的作品。维拉德出生于秘鲁，她的作品有特殊文化的气息，更多的是在反映这个对女性压制比欧美更为明显的另类文化里的女性主义视角。虽然微妙，但却明显借鉴了前哥伦比亚陶制女俑的某些特征。

上图：
库库里·维拉德（Kukuli Velarde）
《标识》，1998年
低温陶，高51～61厘米/件，共21件，费城陶艺中心展

下图：
朱迪·穆内利斯（Judy Moonelis）
《无题》，1986年
陶，高74厘米、宽74厘米

1931年精神病学家尤金·贝克尔（Eugene Beuker）创造了“记忆障碍”一词，用来解释一种状况：即一代人会在基因里携带着对上一代或更上一代人的历史的无意识记忆。这就是匈牙利艺术家拉兹洛·菲科特（L. Fekete）作品观念来源的初衷，他的纷繁复杂的文化碎片衍生物堆积对应着匈牙利社会的混乱，这个社会经历了一个又一个政权的更迭，每个政权都试图摧毁前一个政权物质存在的记忆。菲科特的很多作品使用了匈牙利著名的海伦德陶瓷厂二手的或破碎的陶瓷雕塑，他作品中每一个凌乱的符号都是一种想要打破社会叠加在材料上的语义的尝试。

本页图：
拉兹洛·菲科特（Laszlo Fekete）
《超人之凡间搏斗》，1999年
瓷，高39厘米

下页图：
拉兹洛·菲科特（Laszlo Fekete）
《十字路口的雕像》，1995～1996年
陶，高65厘米

GO HOME

巴西艺术家马可波罗·保罗·罗拉（M. Rolla）同样也用破碎的陶瓷小雕塑作为他作品的聚焦点。有时很小，有时也会和人等大。在一个装置的主体形周围，这些碎片分散开来。让观众如此关注其作品的原因，是透过这个看起来和人一样大的陶瓷人物的碎屑，可以看到里面有一个人形的人体骨骼，以此揭示着这不是冰冻的，无生命的仿人制品，而是有某种内在活力的自足生命。

马可波罗·保罗·罗拉（Marco Paulo Rolla）
《甲骨文》，1999年
木上瓷质，高15厘米、宽60厘米、长114厘米

英国艺术家菲利普·爱格林（P. Eglin）、美国艺术家道格·杰克（D. Jeck）、朱迪·福克斯（J. Fox），直接就以他们深刻的对古典雕塑的理解创作。虽然看上去形态似乎有些直白，但因之有着极高的古典雕塑造型表达功力而令人震惊，这种功力放在今天的雕塑界都不多见，更不用说陶艺家了。爱格林从英国史塔福德郡特有的小陶瓷雕塑（他自己就是生活在作为陶瓷中心的斯托克城），还有中世纪的一些宗教木刻雕塑中吸取营养，他用看似随意涂鸦的颜色覆盖在他那造型完美的人物上，从使用他的孩子们的简笔画，到描摹出教你如何使用避孕套的说明演示图，画面的随意可见一斑。但事实是，这些有大量个人信息的表面形象其实是艺术家的精心安排组合。道格·杰克创作的是等大人体雕塑，艺术家更乐意用“人类物体（the Human Object）”一词来称呼这种风格，这种人类物体当然是会挑战观众情感的物体，作品试图表达出在伤害和无辜之间那种复杂的话题；而福克斯的作品则直面我们的困扰，同样是对真人大小的雕塑研究，通过对青春期前少女裸体的坦率表达，以精确的造型和着色，制造出一种纯真和温柔的忠诚感，会逐渐令人不安地困惑我们。

上图：
菲利普·爱格林（Philip Eglin）
《警告、刺激——圣母》，2000年
瓷，高34厘米、宽15厘米

下图：
菲利普·爱格林（Philip Eglin）
《横卧的裸体》，1994年
陶，高42厘米、宽61厘米、长26厘米

道格 · 杰克（Doug Jeck）
《对古典白色的研究》，2000年
陶、其他媒材，高185厘米、
宽43厘米、长53厘米

道格·杰克（Doug Jeck）
《传家宝》，2000年
陶、其他媒材，高137厘米、
宽152厘米、长71厘米

朱迪・福克斯（Judy Fox）
《长发公主》，1999年
低温陶、酪蛋白彩绘，高144厘米、宽76厘米

加拿大法语区出生的艺术家让-皮埃尔·拉罗克（J. Larocque），他创作人体，但最为大家熟悉的是他那些解构的釉彩着色的马。他的那些巨大的带肩的头像以它们那怪诞的抽象感展示了爆炸性的威力。高森晓夫（A. Takamori）则在1995年开始了他职业生涯最为重要的改变，从他原来“信封”系列的器皿人体绘画开始转到创作等人大小的人体雕塑，以群体站立的方式来指代20世纪50年代时的日本村民，这个选择与他在故乡日本延冈的成长经历有关：记忆中随着延冈被联军占领后，从鱼贩子到修锅匠，所有日本传统民众生活方式都逐渐被改变。在更晚些的作品中，高森把村庄里村民雕像与委拉斯贵兹（Velázquez）、米开朗基罗（Michelangelo）及其他传统大师的绘画并行放在一起。2000年克拉克在高森展览画册上这样写道：“每一个个体的人体作品像一个站立的雕塑，但他们真正的生活场景却只在群体时出现。总而言之，他们是日常生活的一个组成部分，这是一群组合在一起的人群，以逐渐升高的讲话和争论幻化成一个村落生活真实的噪声，正是在这些人物的组合聚集中，高森的人类风景逐渐有了它们最初的生命符号，而作品中两人一组或四人一组则使得每个人都能感觉到对方的忙碌，一群相互配合的低语、相互依赖、相互支配与臣服的关联。”

纵观近二十年的陶艺人体雕塑的发展，总是充满着激动人心的时刻。这是后现代陶艺领域中质量和内涵深度方面持续稳定增长的一个亮点区域。在这个运动发展的早期，当时有一种论调断言以后的陶艺人体作品一旦没有了阿纳森挑衅的玩笑，就会只剩下一些平庸的诙谐和幽默了。这也是装饰艺术在最悲观时候收到的论调，因为装饰甚至比大部分空洞的工厂雕塑产品更缺少艺术语言的有效性，而且大多陶艺家在人体雕塑上甚少受过完整的人体雕塑训练，技术含量不高的人体雕塑技法，也冲淡了他们艺术作品的话语分量。但从20世纪90年代中期开始，陶艺显然在人体雕塑领域有了突破性的进展，有了新的能力、力量、成熟度、当然也更有深度，但更为激动人心的部分是要记住这个时刻，这一更有纪念意义的时刻。因为历史上人体雕塑从来没有像今天这样处于一种多样发展的势头，这种势头还远未达到顶峰，因此最辉煌的时刻还在未来等待。

左图：
让-皮埃尔·拉罗克（Jean-Pierre Larocque）
《无题》，1998年
陶，高104厘米

右图：
高森晓夫（Akio Takamori）
《乡民们》，2000年
陶，高51～91厘米/件

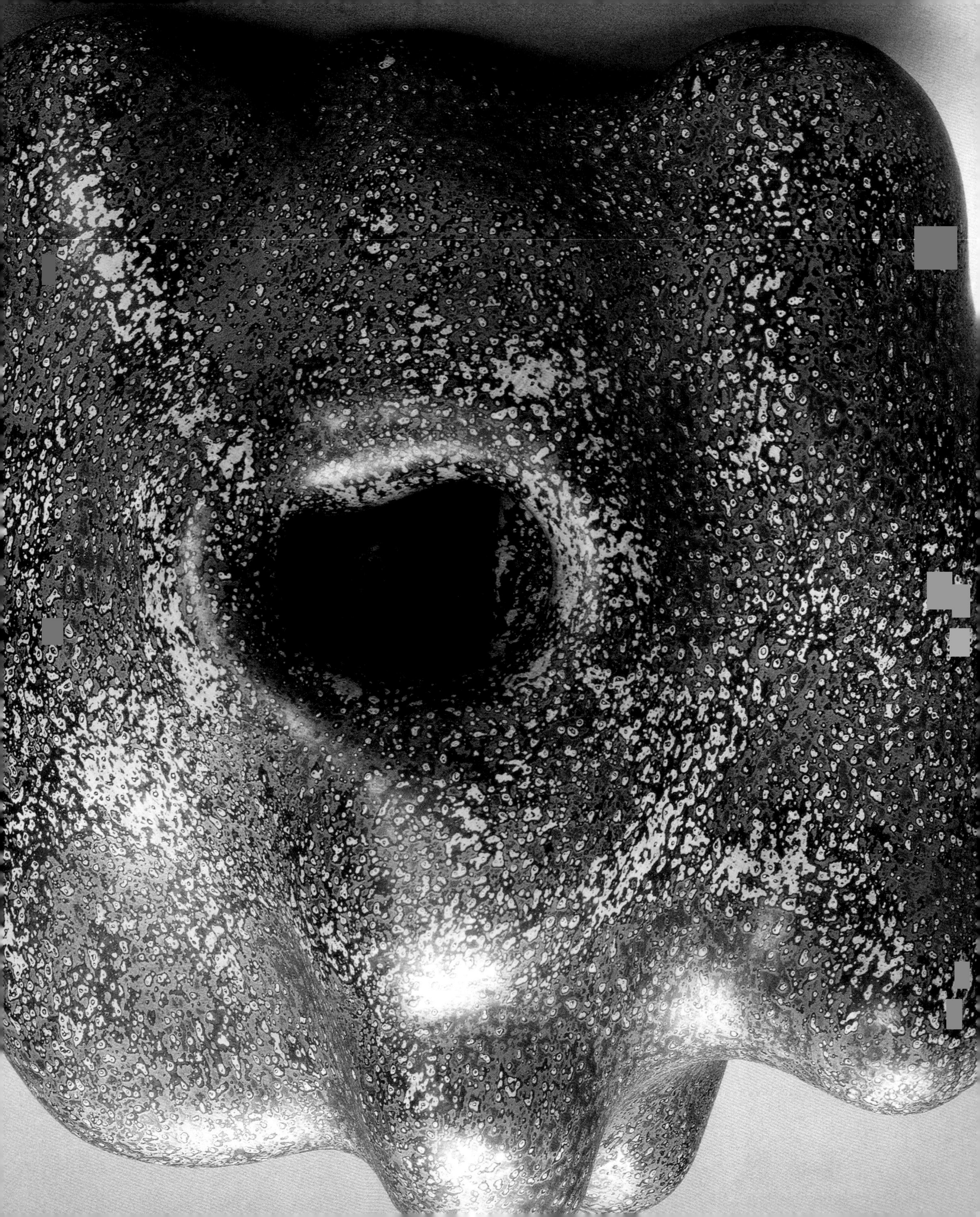

第十一章

抽象雕塑

肯・普莱斯（Ken Price）
芭芭拉・南宁（Barbara Nanning）
宾・芬纳安（Bean Finneran）
秋山阳（Yo Akiyama）
佩卡・塔皮奥・派卡里（Pekka Tapio Paikkari）
弗兰克・路易斯（Frank Louis）
雅克・考夫曼（Jacques Kaufmann）
亚历山大・里奇瓦尔德（Alexander Lichtveld）
英戈・佩德森（Inge Pederson）
塞壬・乌比什（Søren Ubisch）
雷蒙・阿鲁扎（Raymon Elozua）
阿诺德・齐默尔曼（Arnold Zimmerman）

从今天的抽象陶瓷雕塑还是可以看出与传统陶瓷史相关联的一些痕迹，尤其从器皿传统中有机抽象的曲线中可以看出些联系。由于泥的可塑性和延展性，很容易在制作时在上面添加一些自身的痕迹。但总的来说，以这种风格创作的陶艺家与有着同样审美需求的其他材料的艺术家几乎没什么不同，就像作家鲍勃·埃里森（Bob Ellison）所说的：这些像有机体的形其实是20世纪对微分子细胞生物形态长期探索的一个衍生产物，你也可以将它解读为本章中作品的形式没有一件未被布兰库西（Constantin Brancusi）、恩斯特（Max Ernst）、让·阿普（Jean Arp）、野口勇或米罗（Joan Miró）等这些现代艺术大师之前的作品触及过。

米罗在陶艺界是一个特殊的例子，主要是因为他在自己的创作中大量使用了陶瓷。从20世纪50年代以来，他创作了约五百件作品，包括陶瓷雕塑、陶瓷器皿和巨大的陶瓷壁画等，对陶艺家们产生了重大的影响。达利式的超现实空间也拨动了陶艺家某根敏感的神经，引起了一些人的共鸣。因为这种超现实画面对陶艺家而言却很现实，我们都有作品在过度烧制后打开窑门时的噩梦场景：作品在窑里已经坍塌成一摊水或者就是软软地堆在一起，像极了一幅超现实主义的梦境。这是大多数陶艺家共有的某种真实的超现实经历。

肯·普莱斯（K. Price）是后现代主义陶艺大师之一，他在20世纪60年代早期开始尝试创作的那种明亮色彩的抽象色彩陶瓷（通常他是使用汽车喷漆而不是釉）。这些为现代主义风格提供了灵感，从20世纪70年代早期建筑式样的杯子到后期带有色情形象的造型，再到20世纪80年代末和90年代初，普莱斯开始探索他的“水泡”系列中的自由形式，普莱斯的创作风格可以被看成是递进式的，最近以生物形态和弹性橡胶体风格创作的系列作品应该是他艺术语言表达中最为重要的。这些造型会让人将其与20世纪50年代米罗创造的一些造型联系起来。普莱斯作品斑驳的亮光和色彩使得作品以一种明星样式在后现代这样一个新时代的盛典中闪亮登场。

芭芭拉·南宁（B. Nanning）所追求的色彩感觉与普莱斯类似，她的巨大公共雕塑作品首先来自电脑制作出的图形，然后在荷兰海牙的亨克·特鲁菲工作室（Henk Trumpie’s Workshop）被精心放大。作品表面被处理成饱满厚实的蓝色和黄色，呈现出人工质感的后现代痕迹。从表面上看，宾·芬纳安（B. Finneran）的雕塑与南宁的作品有些相似，都在有意地使用着“非自然”的色彩，这样她们就可以在不模仿自然形式的情况下使用自然形式。芬纳安的工作室在旧金山的郊区，在咸水沼泽的木板路上观察沼泽的芦苇丛对她作品形成的影响巨大。这是一种永远以多变的形态和向背的光线，在海潮和风的改变下，把视线所及的风景塑形、改变，然后再重塑的过程。五年来，芬纳安一直在研究“曲线”这一种单一元素形式：“作为对极端多样性自然的一种思考，这些成千上万聚在一起的个体元素并不只是物理性地连在一起，而是自然过程中个体和个体间另类的反应。”

下页上图：
肯·普莱斯（Ken Price）
《绿色涌动》，1996年
陶、丙烯，高36厘米、宽36厘米、长26厘米

下页下图：
肯·普莱斯（Ken Price）
《低语》，1997年
陶、丙烯，高40厘米、宽47厘米、长36厘米

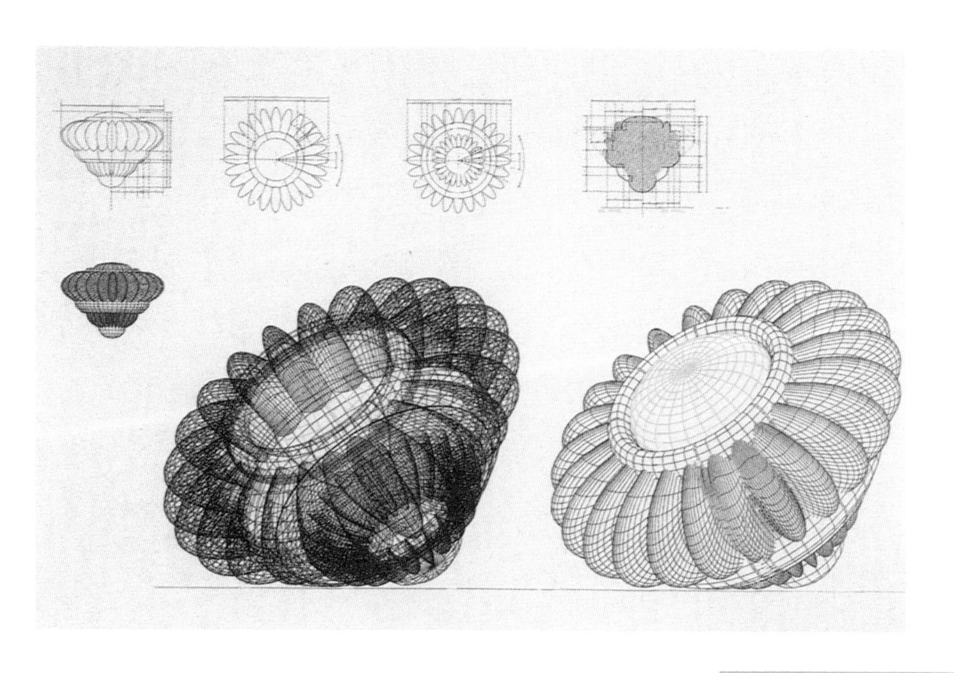

本页上图：
芭芭拉·南宁（Barbara Nanning）
《植物系列——斜放的花》，1997年，纸上电脑绘图

本页下图：
芭芭拉·南宁（Barbara Nanning）
《植物系列——斜放的花》，1997年
陶，高279厘米、宽221厘米、长221厘米

下页上图：
芭芭拉·南宁（Barbara Nanning）
《植物系列——斜放的花》，1997年
制作构成

下图：
宾·芬纳安（Bean Finneran）
《蓝紫色的圈环》，2000年
低温陶、丙烯、陶瓷色剂，高61厘米、直径244厘米

不论是从陶瓷还是从其他材料的视角来看，秋山阳（Yo Akiyama）都是最有冲击力的当代日本雕塑家之一。他的巨大尺寸作品甚至有几吨重，好几米长。尽管他也创作一些符合通常理解的架上作品，但就他的大型作品而言，尺寸至关重要。在成型阶段，他使用火炬枪来使坯体外部迅速干燥，然后将手用力从坯体的里面向外推，使外部干燥的地方膨胀干裂，直到变成像遍布裂缝的质感粗犷的干枯河床，最终恢宏的作品表面得以展现。如果走进美术馆或画廊的空间中，可能会看到这个巨大细长的柱状作品安静地躺在地上，在蜷曲弧形的作品表面裂缝中充斥着砂粒和砂眼，如果迎面撞见这样像被火山挤压而出的遗留物的作品，只会瞬间使人产生在直面被物化的自然之力时的敬畏感。佩卡·派卡里（P. Paikkari）作品的诉求与秋山阳相似，但因为艺术家来自芬兰，作品表面的裂痕自然不太会有来自极热的火的遗留物概念，但正如作品“冰裂”的名称，正好解释了另外一种极端——极冷的概念。

本页图：
秋山阳（Yo Akiyama）
《振荡Ⅱ》，1995年
陶，高96厘米，宽639厘米、长108厘米

下页左上图：
佩卡·塔皮奥·派卡里（Pekka Tapio Paikkari）
《冰裂》，1992年
陶、碳化硅、氧化铝，宽200厘米、长200厘米

下页左下图：
亚历山大·里奇瓦尔德（Alexander Lichtveld）
《无题》，1993年
陶，高17厘米、宽36厘米

下页右上图：
弗兰克·路易斯（Frank Louis）
《无题》，1998年
陶、亚克力，高65厘米、宽104厘米、长98厘米

建筑语义是德国艺术家弗兰克·路易斯（F. Louis）、瑞士艺术家雅克·考夫曼（J. Kaufmann）和荷兰艺术家亚历山大·里奇瓦尔德（A. Lichtveld）最初作品开始的关注点。里奇瓦尔德的创作方向中既有大型公共领域中壁画装置，也有如图所示以精致和建筑模具般出现的小而简的造型。路易斯的作品像一扇门，艺术家保留了陶质材料原始锋利的边线，使作品的立体感得以强化，但同时又有神社佛堂的私人宗教指向。考夫曼以砖为创作媒材，将实心的砖垒成方块状的柱子，然后再后期处理。最后的结果像某个建筑的局部，但更像是被巨大的外力或外物扯、拽出来的结果。

右下图：
雅克·考夫曼（Jacques Kaufmann）
《腐蚀的砖块》，1996年
陶、水泥，高50厘米、宽50厘米、长45厘米

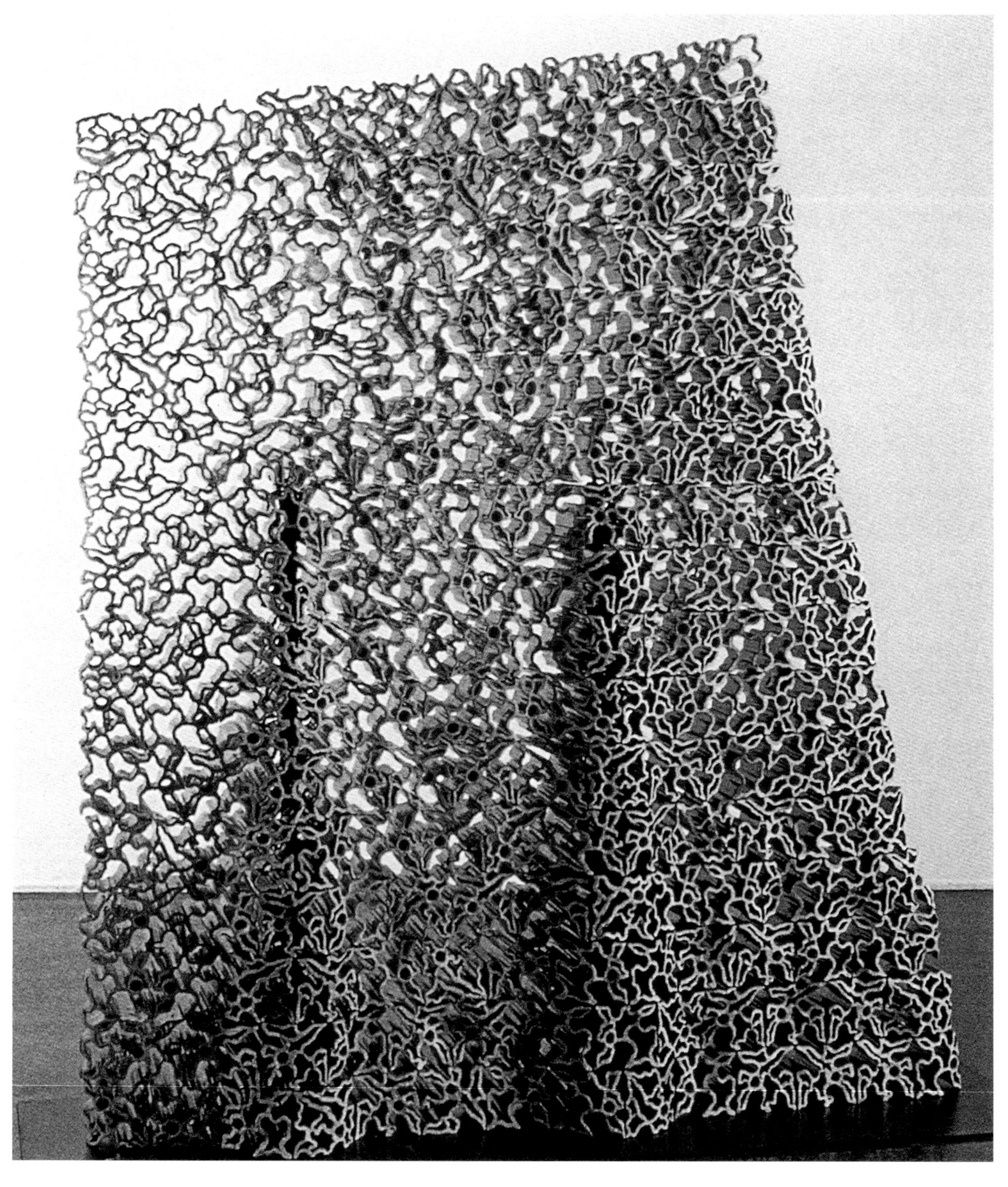

英戈·佩德森（Inge Pederson）
《蓝色传统》，1998年
陶，高180厘米

墙是挪威雕塑家英戈·佩德森（I. Pederson）和塞壬·乌比什（S. Ubisch）创作时共有的聚焦点。佩德森用挤压出来的泥条叠成巨大的墙体形状（泥条挤压技术是从一个模具口中把泥挤出来，有些像制作香肠），尽管整个作品并不是马上就能看出效果，但佩德森作为一个有经验的陶艺家，他预先把各种带把手的杯子做成泥条挤压的模具（这样泥条就以各种不同的杯形被压出来后再被组合），来使一个旧的物体在新的语境中产生意义。乌比什的作品会使许多公共建筑空间变得优雅。他的这件作品用4 000个特制的空心砖叠成，以期在巨大墙体作品完成的同时，来制造出失重和透明的感觉。后期作品更是在个体零件上添加高白釉烧成，经过墙面的作品时能放大观众对光的能动感受。

塞壬·乌比什（Søren Ubisch）
《构架》，1998年
低温陶、锡釉，高450厘米、宽500厘米、长12厘米

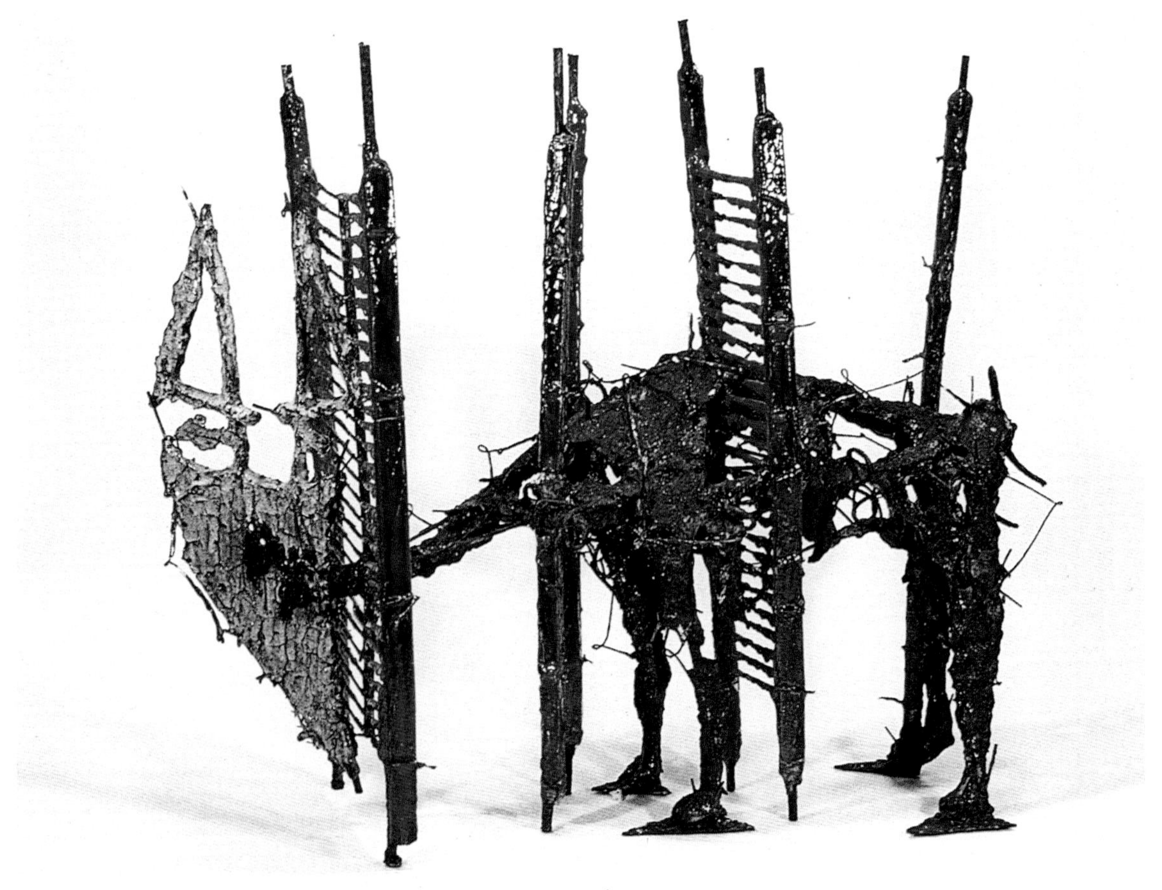

上图：
雷蒙·阿鲁扎（Raymon Elozua）
《Stil1/Tob/Kra2/New4/Klin8>2:Sc》，1998年
纸上电脑打印

下图：
雷蒙·阿鲁扎（Raymon Elozua）
《Stil1/Tob/Kra2/New4/Klin8>2:Sc》，1998年
低温陶、釉、金属，高31厘米、宽79厘米、长91厘米

雷蒙·阿鲁扎（R. Elozua）将电脑设计和纽约画派的画面风格结合完成了抽象雕塑作品。首先，他通过数码分离技术把不同的油画分成七层色。接着，他使用这些视觉数据，在分离层内寻找对应的三维元素，用黏土和金属丝结合构建出分离层的物理平面。然后，他将每个元素，例如Lee Krasner的绿色、Hans Hoffmann的橙色和Franz Kline的黑色，转化为三维的混合复合材料。这些符号和代码可以通过作品名称反映出来：例如作品Stil 1/Tob/Kra2/New4/Klin8>2:Sc，就代表着Clyfford Still、Mark Tobey、Lee Krasner、Barnett Newman和Franz Kline等与之对应的层次。

阿诺德·齐默尔曼（A. Zimmerman）是制作巨型复杂雕塑的行家，他巨型作品的制作和烧成都在纽约布鲁克林的大工作室里完成，工作室配备了起重机起吊和叉车来移动作品。他的大尺寸作品（甚至他的小型作品也有数百公斤）通常由复杂的有机形体构成，比如在纽约锡拉丘兹埃弗森艺术博物馆（Everson Museum of Art）门前竖立的8个2米多高的巨型容器。这带有一种野性的力量和生物入侵的信息，占据着它们所占据的空间并释放出自身的语义。

阿诺德·齐默尔曼（Arnold Zimmerman）
《生后的世界》，1996年
陶，高124厘米、宽114厘米、长81厘米

第十二章
后工业化

保罗·阿斯布利（Paul Astbury）
雷蒙·阿鲁扎（Raymon Elozua）
丹·安德森（Dan Anderson）
史蒂文·蒙哥马利（Steven Montgomery）

史蒂夫·威士（Steve Welch）
凯文·沃伦（Kevin Waller）
松本秀雄（Hideo Matsumoto）
埃里克·范·艾默伦（Eric Van Eimeren）

深泽惠子（Keiko Fukazawa）
芭芭拉·施密特（Barbara Schmidt）
玛格丽塔·戴普（Margaretha Daepp）
马雷克·什库拉（Marek Cecula）

现在我们来到了后工业时代，我们身处其中的一个发展过后的世界。我们会问关于后工业的准确定义是什么？“后”又该如何被界定？环看四周，我们身边依然还有许多传统工业，可能有的正在逐渐消亡，特别是一些有污染、危险或高竞争的产业，都逐渐移向人工更便宜或环境限制更低的第三世界。基本上，“后”意味着经济基础从工业生产转向服务和信息产业。最新信息表明，英美和其他大部分欧洲国家国内的工业产业都在退化，蓝领曾经是劳动阶层到中产阶级之间社会繁荣的风向标。随着我们把对生产产品的注意力转向如何销售智能产品上时，也意味着蓝领世界正在缩小。

这意味着，后工业化国家的年轻艺术家，现在正在以和现代主义前辈们完全不同的视角来看待工业。19世纪的工业革命曾被艺术世界解读为恐慌和不信任，直到两次世界大战过后，科技才被认定为一种新的发展力。随之而来的科技和工业也确实解放了工人和女性，并为之提供了大量的休闲时间，使得工业成为某种理想的社会治疗仪。但到了20世纪60年代初，随着工业发展的势头明显加快，人们对待工业快速增长的态度开始变得喜忧参半，因为技术带来的问题开始大于它所能解决的问题。直至今天，人们更是以愤世嫉俗和幻灭的眼光看待它。半个世纪过去了，如何对待“工业”？年轻一代艺术家体会到的更多是不同的综合复杂感受，是一种对这个黄昏时代的怀旧情感。

克拉克认为后工业美学是后现代陶艺里特有的最多两到三种新的艺术活动中的其中一种。19世纪晚期的陶艺活动曾经由乡村陶器的浪漫情怀所推动，随着工业革命的无情推进，这种形式的陶艺热情正在消逝。不过尽管如此，这种信念还是已经被带进了当时的“工艺美术运动”，那些参与“工艺美术运动”的人和当时的其他改革者甚至认为，可以通过一种新的工艺方法来阻止陶瓷向工业生产方面发展。这些争论在今天的年轻陶艺家看来，显然已经站不住脚了，工业化已经是我们今天日常生活的一个现实，工艺美术也不再有它所曾经有过的对社会贡献的名声，年轻的陶艺家已经在其中读不出任何与威廉·莫里斯（William Morris）的工艺美术运动有关的感性联络。

从另一个方面讲，20世纪的早期景象是布满了发动机和管道的老式工业区。轰鸣的老式机器带来的危险、肮脏和喧闹的场景，就是我们熟悉的电脑和自动化之前的工业化场景。不过，在今天充满了视觉和智力要求的陶艺界——曾经为莫里斯所不齿的工业反而成为一个新的持续不断的艺术兴奋点的来源之一，不需要艺术家去费力地寻找灵感的支撑点，就能明显感受到这一强有力的艺术灵感供给线。特别是在现代化的城市里，正如我们亲眼所看，早期的现代工业已经成为考古学中的考古遗迹，正在腐蚀和退化着，充斥在我们四周，后工业图像似乎就是现代工业被拆解和废弃化的图景。

雕塑家理查德·迪康（R. Deacon）也注意到同样的事情，他在1983年写道：有一些最好的陶艺是从当代城市环境的中心圈发展出来的，在这个中心圈中充斥着的是局部被推倒的建筑、建筑内部的形象暴露在外、碎片或陈旧的海报堆积着，还有一些杂乱的建筑杂物、报废的汽车、空置物品、无规则的跳动轨迹等。更不用说还有那些被踩扁的易拉罐，扔满了整个街道，无所不在地充斥在我们周围，这是一个被废弃、瓦解的场景。反过来，被瓦解的危险感使上述这些事物、它们的历史和故事变得更为特殊。

陶艺和工业的关系特殊而复杂，尽管手工艺的价值不至于完全被工业击败，但也需要被重新解读。在被机器生产的工业物充斥的现实中，完美的手工曾经是一个很大的看点，而且在被工业机器化普及的今天，在巨大的齿轮盘的绞合里、在开动着的生产线上，或是在其他一些制造部件中等，在这些工业图景中同样存在着一种另类材料美感的认知。新一代的人会被这种景观吸引，或许是因为这些情景和他们的家庭记忆有关，父辈或祖辈在那时为之奋斗的画面会出现在他们的记忆中，这个记忆场景可远可近，远到不再对我们的存在形成威胁，但也可以近到与今天的话题展开联系。

为什么陶瓷会受到一个严格来说被金属机器控制的工业行为的启发，这个问题更可能是因双方存在的一个繁复及漫长的关系所致。首先，陶瓷可以很有效地模仿金属。事实上，几千年来，陶瓷都在模仿青铜器，经济当然是首要原因，金属制品在当时都很贵，而陶瓷则在当时充当着类似今天廉价的塑料制品的功能。为了吸引买家，陶瓷匠人可以把陶瓷做得像更有价值的金属器，但造价更低。比如早期的德国盐烧器，就是直接从金属器上移植过来的造型。1709年，当瓷器刚刚在西方被生产出来的时候：第一个现存的陶瓷模制茶具和花瓶其实是最好的银匠制作的。因为“瓷器”这个贵族化的产品需要一个贵族造型来适应这个新的陶瓷材料。

最早对工业语言进行探索的是英国的保罗·阿斯布利（P. Astbury）和美国的雷蒙·阿鲁扎（R. Elozuan）两位前辈，他们甚至可以说是此方面的开创者。从早期前者在伦敦皇家艺术学院时求学时的作品中就可以看出些端倪。当时阿斯布利已经试图在作品中制造出一个今天我们生活其中的后工业的图景。20世纪70年代，他创作了一批从岩石中出现或返回岩石中的机器人图像的作品，工业在他的作品中并没有被视为是进步的未来，而是以工业场景的形式被回放进未知的古生物学式的过去中。他制造出一个象征着化石或结晶化的雕塑造型。如果从作品打开的部分往里面看，依稀可以在化石的内部看出印刷电路的印痕。在之后的80年代和90年代，他作品的视觉语言依然保持着与科技和过程的互动，特别是它的退化感。

20世纪90年代阿斯布利开始创作以缓缓的时间节奏为主题的作品《“脉动”系列》，该系列作品的第一阶段于1995年在伦敦迪奥拉摩（Diorama）美术馆首次展出，整个系列的创作一直延续到1999年，最后在一次精彩的“文献（Document）”展中达到高潮。艺术家参与了工业品模具成型的过程，并把作品定格在展出未烧阶段的陶泥上。所有的未烧物品都被隔离在一个供实验室使用的透明容器里，并将其放置在试验柜中，通过保持湿度使泥长期处在一种改变和退化的状态，以此来使物体保持“活着”的状态，以“过程即艺术”来替代艺术家刻意提前为艺术制造出的舞台和场景，让观众进来静观其变，最终参与到作品的解读过程中，探讨陶泥的价值与状态，以及工业化物体在几个成型时间段的过程，以此来挑战先入之见、熟悉度，以及感知意识。正如阿斯布利指出的：“就像一件艺术品有意无意地脱离了艺术家的控制，自我开创出一个全新的世界，最终结局令人好奇。”

保罗·阿斯布利
（Paul Astbury）
《小母马》，1995年
湿陶泥、塑料、木，高54厘米、宽62厘米、长21厘米

保罗·阿斯布利（Paul Astbury）
《杯和碟》，1995年
湿陶泥、塑料、木，箱体高94厘米、宽136厘米、长65厘米

保罗·阿斯布利（Paul Astbury）
《杯和碟》（局部），1995年
湿陶泥、塑料、木，高61厘米、
宽61厘米、长48厘米

雷蒙·阿鲁扎（R. Elozua）生活在充斥着流浪汉和游民的纽约老城区，他以一种略显忧郁的视角来审视自己所处的曾经为之自豪的“钢带（steel belt）”城市，思考这条二战后曾经辉煌美国的环宾州工业圈如何因为重工业急剧萎缩现已被戏称为“锈带（rust belt）”的现状。构成他陶瓷形象中的物品，无论是笼罩着昔日荣光的纽约州随处可见的老水塔，还是现已荒废了的（工业革命的象征）汽车影院［与他的助手米切琳·金格拉斯（Micheline Gingras）合作］，现在看来不但有伤感的浪漫情怀，更多还是作为一个蓝领阶层的后代对美国重工业萎缩的感慨，在身处其中的成长经历中所感受到冲击的记录，以及对这种工业无常时光所产生的另类敬意。在另外一组作品中，他用泥和金属一起创作了墙上雕塑，直接触及了资本主义世界里工人阶级如何被遗忘的敏感话题。

上图：
雷蒙·阿鲁扎（Raymon Elozua）
《水塔：系列Ⅱ》，1980年
陶、油彩、其他媒材，高31厘米、宽26厘米、长26厘米

下图：
雷蒙·阿鲁扎（Raymon Elozua）；米切琳·金格拉斯（Micheline Gingras）
《汽车影院——韦斯特布利》，1983年
低温陶、油彩、其他媒材，高81厘米、宽91厘米、长56厘米

与阿鲁扎有着类似但不那么悲观的视角出现在丹·安德森（D. Anderson）的作品中，从这点上来讲，他的容器器皿，可能把我们记忆中对曾经散布在美国中西部原野上到处可见的农场大型工业物的记忆唤醒，他通过柴烧得到色彩丰富的器皿，这些已经被遗弃消失的工业物一点点在我们的心里苏醒。在安德森的作品中那些农场车间的旧金属构件效果非常明显，他也非常热衷于表现抽象的岁月概念和在金属上呈现的侵蚀肌理。同时，这些作品也记录着在不可避免地被今天大型机械化整齐统一的现代农场所替代时，美国小型家庭农场的衰亡和无奈。

丹·安德森（Dan Anderson）
《芝加哥水塔形茶壶》，1993年
陶，高17厘米、宽32厘米

史蒂文·蒙哥马利（S. Montgomery），一个在美国汽车中心——底特律出生长大的艺术家，作品看似在表达重工业物，但游走在工业品被退化为自然体的瞬间边缘。同时，他也通过调动作品体量的转化，来创作出传达特定情景的巨型雕塑，形成一个个已经开始锈化和销蚀的、无特定目的的机械结构。在某种程度上，那就是一幅退化后的纽约布鲁克林老工业区的景观图景。这是他的工作室所在地——一个有着十多处废弃工厂的地方，园区里堆满了锈迹斑斑的金属管道和机械装置，在等待被网络时代的新式工业园或艺术创意园区取代之前逐渐侵蚀退化。

左图：
史蒂文·蒙哥马利（Steven Montgomery）
《稳定的四方形》，1996年
陶、彩绘，高101厘米、宽101厘米、长41厘米

右图：
史蒂文·蒙哥马利（Steven Montgomery）
《热衰减》，1999年
陶、彩绘，高24厘米、宽27厘米、长18厘米

管道和机械的图像在史蒂夫·威士（S. Welch）和凯文·沃伦（K. Wallen）两位艺术家这里得到延续，他们的陶器显然是从金属容器中得到灵感，粗糙的接头泥看起来更像是艺术家有意为之，表明金属板块被粗糙切割和焊接后的排列，管道和其他粗糙焊接的金属零件把这个隐含的象征延伸到一个老旧的工业图像边缘。正如威士自己在《陶艺月刊》上所说："这些基于某些人在那个年代某种生存技巧的形象，在直觉上触动了我。"

上图：
史蒂夫·威士（Steve Welch）
《16号和17号端口》，2000年
低温陶，高61～91厘米/件

下图：
凯文·沃伦（Kevin Waller）
《双筒仓》，2000年
陶，高43厘米、宽24厘米、长11厘米

对待工业图景的态度在大多数类似的作品语境中或多或少有些悲观，因为这与当初给人的承诺相比，科技反映在陶艺圈中确实显示出更多的局限。让人有上文那种被整个社会渗透进来的在“刀锋上行走”的如履薄冰感。但也有一些人以乐观的态度看待这些机械生物，日本陶艺家松本秀雄（Hideo Matsumoto）复杂的机械组合作品并没有试图终结这个机械时代的意思，相反，他的作品看起来更像是准备好了来执行启动某种程序。这里有着3～4米长的生产线上所需的一切的功能，通过悬臂的自动平衡金属配件连接着陶瓷主体。事实上，这台机器的用途肯定是模糊的，这样它才使每一位观众从此开始自主想象。

埃里克·范·艾默伦（E. Van Eimeren）和深泽惠子（Keiko Fukazawa）都是以某种混血方式将自然与工业结合的艺术家。深泽惠子使用了阿斯布利早期的雕塑风格，即工业岩层（bric-ã-brac）的后现代表达理念，通过把看似消失或刚出现的现代形象半隐半现地嵌在岩石中的形式，是艺术家对日式花园石景遗产传统的延续。艾默伦在他的作品里发展出一种科幻小说似的视觉特征，把实用器皿进行旋转组合，你可以将它想象成在轴承上运转的机械或者是某种机械昆虫的象征。事实上，他经常在作品表面使用超写实的爬行动物或其他生物的表面肌理。这使他的作品充满了一种未来感的梦幻色彩：即机械和有机生物基因突变而结合生成的乌托邦形式。

本页上图：
松本秀雄（Hideo Matsumoto）
《矿蜜生产线Ⅻ（插曲5）》，
2000年
陶，高100厘米、宽100厘米、
长540厘米

本页下图：
深泽惠子（Keiko Fukazawa）
《茶具》，1991年
陶，茶壶高13厘米、宽20
厘米

下页上图：
埃里克·范·艾默伦（Eric Van Eimeren）
《带调羹的狂欢节用具》，
1999年
陶，高36厘米、宽48厘米

下页下图：
埃里克·范·艾默伦（Eric Van Eimeren）
《带调羹的调味品抽屉》，
1998年
陶，高61厘米、宽19厘米

玛格丽塔·戴普（Margaretha Daepp）
《未来考古学》，1993年
工业钢架、玻璃、低温陶，高210厘米、
宽200厘米、长60厘米

另外一位艺术家芭芭拉·施密特（B. Schmidt）、玛格丽塔·戴普（M. Daepp）和马雷克·什库拉（M. Cecula）是另一类完全没有上述艺术家所看到那种被工业侵蚀和分裂的艺术家。工业版本在这些艺术家的表达里几乎是极端的纯粹甚至平滑。戴普用她的作品《未来考古学》来呈现一个小型工业物的博物馆一角，模制的低温红陶的工业零件、做工精细的螺纹线，以及显著的物理标志，都在有意透露出一种这是一处由它来模拟的博物馆仓库或档案馆储藏室的感受等。作品看似在揭示出这些工业物和零件之间隐秘的关系和语言诉求，但讽刺之处在于，这些充满金属质感的作品更像是一对矛盾结合体：高科技的板支撑着低科技的陶瓷。现在来看，无釉低温红陶很明显是较低端的陶瓷形式，但就所制作的造型和质量本身，却提供了一种高度精确和有质量诉求的明显设计感。

施密特在制作她的零件组合作品时显示了她前卫的态度，她使用的精细化的小物件很明显具有计算机芯片、其他高级实验室中那些微型但神奇的设备零件的清晰度和用途，像什库拉一样，她对作品中设计感质量的极致要求不能被理解为是一种做作的姿态，这是由她的设计观念所决定的。施密特从1991年就开始在德国的陶瓷设计品牌卡拉（KAHLA）工作，曾在德国、美国、日本多次获奖。在施密特把她那些小物件组合在一起的时候，就能看到她旨在保留工业设计中的纯净性。就像这件《十字花》，作品跨越了陶瓷和编织之间的界线。她用金属丝将80多个小零件连接排列，细而锋利的金属丝尖刺在作品的边缘上伸展，在十字交叉中作品逐渐呈现出来。

什库拉也有着几十年从事设计工业产品的成功经验。同样，他也将这种经历带到他的艺术创作中，先制作模具，再用瓷泥翻模罩透明釉烧成。初看这些有机的、有流动感的造型似乎在暗示着有某种特殊的功用，但结果却只是提供了一种暧昧的抽象。有时他也会将一些符号制作成花纸后贴在作品旁边烧制，他使用的符号多是一些复合的无意义的文字标识，诸如“IMMUNEX”等只强调特殊的阅读发音的图案。看似像一些准公司的产品，其实所有这些都纯粹是一些艺术家捏造出来的符号，就是试图把观众带到一个暗示性的图像情景中，激发观众想象这些物体们会参与到一种什么样的活动场景中，因为这些物件几乎都是与倾倒、排放或容纳液体等感受有关，甚至有些放置在金属基座上的作品还带有排水孔，来暗示将会有股流动而出的液体。它们就是某种医院实验室器皿的象征（尽管现在医院里广泛使用塑料制品来代替陶瓷物品很久了），作品的最后结果就是一种宿命的死亡言说。在这个艾滋病时代，体液已经比它在现代主义时期有了更多危险的感受和符号。什库拉通过他对材料的细心呵护，以及典型的斯巴达式线条的优雅处理，试图赋予作品一种现实的古典美感。尽管这个美感携带着的前提是它们是为人性焦虑提供的容器。

评论家戈比·德瓦尔德（Gabi DeWald）1996年在什库拉组约的展览“卫生学（Hygiene）”前言中写道：这些并不像是些物体的堆放，而更像是什库拉作品在进行的行为表演。我们已经不再生活在一个无菌和无声的理疗手术室里了，今天我们住在一个洗涤和排泄的设备中。而且我们也已经不是一个个体的自己，我们更多是生活在同一个系统中。这些物体排列齐整，它们更像是准备被一整批人同时使用。在这里，人集体嚎叫、吐痰、集体撒尿和手淫，再也没有私人的行为。任何行为在这里都被放置进公开的、统一的、是可以被多次使用和洗涤的卫生系统中。什库拉现在已经制作出这样一个系统指向，因为是被大规模生产和使用的卫生洁具系列，更因为它们备注中的异教徒式语境，使得它们已经脱离了现实使用目的这个背景，现在，目的已开始被分离成为艺术。

芭芭拉·施密特
（Barbara Schmidt）
《十字花》，1995年
瓷、金属丝，高31厘米、宽31厘米、长10厘米

赫伯特·马尚（Herbert Muschamp）——《纽约时报》的建筑与设计栏目评论员——曾经对这种逐渐形成的年轻一代与科技的不伦关系写下过一篇评论文章——《新设计：快乐而可怕的一天》（*The Happy Scary New Day for Design*），在文中他特意提到上世纪60年代末70年代初，从好莱坞电影和流行音乐紧紧地把握着年轻一代的思维语言开始，有一种把特定的创意等同于工业设计的方式紧紧抓住公众想象力（的趋势）。生存在这样一个时代是相当可怕的，我已经无法把上述的现象准确归类了。今天社会的整个兴奋点是通过时尚、家居、艺术指向、设计和图形，以及形象设计等这些迷人的神韵跳动。同时，马尚也洞察到一个隐匿的理性主义精神在回归，这是在科技层面上通过一部分谨慎的信念捕捉到的："作为'新'的表现体，有些产品还是继承了进步的神话，形成了一个现代性名义的传统。"所以，当这些陶艺同时吸取了我们信息时代的审美情绪和之前孕育它们的工业社会的双重美学特征后，会产生一个什么样的结果呢？这个正在向50岁以下观众那心灵深处一点点靠近的不明物，将会为菲利普·约翰逊（Phillip Johnson）1934年提出的"机械艺术"的观念赋予新的定义。

本页上图及下图：
马雷克·什库拉（Marek Cecula）
《卫生系列——无题Ⅳ》，1995年
玻陶、木、金属，高117厘米、宽79厘米、长43厘米/件

下页上图及下图：
马雷克·什库拉（Marek Cecula）
《卫生系列——无题Ⅴ》，1995年
玻陶、木、金属，高83厘米、宽97厘米、长127厘米/件

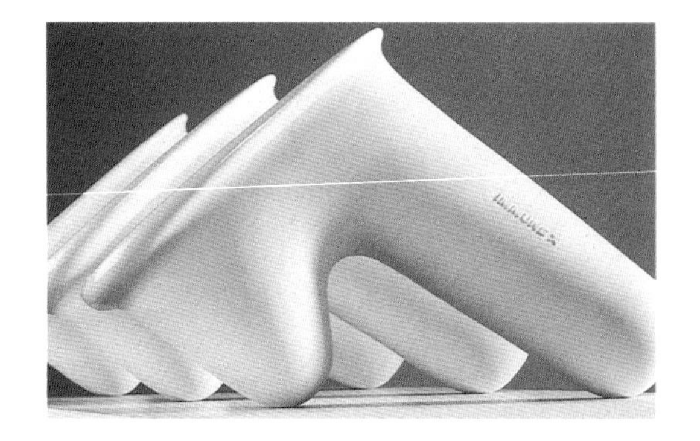

艺术家简介

秋山阳（Yo Akiyama），1953年生于日本下関。秋山是日本现代陶艺运动的第三代艺术家，他在京都艺术大学任教。该地曾被视为日本前卫陶艺组织"走泥社（Sodeisha）"的据点，八木一夫是京都"走泥社"的创始人，并在20世纪60年代早期开发了一种特殊的黑陶烧法。20世纪70年代中期，年轻的秋山在京都艺术大学八木一夫手下学习时精通了这种黑陶拉坯的技术。秋山的雕塑通常尺寸较大，有时候会长达6米。他的黑色的作品表面充满肌理，有像是土地受到过强烈的热冲击或者像被太阳晒干的泥床一样开裂和崩解的视觉效果。在澳大利亚维多利亚陶瓷协会刊登的一篇文章中，秋山的作品被描述如下——"欣赏他的碳浸黑色黏土上的裂缝时，会发现这与地球的地质形成产生的形而上学的美有关。"Tomio Sugaya, *Metamorphosis of Contemporary Ceramics* (Shigaraki, Japan: The Museum of Contemporary Ceramic Art, 1991).

丹·安德森（Dan Anderson），1945年出生于美国明尼苏达州圣保罗市。安德森获得威斯康星大学学士学位，1968年获得密歇根州克兰布鲁克艺术学院的艺术硕士学位。自1970年以来，安德森一直在南伊利诺伊大学陶艺系任教。他创纪录地十多次获得了伊利诺伊州艺术委员会奖、福特基金和国家教育协会个人艺术奖等。安德森的茶壶通常会组合在一起，主体结构是实用壶体，其他配套结构为奶杯或茶杯，通过景观环境重建出农场建筑的想象。他的作品多使用柴烧，因为柴烧的灰痕可以柔化他通常处理得很光滑的壶的釉面色调，使它们接近实际农场建筑的风化表面。自1968年以来，他已经举办了超过40多次个展，并参加了数百次群展。最近的展览包括在纽约加思·克拉克画廊、芝加哥WDO画廊、费城陶艺工作室画廊的展览等。安德森的作品收藏于费城艺术博物馆、查尔斯·乌斯图姆美术馆、埃弗森艺术博物馆、"铸造（Mint）"工艺与设计博物馆，以及匹兹堡卡内基艺术博物馆等。Tony Merino, 'Midwestern Clay: Anatomy and Architecture,' *Ceramics: Art and Perception* (No.12, 1993); and Garth Clark, *The Artful Teapot* (New York: Watson-Guptill, and London: Thames Et Hudson, 2001).

保罗·阿斯布利（Paul Astbury），1944年出生于英国柴郡。阿斯布利于1960年至1968年在斯托克艺术学院学习，1968年至1971年在伦敦皇家艺术学院学习。自1971年以来，他积极参与了一些陶瓷开放性视角的实验展览，如牛津画廊的"陶瓷新方向"；桑德兰艺术中心"陶土的状态""生与熟：牛津现代艺术博物馆"等。1995年，他在伦敦迪奥拉马（Diorama）画廊展出了一个将原始黏土用玻璃密封着的复杂装置作品。阿斯布利是英国陶艺（他更喜欢称之为"日常艺术"）中最为前卫的力量之一，他一直在美学和商业的边缘推动着陶瓷发展。Emmanuel Cooper, 'Fired Earth–The Art of Paul Astbury,' *Ceramics: Art and Perception* (No.21, 1995); Garth Clark, *The Potter's Art: A Complete History of Pottery in Britain* (London: Phaidon, 1995); and Paul Astbury, Emmanuel Cooper, and Julia Davis, *Document* (London: Blue Sky One, 1999).

拉尔夫·巴塞拉（Ralph Bacerra），1938年出生于美国加州。1961年从洛杉矶乔纳德艺术学院毕业，在服了两年兵役后，回到乔纳德艺术学院担任陶瓷系主任。之后1972年加入洛杉矶奥蒂斯艺术与设计学院的陶瓷系，在那里任教直到1998年该系关闭。巴塞拉是学生眼中的"完美先生"，是美国手工艺委员会的成员，他有能力创造出高度复杂的陶瓷表面效果。他的作品看似与日本伊万里（Imari）作品的传统保持一致，但他用自己更当代的手法进行陶瓷的表面处理。1998年，巴塞拉获得了国家陶瓷艺术教育委员会颁发的杰出成就奖。他的作品被纽约国家设计博物馆、科勒艺术中心、加州长滩艺术博物馆、日本信乐当代陶艺博物馆、纽约美国工艺博物馆、洛杉矶县立艺术博物馆、美国史密森艺术国家博物馆、维多利亚和阿尔伯特博物馆收藏。Garth Clark, *American Ceramics* (New York: Abbeville Press, 1987); Jo Lauria, *Color and Fire* (Los Angeles: Los Angeles County Museum of Art, and New York: Rizzoli, 2000); Garth Clark and Oliver Watson, *American Potters Today* (London: Victoria and Albert Museum, 1985); and a recent monograph, Garth Clark, *Ralph Bacerra: A Survey* (New York: Garth Clark Gallery, 1999).

安东尼·贝尼特（Anthony Bennett），1949年出生于英国伍斯特郡。贝尼特于1971年从伍尔弗汉普顿理工学院获得艺术与设计学位，伍尔弗汉普顿理工学院是美国以外最早承认美国怪俗陶瓷审美的学校之一。1974年从伦敦皇家艺术学院获得硕士学位。贝尼特深受美国怪俗（funk）陶瓷的影响。贝尼特发展了一种精心绘制的卡通式超现实图像风格。作为一名杰出的建模师，他受伦敦自然历史博物馆的委托，创作尼安德特人的立体画。贝尼特曾在纽约加思·克拉克画廊和加利福尼亚州洛杉矶举办个人和团体展览，并在国际上包括堪萨斯城海豚画廊、英国黑麦艺术画廊等地展出。作品被新西兰奥克兰博物馆、英国黑斯廷斯博物馆、澳大利亚墨尔本博物馆、日本信乐当代陶艺博物馆、洛杉矶县艺术博物馆、北爱尔兰阿尔斯特博物馆收藏。Garth Clark, *The Eccentric Teapot* (New York: Abbeville Press, 1989); Jo Lauria, *Color and Fire* (Los Angeles: Los Angeles County Museum of Art, and New York: Rizzoli, 2000); and Garth Clark, *The Artful Teapot* (New York: Watson-Guptill, and London: Thames Et Hudson, 2001).

克劳德·布查德（Claude Bouchard），1957年生于加拿大魁北克。布查德早先在加拿大魁北克弗朗索瓦·泽维尔·加诺学院和蒙特利尔大学学习建筑。自1990年以来布查德一直在法国生活和工作。1991年至1998年，他在纽约哥伦比亚大学任教，并担任纽约/巴黎项目的建筑教授。布查德曾担任资生堂国际艺术总监的助理，还多次参与策划了博物馆展览装置的设计和布局，包括蒙特利尔装饰艺术博物馆的“50年灯具展”、加拿大蒙特利尔麦考德历史博物馆的“时间的空间”展等，并为巴黎装饰艺术博物馆制作了多媒体项目。他曾在巴黎安妮·希尔顿、艾克桑那多画廊、法国查博锐画廊、意大利米兰的让·布朗查尔特画廊和法恩扎举办个展。

郝伯特·博克西姆（Hilbert Boxem），1939年出生于荷兰奥马尔。博克西姆1957～1961年在阿姆斯特丹的荷兰格里特·里特维尔德美术学院学院学习，自1971年起在荷兰格罗宁根密涅瓦学院担任陶瓷和雕塑教授。博克西姆主要以大块碎片形状的方式来处理器皿，这些器皿可以清晰地看出与希腊和罗马的巴洛克风格，包括有着新历史视角的新艺术主义和孟菲斯陶瓷等艺术语言的联系。博克西姆在欧洲各地多次参展。他的作品被阿姆斯特丹城市博物馆；鹿特丹博伊曼斯范贝乌尼根博物馆；格罗宁根博物馆；以及荷兰列沃登的王子博物馆收藏。Mieke G. Spruit-Ledeboer, *Nederlandse Keramiek 1975/1985* (Amsterdam: Allert de Lange b.v., 1985); and Liesbeth Cromelin, *Ceramics in the Stedelijk Museum* (Amsterdam: Stedelijk Museum of Modern Art, 1998).

艾莉森·布莱顿（Alison Britton），1948年出生于英国米德尔塞克斯的哈罗。布莱顿12岁时就被陶土及其潜力所吸引。1966年，她就读于利兹艺术与设计学院，1967年至1970年继续在伦敦圣马丁艺术与设计学校学习，之后在伦敦皇家艺术学院获得文学硕士学位。她的导师之一是汉斯·库珀，这是位和露西·芮一样，不受伯纳德·里奇及其追随者所崇尚那种日本铁釉色陶瓷美学的约束。在库珀的鼓励下，布莱顿和她的同学吉尔·克劳利、伊丽莎白·弗里奇和杰奎琳·庞塞莱特得以自由地走向一种装饰和建筑风格的陶瓷语言。她的作品关注如何打破习惯中固有的容器形式中内部和外部二分法。她有意避开拉坯器皿中隐含的中心性，更喜欢制作不对称结构的容器。像她这一代的许多人一样，布莱顿受了很多来自美术和装饰艺术领域的影响，就像当时美术受波洛克自由形式的绘画有很大影响一样，她的作品表面也与图案的传统有着很大的关系。布莱顿在伦敦皇家艺术学院任教，是一名陶瓷策展人和评论家，曾因其对工艺品的贡献而被授予帝国勋章。她与玛蒂娜·马格茨于1993年由牛津现代艺术博物馆组织，共同策划了“生与熟”展览，并在国际上巡回展出，这是一个对英国后现代陶瓷非常有影响力的定义性的展览。布莱顿的作品被英国、欧洲、日本和美国的众多博物馆收藏。彼得·多默和大卫·克里普斯在专著中对她的作品进行了专门讨论。*Alison Britton, A View* (*In Studio* series) (London: Bellew Publishing, 1985); and more recently in Linda Sandino, *Alison Britton* (London: Barrett/Marsden Gallery, 2000); and Edward Lucie-Smith, 'Sources of Inspiration: Alison Britton,' *Crafts* (Nov/Dec 2000).

托比·伯那葛瑞欧（Toby Buonagurio），1947年出生于纽约的布朗克斯。伯那葛瑞欧1969年在纽约城市学院获得美术学士学位，1971年获得硕士学位，目前是纽约州立大学石溪分校艺术系的教授。伯那葛瑞欧获得了纽约埃弗森艺术博物馆颁发的艺术荣誉勋章（1990）和布朗克斯艺术委员会颁发的杰出艺术奖（1996）。自20世纪70年代以来，伯那葛瑞欧一直探索低温金釉、丙烯酸涂料对陶瓷表面进行处理的可能性，并将之应用在她梦幻般的机器人和赛车鞋雕塑上。伯那葛瑞欧作品在美国多次参展，并在纽约莫妮克·诺尔顿画廊和纽约伯尼斯·斯坦鲍姆画廊多次举办个展。她的作品被包括在许多公共收藏品中，包括“铸造”工艺和设计博物馆、埃弗森艺术博物馆、美国工艺博物馆等。Susan Wechsler, *Ceramics Today* (Geneva: Olizane, 1984); Garth Clark, *American Ceramics: the Collection of the Everson Museum of Art* (New York: Rizzoli, 1989); and Judith Schwartz, *Confrontational Clay: The Artist as Social Critic* (New York: Exhibits USA, 2000).

马克·伯恩斯（Mark Burns），

1950年出生于美国俄亥俄州斯普林菲尔德。1972年从俄亥俄州代顿艺术学院获得学士学位，主修陶瓷。1974年，在西雅图华盛顿大学获得硕士学位，由霍华德·科特勒和帕蒂·藁科指导。他曾在俄亥俄州代顿艺术学院、华盛顿大学、西雅图视觉艺术工厂、纽约州立大学奥斯韦戈分校、费城艺术大学等多地任教。从1991年开始，担任内华达大学陶瓷系教授和系主任。伯恩斯在他精雕细琢的作品中运用了奇异的异国情调和施虐受虐的意象。1977年，他首次在费城的海伦·德鲁特画廊举办个展后，多次在纽约举办个展。1984年，在宾夕法尼亚美术学院的资助下，他创作了向建筑师弗兰克·弗内斯致敬的陶艺装置。1986年，宾州维罗纳市工艺美术协会以“费城的马克·伯恩斯十年”为主题，专门组织了一次讨论。伯恩斯的雕塑被埃弗森艺术博物馆、费城艺术博物馆、荷兰阿姆斯特丹城市博物馆、加拿大蒙特利尔装饰艺术博物馆等收藏。Dave Hickey in ‘Mark Burns Venetian America,’ *American Craft* (June/July 1998).

凯西·巴特里（Kathy Butterly），1963年出生于纽约州阿米蒂维尔。巴特里于1986年获得费城摩尔艺术与设计学院的学士学位，并获得加州大学戴维斯分校的硕士学位（1990）。巴特里于1995年获得帝国工艺联盟基金、1999年获得纽约艺术基金。巴特里的作品以小杯型的彩色雕塑瓷器为主，泥片多次折叠、具有丰富色彩和多次烧成的陶瓷釉面层次。她定期在纽约富兰克林·帕拉什画廊展出。巴特里的作品收藏在荷兰赫特·克鲁伊特乌斯博物馆、克鲁修斯博物馆、旧金山M. H. De Young博物馆，以及“铸造”工艺和设计博物馆。Arthur C. Danto and Janet Koplos, *Choice of America* ('s-Hertogenbosch: Museum het Kruithuis, 1999); Timothy H. Burgard, *The Art of Craft* (San Francisco: M. H. De Young Memorial Museum, 1999); Gretchen Adkins, ‘The Pots of Kathy Butterly,’ *Ceramics: Art and Perception* (No.23, 1996); and April Kingsley, ‘Kathy Butterly: Miniature Monuments,’ *American Ceramics* (Vol.13, 2000).

莉迪亚·布兹欧（Lidya Buzio），1948年出生于乌拉圭的蒙得维的亚。1964年到1966年向霍拉西奥·托雷斯学习绘画，1966年跟随何塞·科里奥学习制陶，1967年在纽约建立工作室。搬到纽约后，布兹欧发现自己每天在城市景观中漂流，她开始创作泥片成型并抛光处理带有屋顶图像的器皿。她的作品被许多公共收藏，包括纽约布鲁克林艺术博物馆、洛杉矶县艺术博物馆、密苏里州纳尔逊·阿特金斯博物馆、伦敦维多利亚和阿尔伯特博物馆等。1983年起，她在纽约加思·克拉克画廊展出了她的作品。最近，她开始用木头取代陶土材料进行她对城市建筑图像的实验。John Beardsley, Jane Livingston, and Octavio Paz, *Hispanic Art in the United States: Thirty Contemporary Painters and Sculptors* (Houston: Museum of Fine Arts, and New York: Abbeville Press, 1987); Garth Clark, *Ceramic Echoes: Historical References in Contemporary Ceramics* (Kansas City: Contemporary Art Society, 1983); Garth Clark and Oliver Watson, *American Potters Today* (London: Victoria and Albert Museum, 1985).

克劳迪·卡萨诺瓦斯（Claudi Casanovas），1956年出生于西班牙巴塞罗那。他的作品特殊之处在于作品体量的巨大规模，以及他对陶土中粗糙、崎岖的火山状形态使用的强烈程度。他的一部分创造力也得益于他独特的工作室设备，这些设备使他能够塑造、移动和烧制近200公斤重的巨大盘子、巨型碗和1.65米高的双耳罐。他的作品展览包括在纽约加思·克拉克画廊的个展、伦敦本森画廊、西班牙吉罗纳的罗莎·普斯画廊、巴塞罗那乔恩·加斯帕画廊、巴塞罗那陶瓷博物馆、法国邓克当代艺术博物馆、丹麦米德尔法特陶瓷博物馆、巴塞罗那阿根托纳博物馆、荷兰鹿特丹博伊曼斯·范贝因根博物馆等举办的展览。他的作品被巴塞罗那陶瓷博物馆、德国杜塞尔多夫赫特延斯博物馆、意大利法恩扎国际陶瓷博物馆、西班牙吉罗纳现代艺术博物馆、荷兰鹿特丹博伊曼斯范贝乌尼根博物馆、日本信乐当代陶艺博物馆、法国瓦洛里斯的陶瓷博物馆收藏。J. Corredor-Matheos, *Claudi Casanovas: Cercles* (Barcelona: Galeria Joan Gaspar, 1994); and Maria Lluisa Borras, *Claudi Casanovas: Pedra Foguera* (Düsseldorf: Hetjens Museum, 1996).

马雷克·什库拉（Marek Cecula），1944年出生于波兰的基尔切。什库拉在以色列学习并当学徒，自1977年以来，他一直在纽约市工作，是纽约帕森斯设计学院陶瓷系主任。无论是在工业领域，还是在自己小批量模具组合的生产方式上，什库拉闻名于世主要是以陶瓷设计师的身份，1994年他在荷兰欧洲陶瓷工作中心驻地创作时产生了用模具组合方式创作的新想法，这一实验阶段的作品首次在纽约的加思·克拉克画廊展出，从标题为“粪便学（Scatology）”就能看出这些作品的创作目的，随后，他创作了一系列开拓性的作品，包括1996年的《卫生》和1998年的《违法行为》。他的作品被洛杉矶县艺术博物馆、“铸造（Mint）”工艺和设计博物馆、波士顿美术馆、纽约国家设计博物馆收藏。Lydia Tugendrajch, *Marek Cecula: Scatology Series* (New York: Garth Clark Gallery; and Rotterdam: Galerie Maas, 1994); Gabi Dewald, *Marek Cecula: Hygiene* (New York: Garth Clark Gallery, and San

Francisco: Modernism, 1996); Jozef A. Mrozek, *Marek Cecula* (Warsaw: Centre for Contemporary Art, 1999); and Garth Clark, *The Artful Teapot* (New York: Watson-Guptill, and London: Thames Et Hudson, 2001).

迈克尔·克莱夫（Michael Cleff），1961年出生于德国波鸿。克莱夫于1978年在与芝加哥一个学生交流项目中开始了他的陶瓷生涯，并于1980年至1982年在德国当陶工学徒，并在杜塞尔多夫艺术学院学习美术。自1987年以来，他创立了自己的工作室。1990年至1996年，克莱夫与弗里茨·施韦格勒合作。他在1990年代后期的作品具有强烈建筑风格的几何陶器形式，器皿口沿上涂有温暖的信乐釉，并绘制了细细的蓝线，以吸引观者的目光。在《陶瓷艺术笔记》中，加思·克拉克这样写道："克莱夫的作品很有趣，因为它融合了两个不太可能的世界。"他的陶器看起来像是17世纪日本信乐的民艺陶和极简主义画家阿格尼丝·马丁之间的爱情结晶。作品一方面看似由润浓的信乐釉料带来的暖意，但同时非常锋利的边缘与你保持着距离。他是众多奖项的获得者，包括德国理查德·巴姆皮奖（1990）、德国拿骚储蓄银行陶艺竞赛一等奖（1997）、第50届法恩扎陶瓷双年展（1997）等；作品被德国韦斯特瓦尔德陶瓷博物馆、美国工艺博物馆、洛杉矶县艺术博物馆、查尔斯·伍斯特美术馆收藏。Barbara Christin, 'Michael Cleff: In a Vibrant Order,' *Ceramics: Art and Perception* (No.34, 1998).

马格丽塔·戴普（Margaretha Daepp），1959年出生于瑞士。戴普在日内瓦装饰艺术学院（1982～1984）和柏林艺术学院（1989～1992）学习。1993年，她获得了艾施利曼·柯蒂（Aeschlimann Corti）基金会的资助，在荷兰欧洲陶瓷工作中心驻地创作。戴普主要从低温日用陶的模具出发，在看似工业的形式上用手工注浆成型后重新组装而成。她曾在瑞士伯尔尼的米歇尔·泽勒画廊、戈德劳什四世柏林画廊展出。Walo van Fellenberg, *Die Teile und das ze* (Bern: Berner Kunstmitteilungen, Sept/Oct 1994).

沃特·达姆（Wouter Dam），1957年出生于荷兰的乌得勒支。达姆毕业于阿姆斯特丹的荷兰格里特·里特维尔德美术学院学院（1975～1980），自1982年以来一直在阿姆斯特丹自己的工作室创作，两次获得B.K.V.B.艺术基金（1992、1994）。达姆不规则的弧形容器充满感性色彩，他把这种上下开放的无底容器竖放起来（形成一个空洞），这样可以允许观者的目光穿过作品柔软的哑光表面。他的作品在美国和欧洲多次举办展览：阿姆斯特丹卡拉·科赫画廊、伦敦的巴雷特/马斯登画廊、洛杉矶的弗兰克·劳埃德画廊等。作品被阿姆斯特丹城市博物馆、巴黎装饰艺术博物馆、底特律艺术博物馆收藏。Thomas Piche, Jr., 'Wouter Dam,' *American Ceramics* (Vol. 11, 1999); and Thomas Piche, Jr., 'Wouter Dam's See-through Smoothies,' *Ceramic Review* (Jan/Feb 2001).

罗伯特·道森（Robert Dawson），1953年出生于美国纽约。道森工作生活在伦敦，1993年于伦敦坎伯威尔艺术学院获得学士学位，1999年在伦敦皇家艺术学院获得文学硕士学位。自1997年在埃克塞特工作室陶艺画廊举办个展"我挪用了青花柳枝"以来，道森就以惊人的独创性对陶瓷餐具中经典"柳树图案"运用而引人注目。他的作品在英国各地多次参展，包括在卡莱尔的塔利宫博物馆和艺术画廊举办的"印媒热"，以及格拉斯哥柯林斯画廊组织并在世界各地巡回展出的"瓷盘展"。Paul Scott and Terry Bennett, *Hot Off the Press* (London: Bellew Publishing, 1996); Paul Scott and Laura Hamilton, *The Plate Show* (Glasgow: Collins Gallery, 1998); and Sally Howard, 'Robert Dawson and the Willow Pattern Plate,' *Ceramics: Art and Perception* (No.27, 1997).

约翰·德法齐奥（John DeFazio），1959年出生于美国宾夕法尼亚州的雷丁。德法齐欧在费城艺术学院获得陶瓷学士学位（1981），并于1984年在旧金山艺术学院获得雕塑硕士学位，曾在拉斯维加斯大学和华盛顿大学西雅图分校任教。德法齐奥的奖项包括NEA视觉艺术奖（1986）和纽约艺术基金会奖（1991）。德法齐奥使用大多被认为是庸俗物品的模制现成物品，并用讽刺和幽默的方式来改变它们。他制作了许多公共艺术作品，包括纽约MTV董事会会议室的大型陶瓷和玻璃桌子。他的作品在费城哈里森画廊、加思·克拉克画廊、堪萨斯城海豚画廊、纽约美国工艺博物馆、巴尔的摩陶艺馆、得州圣安杰罗美术馆展出。德法齐奥的作品被檀香山当代艺术博物馆、日本信乐当代陶艺博物馆、"铸造"工艺和设计博物馆等收藏。Dave Hickey, *Stardumb*, Illustrated by John DeFazio (San Francisco: Artspace, 1999); and Garth Clark, *The Artful Teapot* (New York: Watson-Guptill, and London: Thames Et Hudson, 2001).

罗赛琳·德莱斯利（Roseline Delisle），1952年出生于加拿大魁北克。德莱斯利于1973年从魁北克蒙特利尔应用艺术学院获得了专业学位，1978年在加州威尼斯建立了个人工作室。她一直用黑色色剂或钴蓝色作为色料，手工精心制作出具有工业精度的水平条纹的陶瓷。1985年，她创作了圣莫尼卡J·保罗·盖蒂艺术和人文历史中心入口处的大型陶瓷器皿。她在日本、加拿大和美国多次举办个展，定期在东京小柳画廊、加州圣莫尼卡的弗兰克·劳埃德画廊和旧金山的约翰·伯格伦画廊举办个展。作品被日本东京国立博物馆、加拿大魁北克音乐厅、洛杉矶县艺术博物馆、纽约大都会艺术博物馆收藏。Martina Margetts, *International Crafts* (London: Thames Et Hudson, 1991); Craig R. Miller, *Modern Design, 1890–1990* (New York: The Metropolitan Museum of Art, 1990); Garth Clark, *American Ceramics* (New York: Abbeville Press, 1987); and Kristine McKenna, *Roseline Delisle* (Santa Monica: Frank Lloyd Gallery, 1999).

斯特凡诺·德拉·波塔（Stefano Della Porta），1958年出生于意大利罗马。自1983年在罗马卡诺瓦画廊举办的“自然与消失之间的那种色彩”展览开始，德拉·波塔在意大利各地多次参展，包括拉文纳的画廊Ⅱ（Galleria Ⅱ）天井展（1994）、法恩扎艺术中心（1996）、罗马马可·罗西画廊（1997）、罗马佛罗伦萨埃丽卡广场画廊（1999）等，作品入选第50届法恩扎国际陶艺双年展。他的大型、超现实雕塑更多反映的是当代生活的神经质。

金·迪奇（Kim Dickey），1964年出生于美国纽约州。1986年本科毕业于罗得岛设计学院，1988年研究生毕业于纽约州阿尔弗雷德大学。自1999年起一直在科罗拉多大学博尔德分校任教，但在之前的十年中，她有在近六所院校担任客座教授的经历。迪奇的作品在多地展出，包括在加思·克拉克画廊、托马斯·希利画廊、杰克·蒂尔顿画廊、简·哈特苏克画廊、布朗温·基南画廊等纽约多所画廊，以及科罗拉多州“当代与现代尺度画廊”、丹佛当代艺术博物馆等。她的作品被檀香山当代艺术博物馆、埃弗森艺术博物馆收藏。Garth Clark, *The Eccentric Teapot* (New York: Abbeville Press, 1989); and Garth Clark, *The Artful Teapot* (New York: Watson-Guptill, and London: Thames Et Hudson, 2001).

加里·迪帕斯夸尔（Gary DiPasquale）1953年出生于美国新泽西州塞尔维尔。迪帕斯奎尔曾分别就读于新泽西州海洋郡学院（1972～1973）、马萨诸塞州美术博物馆（1973～1974）和马萨诸塞艺术学院（1975～1978）。他的工作室在纽约，作品几乎专门用泥片成型的几何形状。迪帕斯夸尔同时也手工制作实用陶器，自1980年以来他举办了多次个展，包括在宾夕法尼亚州费城的陶艺画廊、波士顿的阿连扎画廊等。

瑞克·迪林汉姆（Rick Dillingham），1952年出生于美国伊利诺伊州。迪林汉姆1974年在新墨西哥大学获得学士学位，1979年在加州克莱蒙特大学完成了硕士学位。迪林汉姆于1977年和1982年获得了NEA的视觉艺术家奖金。除了作为艺术家，迪林汉姆还参与了很多社会活动，他曾是一位美洲土著陶器经销商，策划了许多此类的展览。迪林汉姆的陶器反映了他对美洲原住民史前陶器的了解和兴趣，他在新墨西哥州博物馆人类学实验室修复陶器的经历使他对碎片组装的容器概念产生了兴趣，创造出了加思·克拉克所称的“碎片交响曲”式的作品：先将罐子分成碎片，或用颜色或图案绘制或用金叶镀金各个碎片，然后仔细地重新组装。Jan Adelman, Garth Clark, Tom Collins, and Malin Wilson, *Rick Dillingham* (Santa Fe: Rotary Club, 1993); and Joseph Traugott, *Rick Dillingham 1952–1994: A Retrospective Exhibition* (Albuquerque: University of New Mexico Art Museum, 1994).

保罗·德雷桑（Paul Dresang），1948年出生于美国威斯康星州。德雷桑获得威斯康星大学艺术学士学位（1970），在明尼苏达大学获得硕士学位（1974），他曾在美国多地的大学担任客座讲师并举办研讨会。德雷桑获得了NEA视觉艺术家奖金（1988）和伊利诺伊州艺术委员会奖（1999）。他的近期作品开始将茶壶形式的变化隐藏在布满拉链和扣子的极端写实风格的皮革形象中，从数量和摆放位置的指向，可能让人对这些物品产生出某种迷恋的情绪。德雷桑在许多地方展出了他的作品，包括纽约南希·马戈利斯画廊、麻省费林画廊、美国工艺博物馆、明尼苏达州弗雷德里克·韦斯曼艺术博物馆等。作品被洛杉矶县艺术博物馆、史密森美国艺术博物馆、“铸造”工艺与设计博物馆收藏。Leslie Ferrin, *Teapots Transformed: Exploration of an Object* (Madison: Guild Books, 2000).

迈克尔·杜瓦尔（Michael Duval），1950年出生于美国密歇根州大急流城。杜瓦尔1972年至1974年在底特律韦恩州立大学主修陶瓷，1975年后成为职业艺术家。他众多的展览记录中包括在芝加哥乔伊·霍维奇画廊的展览、加思·克拉克画廊、费城作品画廊、麻省费林画廊、密苏里州圣路易斯工艺联盟、美国工艺博物馆、俄亥俄州哥伦布艺术博物馆等。作品被新泽西州纽瓦克博物馆、荷兰克鲁修斯博物馆、伦敦维多利亚和阿尔伯特博物馆收藏。Mark Del Vecchio, 'Michael Duvall,' *Functional Glamour* ('s-Hertogenbosch: Museum het Kruithuis, 1989).

肯·伊斯特曼（Ken Eastman），1960年出生于英国赫特福德郡沃特福德。伊斯特曼在苏格兰爱丁堡艺术学院学习，1983年获得学士学位，1987年在伦敦皇家艺术学院获得陶瓷硕士学位。他的作品曾多次参加个人和团体展览，包括伦敦巴雷特/马斯登画廊和阿姆斯特丹维特·沃特画廊。作品被英国诺维奇市美术馆、荷兰鹿特丹博伊曼斯范贝乌尼根博物馆、日本信乐当代陶艺博物馆、德国斯图加特符腾堡州立博物馆、伦敦维多利亚和阿尔伯特博物馆、意大利法恩扎国际陶瓷博物馆等收藏。他获得了许多奖项，包括意大利法恩扎大奖。Alison Britton, *Ken Eastman* (Nottingham: Angel Row Gallery, 1998); and Tanya Harrod and Martin Bodilsen Kaldahl, *British Ceramics.2000.dk* (Middelfart, Denmark: Keramikmuseet Grimmerhus, 2000).

爱德华·艾伯勒（Edward Eberle），1944年出生于美国宾州。1971年在宾夕法尼亚州爱丁堡州立大学完成学业，1976年，在纽约州阿尔弗雷德大学获得硕士学位。这位艺术家的大体积带盖陶瓷模糊地暗示着房屋和建筑，用看似涂鸦但精心制作的人群图像以画面生动的移动方式讲述了自己家庭的内部生活。艾伯勒通过画面中身体的形象在空间中微妙的色调表现，使之巧妙地和强化罐子形式结构的图形表面图案之间产生互动。从他的作品中能发现许多影响因素，从明布雷斯印第安人的黑白装饰陶器到早期希腊花瓶上的绘画和装饰，之后艾伯勒将目光投向如何组织画面中奢华、抒情的叙事意象和如何组织围绕着它们移动的平面线条中。艾伯勒1987年获得NEA视觉艺术家奖，多次参与纽约加思·克拉克画廊的个人和团体展览，包括芝加哥"机关"画廊、亚利桑那州乔安娜·拉普画廊、明尼阿波利斯北部陶艺中心等。他的作品收藏于宾州匹兹堡卡内基艺术博物馆、查尔斯·乌斯图姆美术馆、密歇根州底特律美术馆。Janet Koplos, 'Edward Eberle at Garth Clark,' *Art in America* (May 1996); and Garth Clark, *The Artful Teapot* (New York: Watson-Guptill, and London: Thames Et Hudson, 2001).

菲利普·爱格林（Philip Eglin），1959年出生于直布罗陀。爱格林曾在英国哈洛技术学院（1977～1979）、斯塔福德郡理工学院（1979～1982）学习，并于1986年获得伦敦皇家艺术学院陶瓷硕士学位。他在斯塔福德郡大学（位于英国陶瓷历史名城斯托克）任教，工作室在纽卡斯尔和莱姆附近。他的作品大多是人物雕塑，但辅之以古典、中世纪和当代化的混合姿态，他的那些维纳斯和麦当娜之类的雕塑形象，如果不是在富丽堂皇的光泽釉中还要努力保持原始野性，就是被涂鸦般的图像所覆盖。他的作品收藏于荷兰阿姆斯特丹城市博物馆、伦敦维多利亚和阿尔伯特博物馆、洛杉矶县艺术博物馆、北卡"铸造"工艺和设计博物馆等。作为英国最有前途的年轻陶瓷雕塑家，他于1996年获得著名的杰伍德陶瓷奖。2001年，在伦敦维多利亚和阿尔伯特博物馆举办个展。'The Raw and The Cooked,' organized in 1993 by the Museum of Modern Art, Oxford, as well as 'Philip Eglin—A Staffordshire Tradition,' The South Bank Centre, London 1991; and numerous articles in *Ceramic Review, Crafts, Ceramics: Art and Perception*, and other publications. Alison Britton and Oliver Watson, *Philip Eglin* (Edinburgh: The Scottish Gallery, 1997).

雷蒙·阿鲁扎（Raymon Elozua），1947年出生于德国。阿鲁扎曾就读于芝加哥大学，自1979年以来，一直是美国各地高校的客座讲师。他曾在纽约大学、罗德岛设计学院、加州工艺美术学院、加利福尼亚州奥克兰分校、纽约普拉特艺术与设计学院等任教，曾三次获得NEA绘画和雕塑奖、纽约陶瓷艺术奖（1988）。他的个人展览包括纽约辉瑞画廊、加思·克拉克画廊、底特律哈巴塔·肖画廊、旧金山布劳恩斯坦画廊、纽约O. K.哈里斯和卡罗·拉玛格纳画廊等。阿鲁扎的作品被纽约美国工艺博物馆、埃弗森艺术博物馆、洛杉矶县艺术博物馆、"铸造"工艺与设计博物馆、威斯康星查尔斯·A·伍斯图姆美术馆等收藏。Garth Clark, *American Ceramics* (New York: Abbeville Press, 1987); Garth Clark, Mary F. Douglas, Carol E. Mayer, Barbara Perry, Todd D. Smith, and E. Michael Whittington, *Selections from Allan Chasanoff Ceramic Collection* (Charlotte, NC: The Mint Museum of Craft and Design, 2000); and Jo Lauria, *Color and Fire* (Los Angeles: Los Angeles County Museum of Art, and New York: Rizzoli, 2000).

周定芳（Zhou Dingfang），1965年出生于宜兴。是中国“国家工艺美术大师”徐秀棠先生的学生之一。她也获得了“工艺大师”的称号。艺术家的作品出现在一系列以著名宜兴壶为特色的中国邮票上。周定芳在宜兴瓷器的既定传统中创作：茶壶、小型雕塑和文人器物，这些器物因其逼真的写实效应及其制作的精细程度而闻名。她的作品曾在中国和新加坡的出版物上转载，并在加思・克拉克画廊展出。她的作品被大英博物馆、旧金山亚洲艺术博物馆、北卡“铸造”工艺和设计博物馆、北京艺术之都博物馆等收藏。Lee Jingduan, ed., *Charm of Dark-Red Pottery Teapots* (Nanjing: Yilin Press, 1992); and Garth Clark, *The Artful Teapot* (New York: Watson-Guptill, and London: Thames Et Hudson, 2001).

拉兹洛・菲克特（Laszlo Fekcte），1949年出生于匈牙利布达佩斯。1969年至1974年，菲克特在布达佩斯应用艺术学院学习，菲克特是国际陶瓷学会（IAC）会员。作品主要专注于参加国际评审展览，曾入选匈牙利文化部、法国文化部等主办的大展、日本美浓国际陶艺三年展等。自1994年以来，作品一直在加思・克拉克画廊展出。菲克特的作品通常涉及一个宏大的主题，即匈牙利500多年来历代政权的分层文化碎片，每一个政权都试图抹去前政权的痕迹。在他的一些作品中，他与匈牙利的赫伦德陶瓷厂合作，利用工厂生产的间隙组装他自己这些关于阶级品味和文化讽刺的评论作品。他的作品收藏于北卡的“铸造”工艺与设计博物馆、匈牙利布达佩斯应用艺术博物馆、日本美浓美术馆。Garth Clark and Laszlo Fekete, *Laszlo Fekete* (New York: Garth Clark Gallery, 1997); Garth Clark, Mary F. Douglas, Carol E. Mayer. Barbara Perry, Todd D. Smith, and E. Michael Whittington, *Selections from Allan Chasanoff Ceramic Collection* (Charlotte, NC: Mint Museum of Craft and Design, 2000); and Garth Clark, *The Artful Teapot* (New York: Watson-Guptill, and London: Thames Et Hudson, 2001).

宾・芬纳安（Bean Finneran），1947年出生于美国俄亥俄州的克利夫兰。芬纳安曾就读于密歇根大学博物馆学院和马萨诸塞艺术学院，自1972年以来一直是加利福尼亚州旧金山素恩（SOON 3）剧场公司的副艺术总监、设计师和演员。她曾入选在加利福尼亚州圣赫勒拿的LEF展览“21世纪的陶瓷”、旧金山海恩斯画廊和布劳恩斯坦/码头画廊的展览“风景与记忆”。芬纳安的有机形态的雕塑是通过放置数千个几何图形的小瓷质部件来呈现，这些部件在潮汐涨落中被自然创造出的方式进行堆叠和排列。作品被位于西雅图的微软公司收藏。

让-弗朗索瓦・富伊尔豪克斯（Jean-François Fouilhoux），1947年出生于法国。富伊尔豪克斯在巴黎国家高等艺术学院学习，是Max Laeuger大奖（1995）、弗莱彻挑战陶瓷奖（1998）、慕尼黑国际手工艺品奖（1999）的获得者。富伊尔豪克斯用白瓷创作，用神秘而独特的青瓷釉料创造出他那参差不齐的雕塑碗形。他在欧洲各地多次展出，并定期在德国慕尼黑B15画廊举办个展。他的作品收藏于巴黎国家博物馆、瑞士日内瓦阿瑞那博物馆、新西兰弗莱彻挑战藏品录和洛杉矶县艺术博物馆。Robert Deblander, ‘Le Retour de Celadon,’ *La Revue de la céramique et du verre* (Nov/Dec 1993); Hans Peter Jakobson, ‘Dritter Max Laeuger Preis der Stadt Lorrach,’ *Neue Keramik* (Nov/Dec 1995); Ariane Grenon, ‘Jean-François Fouilhoux, Celadons,’ *Courrier des Métiers d'Arts* (Jan/Feb 1996); and Hubert Treuille, ‘Fouilhoux's Search for the Perfect Celadon,’ *Ceramics: Art and Perception* (No.29, 1997).

里奥波德・富勒姆（Léopold Foulem），1945年出生于加拿大新不伦瑞克省。他在加拿大阿尔伯塔艺术与设计学院获得学士学位，并于1988年获得印第安纳州立大学的硕士学位。富勒姆对陶艺的研究一直有明确的概念并影响了一批有类似爱好的加拿大艺术家：米莱特、布莱克木、保罗・马蒂厄等。而后者形成了被戏称为“魁北克陶艺社”的陶艺团体。自1969年以来，富勒姆举办了多达40次的个展和讲座，同时也写了大量的陶瓷评论文章。最近一次是多伦多的普莱米（Prime）画廊和纽约加思・克拉克画廊。作品被包括洛杉矶县艺术博物馆等许多机构收藏。1999年，富勒姆获得了加拿大最高荣誉之一，Jean A. Chalmers国家手工艺奖。Paul Bourassa, *Phantasmes et Soucoupes: Ceramics by Leopold L. Foulem* (Saint-Laurent: Musée d'Art Saint-Laurent, 2000).

朱迪・福克斯（Judy Fox），1957年出生于美国新泽西州伊丽莎白市。福克斯于1978年获得耶鲁大学的学士学位，1983年获得纽约大学美术学院的硕士学位，是罗得岛设计学院、纽约州本宁顿学院的访问艺术家和讲师。福克斯曾获得乔纳森・爱德华兹艺术奖

（1978）、国家艺术教育奖NEA等（1988、1994）。福克斯的作品以低温白陶为基础，使用丙烯处理表面效果，以精确但令人不舒服的方式创作她的儿童题材雕塑。她在纽约的P.P.O.W.举办了多次个展，部分作品入选埃弗森艺术博物馆“2000年全美陶艺展”。*My Little Pretty: Images of Girls in Contemporary Women Artists* (Chicago: Museum of Contemporary Art, 1997); Carol Diehl, ‘Figures in Limbo,’ *Art in America* (Nov 2000); and Bill Arning, ‘Judy Fox’s Strange Beings,’ *American Ceramics* (Vol.13, 2000).

维奥拉·弗雷（Viola Frey），1933年出生于美国加州的罗迪。弗雷于1956年在奥克兰加州工艺美术学院获得学士学位。1958年，她从新奥尔良杜兰大学获得文学硕士学位。1965年开始在加州工艺美术学院任教，之后成为陶瓷系的负责人。弗雷超出真人尺寸的人物雕塑达到了一种奇妙的水平，令人印象深刻。她使用类似于儿童画或民间艺术的方式，用松弛的绘画形式在人物表面涂抹出丰富的色彩，尽管这些看似未经修饰的形式和形象感觉是被有意处理过，但也还算让人易于接近。这些超大规模的雕塑人物的姿势和表情通常都很僵硬，而且她也乐意通过大胆的黑色轮廓和夸张的色彩来强调人物的这种僵硬感。事实上，雕塑表面丰富的色彩又会使得这些雕塑既危险又顽皮，同时也使她的雕塑兼具了二维平面和三维雕塑的特征——这些作品是雕塑，同时也是绘画。她作品参加过很多重要的展览，包括旧金山丽娜·布兰斯顿画廊、加州弗兰克·劳埃德画廊、亚利桑那州丽娃·亚尔斯画廊、纽约南希·霍夫曼画廊、佛罗里达州诺顿美术馆、洛杉矶阿舍/福尔画廊、堪萨斯州威奇托市威奇托艺术中心、加州弗雷斯诺艺术博物馆、加州奥克兰博物馆、西雅图艺术博物馆等。弗雷的作品被纽约美国工艺博物馆、檀香山当代艺术中心、底特律美术馆、埃弗森艺术博物馆、洛杉矶县艺术博物馆、纽约大都会博物馆、洛杉矶当代艺术博物馆、费城艺术博物馆、日本信乐当代陶艺博物馆、纽约惠特尼美国艺术博物馆收藏。Garth Clark, *Viola Frey: Retrospective* (Sacramento: Crocker Art Museum, 1981); Garth Clark and Patterson Simms, *It’s All Part of the Clay: Viola Frey* (Philadelphia: Moore College of Art and Design, 1984); and Reena Jana, ‘Viola Frey: Survey 1969-1981,’ *Ceramics: Art and Perception* (No.41, 2000).

伊丽莎白·弗瑞奇（Elizabeth Fritsch），1940年出生于威尔士。弗瑞奇就读于伯明翰音乐学院和伦敦皇家音乐学院（1958～1964）。1970年，她在伦敦皇家艺术学院获得陶瓷硕士学位。弗瑞奇对陶瓷的独特研究方法极具影响力，她是最早开始使用绘画语言将立体的容器作为图像进行处理的人之一。这些立体的器物实际上已经被压平和压缩，但通过绘画语言（例如使透视缩短），她成功地创建出三维立体器皿的错觉。1978年，她的首次个展“关于音乐的器皿”在利兹美术馆举办，这是20世纪70年代最具影响力的展览之一。弗瑞奇还于1970年获得赫伯特·里德纪念奖，并代表皇家艺术学院获得陶瓷银奖。她庞大的展览记录中包括在英格兰各地举办的个展：在桑德兰的北方当代艺术中心、维多利亚和阿尔伯特博物馆、伦敦皇家艺术学院、苏格兰爱丁堡皇家博物馆、德国杜塞尔多夫的赫特延斯博物馆等。她的作品被伦敦手工艺委员会、维多利亚和阿尔伯特博物馆、哥本哈根丹麦艺术工业园、鹿特丹博伊曼斯范贝乌尼根博物馆、纽约大都会博物馆等收藏。Peter Dormer and David Cripps, *Elizabeth Fritsch* (*In Studio* series) (London: Bellew Publishing, 1986); Edward Lucie-Smith, *The World of the Makers* (London: Paddington, 1975); and Edward Lucie-Smith, *Elizabeth Fritsch: Vessels from Another World, Metaphysical Pots in Painted Stoneware* (London: Bellew Publishing, 1993).

深见陶治（Sueharu Fukami），1947年出生于日本京都。他于1963年毕业于京都陶瓷技术学校，1965年毕业于京都工艺美术技术中心。深见陶治曾两次（1974、1978）在京都工艺美术展上获得大奖，他创造性地将青瓷置入到雕塑语境中，并于1985年在意大利法恩扎国际陶瓷展上获得大奖。他锋芒毕露的锋利瓷器“刀片”系列是日本最优秀的极少主义作品之一。无论是通过模制还是铸造，他的雕塑作品都是用他标志性的天青色釉完成。他的展览记录包括在京都三层画廊、（东京、横滨、大阪和京都的）高岛屋画廊、纽约日本协会、日本东京国立现代艺术博物馆等。作品被日本东京国立现代艺术博物馆、意大利法恩扎国际陶瓷博物馆、伦敦维多利亚和阿尔伯特博物馆、大英博物馆、埃弗森艺术博物馆、纽约布鲁克林艺术博物馆等收藏。Kenji Kaneko, ‘Sueharu Fukami: Formative Logic by Slip Casting,’ *Kerameiki Techni* (August 2000).

深泽惠子（Keiko Fukazawa），1955年出生于日本东京。她在日本武藏野艺术大学获得陶艺学士学位和硕士学位（1979），1986年毕业于加利福尼亚州洛杉矶奥蒂斯艺术与设计学院，导师是拉尔夫·巴塞拉。在攻读这些学位期间，深泽还在日本信乐当过制陶的学徒工，独立研究了日本各地不同区域陶器风格和技术。自2000年以来，深泽在洛杉矶的玛丽山大学任教的同时，还在加州监狱系统任教了八年多，她对这项工作的投入程度很可能是导致她个人作品风格形成的最大的原因。因为在常态性地看到她的监狱犯人学生经常用打碎器物的方式表达情绪时，她最终也被这种情景图像同化。深泽曾经描述了她打破容器的行为，就是作为她

摆脱传统形式和工艺限制的一种方式，深泽使用学生涂鸦、商业流行图像（日本、美国等）和历史复制品的拼贴画等，但用了一种不敬和草草绘制的方式对不同文化符号图样进行模仿，并几乎明目张胆地并列使用。通过“剪贴”拼接到她盘子和器皿的作品表面，而且这些明亮色调也强化了她这种文化万花筒式的大胆的图形语言。她在加思·克拉克画廊举办的多次个展，参加了包括洛杉矶县艺术博物馆、洛杉矶非裔美国人博物馆、纽约美国工艺博物馆、圣路易斯当代艺术论坛、旧金山多萝西·维斯画廊的展览。她的作品被台北历史博物馆、洛杉矶县艺术博物馆、威斯康星查尔斯·伍斯图姆美术馆等机构收藏。Susan Peterson, *Contemporary Ceramics* (New York: Watson-Guptill, 2000).

米切琳·金格拉斯（Micheline Gingras），1947年出生于加拿大的魁北克。在魁北克高等艺术学院完成学业，1969年获得硕士学位。她目前任教于纽约布鲁克林圣安学校。1976年，金格拉斯获得了魁北克省文化事务部的艺术视觉奖，1989年在缅因州沃特西德陶瓷艺术中心驻地。金格拉斯在各种雕塑材料上进行绘画实验的同时，与雷蒙·阿鲁扎合作创作了“水塔”和“废弃”的具有年代感的雕塑，她多次在加拿大和美国参展，包括在纽约南希·马戈利斯画廊的个展“新艺术形式”（1990）、在纽约保拉·库珀画廊的个展《时间胶囊》（1995）、群展“对抗性陶艺：作为社会批判的艺术家”（2000～2001）等。Leo Rosshandler, *La Nouvelle Figuration Québécoise Face Al'Environment Urbain* (Montreal: La Main Mécanique, 1979); and Judith Schwartz, *Confrontational Clay: The Artist as Social Critic* (New York: Exhibits USA, 2000).

琳达·甘-罗素（Linda Gunn-Russell），1953年出生于英国伦敦。罗素于1971年至1975年就读于伦敦坎伯威尔工艺美术学院。她对陶瓷认知受到格伦斯·巴顿、约翰·福德等老师的影响。她还受到英国陶艺家克拉丽斯·克里夫、美国画家、雕塑家罗伊·利希滕斯坦和法国画家亨利·马蒂斯的作品的影响，同时从日本和服和伊斯兰细密画的图案中汲取了养分。罗素的作品诠释了透视的视觉技巧。在这些作品中，她将幽默和拟人化的情感与实用功能的器皿物体结合起来。她先在泥片上绘制形状，然后构建造型，这样她就可以是画面与作品的三维立体形成对比，保持图形的敏感性。她的作品被洛杉矶县艺术博物馆和其他公共机构收藏。Abigail Frost, 'Exhibition Review,' *Crafts* (Jan/Feb 1985).

克里斯·古斯丁（Chris Gustin），1952年出生于美国芝加哥。古斯丁于1975年在堪萨斯艺术学院获得陶瓷学士学位，在纽约州阿尔弗雷德大学获得硕士学位（1977）。他是马萨诸塞大学的名誉教授，在全美50多所学院、学校和艺术中心举办了研讨会和讲座。古斯丁的荣誉包括NEA的两项视觉艺术家奖（1978、1986）。他的雕塑既正式又感性，由诱人的融合体组成，虽然他的容器模糊地暗示着功能，但它们主要唤起的是人体的形象。古斯丁环绕的圆形雕塑作品，允许观众在周围移动，作品中没有明确具体的正面但很有触感的釉面增强了作品的线条和形式感。在不断变化的视角中作品才得以清晰地展现出来。古斯丁举办过多次个展，包括波士顿朱迪·安·戈德曼美术馆、费城陶艺画廊、纽约约翰·埃尔德画廊、纽约加思·克拉克画廊、芝加哥物体画廊、洛杉矶县艺术博物馆、史密森美国艺术博物馆、日本信乐当代陶艺博物馆、美国工艺博物馆等。作品被埃弗森艺术博物馆、底特律美术馆、洛杉矶县艺术博物馆、北卡罗来纳“铸造”工艺与设计博物馆、伦敦维多利亚和阿尔伯特博物馆收藏。Garth Clark, *American Ceramics* (New York: Abbeville Press, 1987); and Susan Peterson, *The Craft and Art of Clay* (New Jersey: Prentice Hall, 1991).

芭波丝·海恩（Babs Haenen），1948年出生于荷兰阿姆斯特丹。开始先是作为一名舞蹈演员，之后海恩在阿姆斯特丹的荷兰格里特·里特维尔德美术学院学院（1974～1979）和英国达丁顿的陶器公司跟随玛丽安妮·德特里（1977～1978）学习视觉艺术。海恩特殊的技术语言表现在她自己提前混合出的彩色瓷泥上，之后，她将其制成她那些有机多彩的容器。她的作品最近已经从容器典型的垂直形式转变得更为更复杂，包括两个或多个独立或组合的作品，在展台上创造出丰富多彩的景观。海恩曾获得1987年荷兰建筑设计基金奖、1990年荷兰招商部WVC奖和1991年日本Inax设计奖。她的作品可以在众多博物馆中看到，包括：荷兰鹿特丹博伊曼斯·范·贝宁根博物馆、宾州匹兹堡卡内基艺术博物馆、杜塞尔多夫赫特延斯博物馆、日本信乐当代陶艺博物馆、纽约国家设计博物馆、北卡罗来纳州“铸造”工艺与设计博物馆、威斯康星查尔斯·伍斯图姆美术馆等。Garth Clark and Ineke Werkman, *Babs Haenen* (Leeuwarden: Museum het Princesshof, 1991); and Marjan Boot, *The Turbulent Vessel, Babs Haenen: A Decade of Work 1991–1998* (Amsterdam: The Stedelijk Museum, 1998).

埃米尔·黑格尔（Emil Heger），1961年出生于德国康斯坦茨。黑格尔在格伦豪森陶瓷学院（1990～1993）学习，自1999年以来一直在那里任教。1992年创建了格伦豪森陶艺社，这是一个陶艺工作室合作群体。1992年和1995年，黑格尔两次获得韦斯特瓦尔德的盐釉陶瓷奖，并于1997年在意大利第50届法恩扎国际陶瓷双年展上获得了意大利参议院议长颁发的奖章。黑格尔会把精心拉制的坯形以组合在一起展出的形式呈现，潜在地延伸指向群体的人，而且他有意使用单色釉料，使这些群体器物呈现出安静感。他的作品在欧洲各地的许多展览中展出。

史蒂夫·海纳曼（Steve Heinemann），1957年出生于加拿大多伦多市。他先在谢里登工艺与设计学院学习（1979），之后在堪萨斯艺术学院获得陶瓷学士学位（1981），在纽约州阿尔弗雷德大学获得硕士学位（1983），任谢里登工艺与设计学院和安大略艺术与设计学院讲师。海纳曼于1996年获得了赛迪·布朗夫曼加拿大工艺卓越奖，并两次（1988、1994）获得了加拿大国家陶瓷双年展的卓越奖。他多次在加拿大、日、韩、美国和英国的大学举办讲座，作品在多伦多普莱米（Prime）画廊、纽约南希·马戈利斯画廊、加拿大蒙特利尔伊莱纳·李画廊、安大略手工艺协会等地举办个展。他的作品被新西兰奥克兰博物馆、伦敦维多利亚和阿尔伯特博物馆、荷兰克鲁修斯博物馆、加拿大人类文明博物馆、台北历史博物馆、马萨诸塞州波士顿美术馆等收藏。Margaret Cannon, ‘Thinking in Clay,’ *Ontario Craft* (July/Aug 1996); and Earl Miller, ‘Ideas in Containers,’ *Ceramics: Art and Perception* (No.32, 1998).

杨·霍尔科姆（Jan Holcomb），1945年出生于美国华盛顿特区。霍尔科姆于1968年和1974年分别获得密歇根大学安娜堡分校的艺术和美术学士学位，并于1977年在加利福尼亚州立大学获得陶瓷硕士学位。霍尔科姆曾两次获得国家艺术教育奖（1979、1988），目前是罗德岛设计学院的陶瓷讲师。他在独立创作雕塑的同时，也创作公共雕塑壁塑作品。他的作品大多在表达人类现状中的弱点和缺陷。作品被选入纽约美国工艺博物馆举办的特展“物理的诗歌”（1986～1988）、俄亥俄州托莱多艺术博物馆“乔治和多萝西萨克斯藏品展”、加利福尼亚州新港艺术博物馆、史密森美国艺术博物馆、圣路易斯艺术博物馆的展览等。Garth Clark, *American Ceramics* (New York: Abbeville Press, 1987).

尼古拉斯·霍莫基（Nicholas Homoky），1950年出生于匈牙利的萨瓦尔。于1956年随家人移居英国。1970年至1973年就读于英国布里斯托理工学院，1973年至1976年就读于伦敦皇家艺术学院学习绘画、雕塑、设计和制图，所有这些学习的成果都在他随后的陶瓷作品中都成为明显的元素。霍莫基这样说他自己：“（我）需要找到一种能够在保持实用功能的同时，还可以纯粹表达自我的材料。我最终选择使用陶瓷，因为它就是唯一符合这种要求的创作媒介。”艺术家着迷于在作品中制造对立：黑色对着白色、线条对着造型、确切的功能对着贫乏的外观等。作品参加了众多展览，并被洛杉矶县艺术博物馆、伦敦维多利亚和阿尔伯特博物馆、荷兰鹿特丹博伊曼斯·范贝因根博物馆等收藏。John Fowles and Nicholas Homoky, *Nicholas Homoky* (Yoevil: Marston House, 1997).

谢尔盖·伊苏波夫（Sergei Isupov），1963年出生于俄罗斯斯塔夫拉波尔。1982年，伊苏波夫在乌克兰国立艺术学校学习，1990年，他在爱沙尼亚塔林艺术学院获得陶瓷学士和硕士学位。1993年，伊苏波夫从爱沙尼亚移民到美国，并将肯塔基州作为自己的工作场所。他的作品是将人体形态进行复杂组合的混合体，作品中很少看到有坚硬的转折，但在形式上结合了很多微妙扭曲和转折的成分，从而形成作品表面的过渡。他的这些形象在直观上是动态的、直立的，但从人物表情上仍然能明显感觉受到一些倾斜和扩散着的重力的痛苦影响。所有这些形式上的迂回过渡，无论是图像还是色彩，都被作品超现实的表面所强化，刚刚显示的看似可能是人体的某些部位，稍微一转，可能会变成野兽，也可能是身体会变成了脸等。艺术家试图表达人类自身动物性欲的本能及其身处文明社会时复杂的社会成分，这些叙事本质上是深层次的问题，它们对视觉完整性要求很高。一旦完成，这种超现实的处理可以给观众留下了丰富的叙事空间。伊苏波夫通过在作品表面绘出有体操意象的形象，将二维叙事融入他的超-隐喻的叙事人物中，这些画面图像和雕塑形象交替地融合，最终使他作品精致的形式感膨胀开来。伊苏波夫在罗得岛设计学院和北卡罗来纳州彭兰工艺学院短期任教，获得了史密森工艺展最高卓越奖（1996）。个展包括纽约IU画廊、迈阿密（费林画廊）、亚特兰大康奈尔画廊、旧金山多萝西·维斯画廊、洛杉矶县艺术博物馆、北卡罗来纳州“铸造”工艺与设计博物馆、威斯康星州查尔斯·伍斯图姆美术馆等。作品被爱沙尼亚塔林应用艺术博物馆、俄罗斯应用艺术博物馆、乌克兰当代陶瓷博物馆、挪威奥斯陆应用艺术博物馆、“铸造”工艺与设计博物馆、洛杉矶县艺术博物馆等收藏。Leon Nigrosh, ‘Erotica in Ceramic Art, Sexual, Sensual and Suggestive,’ *Ceramics: Art and Perception* (No.38, 1999); Leslie Ferrin, *Teapots Transformed: Exploration of an Object* (Madison: Guild Books, 2000); and Garth Clark, *The Artful Teapot* (New York: Watson-Guptill, and London: Thames Et Hudson, 2001).

道格·杰克（Doug Jeck），1963年出生于美国新泽西州泽西市。杰克于1986年在田纳西州阿巴拉契亚艺术和工艺中心获得学士学位，并于1989年在芝加哥艺术学院获得硕士学位，目前在华盛顿大学西雅图分校任教。1989年，杰克作品获得芝加哥艺术学院展览奖，1990年获得国家艺术教育学会（NEA）颁发的视觉艺术家奖，并两次获得弗吉尼亚A.格罗特基金（1997、1998）。杰克创作了他称之为“人类物体（the Human Objects）”的精确细节表达的具象雕塑。他在处理这些极端写实的人类形态时，或去除了某些人体附属部分，或添加了拜物教式的物件。他的作品被洛杉矶县艺术博物馆、约翰逊蜡像馆、纽约阿尔弗雷德的舍因·约瑟夫国际陶瓷艺术博物馆收藏。Peter Selz, ‘Doug Jeck at Dorothy Weiss,’ *Art in America* (Sept 1997); and Eric Fredericksen, ‘The Body Made Strange, Familiar Monsters,’ *The Stranger* (May 1998).

芭芭拉·卡斯（Barbara Kaas），1963年出生于德国瓦登。卡斯曾就读于卢森堡艺术与艺术学院（1983～1985）和格伦豪森学院（1990～1993）。自1999年以来，她一直是格伦豪森陶艺社的一员。1989年卡斯获得了莱茵-普法尔茨的青年陶艺家奖，自1991年以来她参加了欧洲的许多展览。

马丁·博迪尔森·卡道尔（Martin Bodilsen Kaldahl），1954年出生于丹麦兰德斯。卡道尔于1990年在伦敦皇家艺术学院获得陶瓷和玻璃硕士学位，目前在丹麦设计学院任教。1996年获得了丹麦当代艺术基金奖。卡道尔的作品表面哑光处理的肌理感，虽然可能会暗示出一种实用功能的可能性，但他的作品还是属于是大尺寸的极少主义抽象形式的作品。他在伦敦巴雷特/马斯登画廊、哥本哈根的诺比画廊、巴黎的克拉拉·斯克里米尼画廊举办个展。他的作品被英格兰当代艺术学会、丹麦格里默胡斯陶瓷博物馆、瑞典罗什卡博物馆等机构收藏。

雅克·考夫曼（Jacques Kaufmann），1954年出生于摩洛哥卡萨布兰卡，1974年至1977年在瑞士日内瓦装饰艺术学院学习，1984年至1986年担任卢旺达行动陶瓷项目负责人。考夫曼曾任日内瓦应用艺术中心主任（1994～1995），1995年在瑞士维维艺术学院担任应用艺术教授。他的作品经常将模块化的砖块作为简单但重要的建筑元素的起点。他大量的展览记录包括在瑞士卢塞恩船头画廊、瑞士海马特沃克美术馆、瑞典斯德哥尔摩波拉斯画廊、瑞士日内瓦贝兹纳·祖弗里画廊、荷兰德文特陶瓷美术馆举办的个展。作品被日内瓦阿瑞亚娜博物馆、德国柏林美术馆、瑞士卢塞恩装饰艺术博物馆、埃弗森艺术博物馆、法国尼翁历史与瓷器博物馆、新西兰奥克兰应用艺术博物馆、韩国首尔当代艺术博物馆收藏。*Kerameiki Techni* (21, 1995); and *Ceramics: Art and Perception* (No.20, 1995).

北村顺子（Junko Kitamura），1956年出生于日本京都，1987年从京都艺术大学获得硕士学位，目前工作室在东京，曾获滋贺县立艺术展大奖（1983），参加京都工艺美术展（1984、1985）、克罗地亚萨格勒布世界小型三年展陶瓷展（1997）。北村的黑色陶器用拉坯制成，她会用一片光滑的竹刀，趁湿将写意几何图案仔细地压到作品表层，并用白色纸片填充凹痕，创造出一种独特的镶嵌形式。北村的作品多次在日本和美国展出，在日本东京小柳画廊和纽约加思·克拉克画廊举办个展。她的作品被伦敦大英博物馆、东京现代艺术博物馆、纽约布鲁克林艺术博物馆、华盛顿国家博物馆等机构收藏。

辛迪·科洛齐耶斯基（Cindy Kolodziejski），1962年出生于德国奥格斯堡。科洛齐耶斯基在加州奥蒂斯艺术学院拉尔夫·巴塞拉指导下学习并获得学士学位，并在加州大学长滩加利分校托尼·马什指导下获得硕士学位。她有着高度熟练的绘画技巧，却在注浆容器上创造出亲密但不雅的图像。无论是从她自己的个人经历还是放在艺术史中，这些具有挑衅性的作品讲述的故事都令人震惊。不过最近，她的作品场景中出现了一种超现实的镜像失真，人造金属式样的底座和把手的技巧处理为这位年轻艺术家的作品整体增添了完美的印象。自1988年以来，她多次参加个人和团体展览，作品被纽约美国工艺博物馆、洛杉矶县艺术博物馆、“铸造”工艺与设计博物馆、台北历史博物馆、日本信乐当代陶艺博物馆等机构收藏。Jo Lauria, ‘Pluperfect—The

Painted Narrative Vessels of Cindy Kolodziejski,' *Ceramics: Art and Perception* (No.19, 1995); Stephen Luecking, *Cindy Kolodziejski* (New York: Garth Clark Gallery, and Los Angeles: Frank Lloyd Gallery, 1999).

霍华德·科特勒（Howard Kottler），1930年出生于美国俄亥俄州克利夫兰。科特勒曾就读于俄亥俄州立大学，1952年获得学士学位，1956年获得硕士学位（1957年还获得了密歇根州克兰布鲁克艺术学院的硕士学位），1964年获得博士学位。1961年至1964年，他在俄亥俄州立大学任教，从1964年开始直到1989年在华盛顿大学西雅图分校去世，他一直都是陶瓷雕塑运动中最有影响力的艺术家之一。可以说，仅仅凭着对陶瓷材料的使用和他的瓷盘作品，科特勒、迈克尔·弗里姆凯斯就已经能成为20世纪60年代后期真正的后现代主义者了。他餐盘风格的早期经典作品使用被批量商业生产成陶瓷花纸的大众艺术形象，比如像达·芬奇《最后的晚餐》和《蒙娜丽莎》、托马斯·盖恩斯伯勒的《蓝色男孩》和格兰特·伍德的《美国哥特式》的图像等，然后重新拼贴。在他的教学影响下涌现出一批成功的艺术家：杰奎琳·赖斯、迈克尔·卢塞罗、马克·伯恩斯等，当然还有其他人。他在1957年获得了富布赖特奖，1975年获得了NEA奖。科特勒参与了很多展览，到1978年，他已经在美国举办了上百次个展。但他倾向于在较小的场地进行展览，避开更具影响力的主流画廊。他甚至从1981年到1987年退出了展览圈，直到由华盛顿州贝尔维尤艺术博物馆组织第一次大型个展，才得以看到他带着近十年的作品归来。莱马尔·哈林顿在他这次展览上写道，"到处充满着华丽的微妙之处，这就像走进科特勒私人收藏的仪式器具——幽默、讽刺、能量、欢乐、性、生命和另一个宇宙之神的仪式器皿"。作品被纽约大都会博物馆、纽约美国工艺博物馆、洛杉矶县艺术博物馆、"铸造"工艺与设计博物馆、埃弗森艺术博物馆等机构收藏。Patricia Failing, *Howard Kottler: Face to Face* (Seattle: University of Washington Press, 1995).

乔伊斯·科兹洛夫（Joyce Kozloff），1942年出生于美国新泽西州萨默维尔。科兹洛夫于匹兹堡卡内基理工学院获得学士学位（1964），1967年在哥伦比亚大学获得硕士学位。科兹洛夫是1999年至2000年意大利美国研究院朱尔斯·盖林奖获得者。两次获得NEA奖（1977、1985），曾在美国多所大学任教，自1998年起在缅因州斯科维根绘画和雕塑学院任职。科兹洛夫是20世纪70年代末和80年代初"图案和装饰运动"的成员之一，与画家罗伯特·库什纳和陶艺家贝蒂·伍德曼等艺术家合作，于1980年设计了一系列陶瓷器皿。科兹洛夫主要专注于公共艺术，表达她在女性艺术方面的积极立场。她参加的展览跨越30多年，包括在纽约DC摩尔画廊、纽约佩森画廊、纽约洛伦斯·蒙克画廊、布法罗尼娜·弗洛伊登海姆画廊、洛杉矶罗伯特·伯曼画廊、华盛顿特区南希·德赖斯代尔画廊、旧金山奥利奇画廊、纽约芭芭拉·格莱斯顿画廊等举办个展。科兹洛夫的作品被纽约布鲁克林艺术博物馆、纽约大都会博物馆、"铸造"工艺与设计博物馆、纽约现代艺术博物馆、华盛顿史密森美国艺术博物馆、华盛顿特区国家妇女艺术博物馆、纽约惠特尼美国艺术博物馆等收藏。Patricia Johnston, Hayden Herrera, and Thalia Gouma-Peterson, *Joyce Kozloff: Visionary Ornament* (Boston: Boston University Art Gallery, 1986); and Akkiko Busch, 'Accessories of Destination: The Recent Work of Joyce Kozloff,' *American Ceramics* (Vol.12, No.1, 1995).

查尔斯·克拉夫特（Charles Krafft），1947年出生于美国西雅图。克拉夫特是一位自学成才的艺术家，虽然大部分陶艺作品都利用了艺术家对荷兰代尔夫特陶瓷传统的掌握，但表达内容毫无疑问使其具有鲜明的政治性和当代性。比如仅仅因为我们已经习惯一个用形式和表面构建出预设内容的传统，克拉夫特通过修改战时历史（带点不招人待见的偏见），就在这个特定传统中深深地歪曲了我们的期望。克拉夫特用经典的代尔夫特陶瓷蓝白两色描绘了泰坦尼克号沉没等令人震惊的人类死亡事件，但他颠覆了传统中为这些事件设立纪念碑的意味，而是使用了描述恐怖事件的版本，包括描绘有二战期间在德累斯顿城市上空战斗机飞行画面的盘子，以及欢迎英国轰炸机的铭文等。克拉夫特用标准的代尔夫特陶瓷图案装饰，复制了历史上秘密警察在战争特定时期使用的武器。克拉夫特两次获得了纽约艺术链接（ArtsLink/CEC）基金（1995、1997）。三十多年来，他多次举办个展，包括在芝加哥亚伦·帕克画廊、纽约加思·克拉克画廊、西雅图市瓷绘谵妄别墅、西雅图戴维森画廊、辛辛那提当代艺术中心、西雅图美术馆、英国斯托克斯波德博物馆、阿姆斯特丹"艺术厨房"展等。克拉夫特的作品被华盛顿州沃特科姆历史与艺术博物馆；华盛顿州西北艺术博物馆收藏。Paul Scott and Terry Bennett, *Hot Off the Press* (London: Bellew Publishing, 1996); Paul Scott and Laura Hamilton, *The Plate Show* (Glasgow: Collins Gallery, 1998); Charles Krafft, 'Disasterware,' *American Ceramics* (Vol.10, 1993); and Charles Krafft, 'Villa Delirium Delft Works,' *Ceramics Monthly* (Sept 1998).

安妮·克劳斯（Anne Kraus），1956年出生于美国新泽西州肖特希尔斯。在宾夕法尼亚大学获得学士学位后，克劳斯于1982年获得了纽约州阿尔弗雷德大学的学士学位。她热爱绘画，通过绘画在她的器皿上创造了叙事场景，在单件作品上会出现许多不同的图像和精心绘出的文字，混合在一起试图呈现出人类在现实和未知之间脆弱平衡的场景。这是一种克劳斯在她所有作品中都深埋进了的一种心理状态。她的作品风格最近有了新的突破，她用鲜活的梦境日记作为灵感来源，把大量绘有各种画面的彩色瓷砖直接悬挂吊在墙上。作品被许多公共机构收藏，包括洛杉矶艺术博物馆、休斯敦美术馆、纽瓦克博物馆、卡内基艺术博物馆、埃弗森艺术博物馆、日本信乐当代陶艺博物馆、伦敦维多利亚和阿尔伯特博物馆等。Jo Lauria, *Color and Fire* (Los Angeles: Los Angeles County Museum of Art, and New York: Rizzoli, 2000); and Garth Clark, *Anne Kraus: A Survey* (New York: Garth Clark Gallery, 1998).

丹尼尔·克鲁格尔（Daniel Kruger），出生于南非开普敦。克鲁格尔于1971年至1972年就读于南非斯特伦博什大学，1973年至1974年就读于开普敦的迈克利斯美术学院。1974年，他移居德国，与赫尔曼·容格一同在慕尼黑完成大学学业。他的教学经历很活跃，曾在伦敦皇家艺术学院、罗德岛设计学院、东京水野珠宝专门学校担任客座导师。20世纪90年代，他开始更多转向对陶瓷和金属的创作研究，从1980年起，克鲁格尔的作品就在欧洲各地多次参展。Justin Hoffman, et al., *Daniel Kruger Keramiek* (Munich: Museum für Völkerkunde, 1993).

戈尔特·莱普（Geert Lap），1951年出生于荷兰温洛。莱普于1976年至1979年在阿姆斯特丹的荷兰格里特·里特维尔德美术学院学院学习。莱普的后极少主义器皿自1980年以来引起陶艺界的广泛关注，目前由纽约加思·克拉克画廊代理。除了他的创作外，莱普还为荷兰科鲁姆工厂制作了一些很有特点的设计。他的作品收藏在鹿特丹博伊曼斯·范·贝乌尼根博物馆、哈勒姆的弗朗斯·哈尔斯穆瑟姆、阿姆斯特丹城市博物馆、汉堡工艺博物馆、柏林工艺博物馆、纽约大都会艺术博物馆、纽约国家设计博物馆、洛杉矶县艺术博物馆、加拿大蒙特利尔艺术博物馆等。Garth Clark and Erik Beenker, *Geert Lap—The Thrown Form* (Rotterdam: Museum Boijmans van Beuningen, 1989); and Allaard Hidding, *Geert Lap–99 Variations* (Leeuwarden: Museum het Princesshof, 1993).

让-皮埃尔·拉罗克（Jean-Pierre Larocque），1953年出生于加拿大魁北克省蒙特利尔。拉罗克在蒙特利尔康科迪亚大学学习，1986年获得学士学位，1988年在纽约阿尔弗雷德大学获得硕士学位。1988年至1997年在加州大学长滩分校任教，现在在蒙特利尔生活和工作。他的作品主要是巨大的具有革命性的人头雕塑和尺寸较小但视觉效果同样强大的马，曾多次参展，并在密歇根州芬代尔A画廊、旧金山多萝西·维斯画廊、纽约加思·克拉克画廊举办个展。他的作品被"铸造"工艺与设计博物馆、阿肯色艺术中心、纽约阿尔弗雷德国际陶瓷艺术博物馆收藏。George Melrod, 'Dynamic Disarray,' *American Ceramics* (Vol.12, No.2, 1996); and Karen L. Kleinfelder, *Jean-Pierre Larocque: Palimpsest* (Ferndale: Revolution, 1996).

詹姆斯·劳顿（James Lawton），1976年在佛罗里达州立大学学习陶瓷设计，1980年在路易斯安那州立大学获得陶瓷硕士学位。自1986年以来，劳顿在芝加哥和纽约阿尔弗雷德大学等地担任过多个教职，目前是马萨诸塞州大学达特茅斯分校陶瓷系副教授。他获得的众多奖项中包括两项NEA视觉艺术奖（1984、1986）。自1979年以来，劳顿在美国和欧洲举办了40多次讲座。虽然他的图案表面通常具有强烈的图形属性，但劳顿利用微妙的色调和光晕将图案融入陶土表面，使图形在观众的眼睛里开始产生出从陶瓷表面飘浮出来的视觉错觉，他对设计的敏锐感觉总在对器皿造型的抒情平衡表达中体现出来。当然不仅是这些，他在作品中将一些自己的元素融入陶器传统的领域，包括完美的工艺和流畅的结构。劳顿的个展包括在费城陶艺画廊、波士顿莫比利亚画廊、芝加哥1021号画廊、纽约加思·克拉克画廊、埃弗森艺术博物馆、明尼阿波利斯北方陶艺中心、日本信乐当代陶艺博物馆举办的展览等。作品被洛杉矶县艺术博物馆、伦敦维多利亚和阿尔伯特博物馆、"铸造"工艺与设计博物馆、佐治亚艺术博物馆永久收藏。Jo Lauria, *Color and Fire* (Los Angeles: Los Angeles County Museum of Art, and New York: Rizzoli, 2000); and Susan Peterson, *Contemporary Ceramics* (New York: Watson-Guptill, 2000).

陈景亮（Ah Leon），1953年出生于台湾。1976年，阿亮放弃了家族的农场，去了台湾艺术大学学习。1978年至1982年，他在台湾各地与不同的陶工一起学习。阿亮先是受到宜兴五百年传统的启发，然后受到美国陶艺家理查德・诺金作品的鼓励进行创作。阿亮为紫砂这一低温红陶写实雕塑领域带来了新的雄心，他把通常是迷你尺寸的紫砂雕塑体量扩大，并利用他多年使用泥片制作器皿的背景最终创造出在他那个时代最具说服力和诱惑力的超写实雕塑。他的18米长的桥梁作品在1997年华盛顿特区史密森国家博物馆弗雷尔画廊策划的展览中达到高潮。他在阿姆斯特丹、台北和纽约多次展出了他的作品。作品被华盛顿国家博物馆阿瑟・M・萨克勒画廊、纽约大都会博物馆、“铸造”工艺与设计博物馆、台北历史博物馆、台北故宫博物院收藏。阿亮是茶道导师，也是《紫玉砂金》和《茶壶世界》刊物的顾问。Ah Leon, ‘14 Principles of a Good Teapot,’ *Ceramics Monthly* (June-August 1991); and Claudia Brown, Garth Clark, David Wible, and Jan Stuart, *Beyond Yixing: The Ceramic Art of Ah Leon* (Taipei: Purple Sands Publishers, 1998).

玛丽莲・莱文（Marilyn Levine），1935年出生于加拿大阿尔伯塔省。莱文首先在阿尔伯塔大学学习化学，1957年获得学士学位，1959年获得硕士学位。此后，她在加拿大里贾纳艺术学院学习艺术。1970年，她获得加州大学伯克利分校的硕士学位（雕塑），毕业后，她在加拿大和美国任教。她曾多次在纽约O. K.哈里斯画廊、旧金山蕾娜・布朗斯滕画廊举办个展。莱文的作品采用了一种视觉材料转换的方法，使黏土具有皮革的外观，她制作了各种背包、手提箱和其他物品，这将她的艺术与超现实主义运动联系起来。1972年，她参加了纽约西德尼・贾尼斯画廊举办的“直视现实主义”展，该展览被认为是为这一流派定义的展览之一。1999年，加拿大里贾纳的麦肯齐艺术画廊组织了一次她的大型回顾展。Sidney Janis, *Sharp Focus Realism* (New York: Sidney Janis Gallery, 1972); and Maija Bismanis, *Marilyn Levine* (Regina: MacKenzie Art Gallery, 1998).

亚历山大・里奇瓦尔德（Alexander Lichtveld），1953年出生于荷兰阿姆斯特丹。1973～1978年，里奇瓦尔德在阿姆斯特丹的格里特・里特维尔德美术学院学习陶瓷，他的工作室也在阿姆斯特丹。里奇瓦尔德的作品从展台上的雕塑到室外装置作品，尺寸变化很大，但始终保持建筑形式的主题。曾于1991年把大阪高尔夫球场入口设计成一件作品。他曾多次在欧洲、美国和日本举办个展，阿姆斯特丹的玛丽亚・查卢克斯画廊、日本西田画廊、加思・克拉克画廊等。他的作品被荷兰阿姆斯特丹城市博物馆、韩国沃克艺术中心、埃弗森艺术博物馆等收藏。Karin Gaillard, *Contemporary Dutch Ceramics* (The Hague, 1988); *Opening Project*, European Ceramic Work Center (EKWC) Foundation ('s-Hertogenbosch: EKWC, 1991); Sabrina Kamstra, *As Far As Japan* ('s-Hertogenbosch: KW 14, 1996); and Geert Staal, *By-Lingual Sculpture* (Nara, Japan: Nishida Gallery, 1986).

安德鲁・罗德（Andrew Lord），1950出生于英格兰罗奇代尔。1966年至1968年，罗德在罗奇代尔艺术学院学习，1971年前在伦敦圣马丁艺术与设计学院学习陶瓷。毕业后，搬到阿姆斯特丹，并在一家备受推崇的创新画廊“艺术与事件”举办个展。1981年，罗德在纽约的布鲁姆・赫尔曼画廊举办了他的第一次展览，此后他与伦敦的安东尼・德奥菲画廊、瑞士苏黎世布鲁诺・比肖夫伯格美术馆、纽约安德烈・艾姆里奇画廊等合作。他的作品曾多次参加团体和个人展览，1995年，他成为纽约惠特尼美国艺术博物馆双年展的艺术家之一。他的作品目前由纽约高古轩画廊代理，在纽约和新墨西哥州卡森市都有工作室。他的作品熟练运用了从塞尚到毕加索和布拉克等现代画家对几何学、静物画和挪用的复杂概念。作品被收藏在各种公共藏品中，包括阿姆斯特丹城市博物馆、鹿特丹博伊曼斯范贝乌尼根博物馆、洛杉矶县艺术博物馆、伦敦维多利亚和阿尔伯特博物馆等。Christopher Knight, *Andrew Lord* (New York: BlumHelman, 1984); and James Schuyler, *Poems: Andrew Lord, Sculptures* (Zürich: Edition Bruno Bischofberger, 1992).

弗兰克・路易斯（Frank Louis），1966年出生于德国汉诺威。就读于尼德海音学院（1988～1993）和比尔登德艺术学院（1996～2000），并在索林根设有工作室。曾在意大利法恩扎国际陶艺展（1995）获得银奖，1996年获得理查德・班皮奖。路易斯的雕塑从内容上使用了有机概念，由柔软的波浪形构成的双层壁组建作品，通常还会在烧制完成的坯体上使用非陶瓷材料。从1993年开始，艺术家作品多次参展，并入选西班牙巴伦西亚Wramica de Manises博物馆主办的双年展（1995）、德国克拉米昂欧洲陶艺展（1996）等，并于2000年在德国杜塞尔多夫赫特延斯博物馆举办个展。Sally Schoene, ‘Frank Louis: Playing with Contrasts,’ *Kerameiki Techni* (Aug 2000); and Antje Soleau, ‘Frank Louis: From Ceramist to Sculptor,’ *Neue Keramik* (Jan/Feb 2001).

迈克尔·卢塞罗（Michael Lucero），1953年出生于美国加州特瑞希。卢塞罗于1975年在加利福尼亚州洪堡州立大学获得学士学位，并于1978年在华盛顿大学西雅图获得硕士学位。之后他搬到了纽约，在纽约州韦切斯特郡建立了工作室，同时在意大利也有工作室。自1977年以来，他举办了100多场团体展览和个人展览，曾在纽约举办过多次单人展览，先是与查尔斯·考尔斯画廊合作，目前与大卫·贝泽尔画廊、旧金山多萝西·维斯画廊合作。他获得了福特基金（1977）、国家艺术教育奖（1979、1981、1984）和创意艺术家公共服务计划（1980）。1976年，获得纽约当代工艺博物馆颁发的美国青年奖。他的作品被亚特兰大高地艺术博物馆、华盛顿特区赫什霍恩博物馆和雕塑园、纽约大都会博物馆、“铸造”工艺和设计博物馆、纽约新当代艺术博物馆、西雅图艺术博物馆、俄亥俄州托莱多艺术博物馆等收藏。1996年“铸造”工艺与设计博物馆组织了一次卢塞罗的大型回顾展，展出了他在美国的作品。Mark R. Leach and Barbara Bloemink, *Michael Lucero: Sculpture* 1976–1995 (New York: Hudson Hills Press, 1996).

玛丽莲·里索埃尔（Marilyn Lysohir），1950年出生于美国宾州沙伦。里索埃尔在意大利维罗纳国际研究中心学习（1970～1971）。她于1972年获得俄亥俄州北部大学的学士学位，1979年获得华盛顿州立大学的硕士学位。她曾在美国各地及加拿大、澳大利亚、丹麦和非洲的学校讲学。里索埃尔获得过众多奖项，比如NEA视觉艺术奖（1989）、爱达荷州艺术委员会奖（1993、1995）。她的作品通常体量极其大，洛杉矶评论家苏珊娜·穆奇尼奇认为她的作品是奇怪的载体，如果从军事渗透的侵略角度看，里索埃尔在装饰和政治主张之间走着一条极不稳定的路线。她的个展包括在洛杉矶阿舍/福雷画廊、加思·克拉克画廊、西雅图琳达·霍奇斯画廊、福斯特/怀特画廊、爱达荷丹尼斯·奥奇美术馆、俄亥俄威尔逊艺术中心、爱达荷博伊西艺术博物馆、加拿大安大略省汉密尔顿美术馆等。参加的群展的展馆包括纽约美国工艺博物馆、得克萨斯州圣安杰洛美术馆、密歇根西巴里斯画廊、西雅图威廉·特拉弗画廊、堪萨斯拜伦·C·科恩画廊、丹麦海明博物馆、华盛顿贝尔维尤艺术博物馆、华盛顿州塔科马艺术博物馆等的展览。Garth Clark, *American Ceramics* (New York: Abbeville Press, 1987).

菲利普·马贝里（Phillip Maberry），1951年出生于美国得州斯坦福市。马贝里先是在东得克萨斯州立大学习商业，1975年获得学士学位，然后在卫斯理大学完成了研究生学位，1975至1976年，马贝里在纽约布鲁克林艺术博物馆学校和宾夕法尼亚州费城的织物工作室工作。马贝里使用陶瓷，同时也使用色彩涂料、织物、旧货店发现的现成品和组装物品等，来创作具有高度装饰感的室内空间。他早期作品专注于制作带有有机或几何装饰的注浆成型的陶瓷物件，后来作品吸收了20世纪50年代装饰艺术中使用的抽象形式。1981年，他入选纽约惠特尼美国艺术博物馆双年展，创作了一个展厅大小的装饰装置，从那时起，他开始使用瓷砖装置、壁画，甚至在浴室和厨房等公共和私人区域进行创作。他近来在马萨诸塞州的私人住宅中设计了一个约25 000平方英尺的墙面和地面装饰组合的复杂环境，包括一个完整的室内游泳池。马贝里参加了数十个大型展览，并定期在纽约的海德尔/罗德里格斯画廊、加思·克拉克画廊举办个展。作品被洛杉矶县艺术博物馆、伦敦维多利亚和阿尔伯特博物馆收藏。Garth Clark, *The Artful Teapot* (New York: Watson-Guptill, and London: Thames Et Hudson, 2001).

詹姆斯·马金斯（James Makins），1946年出生于美国宾夕法尼亚州约翰斯顿。马金斯于1968年在宾州艺术大学获得学士学位，在密歇根州克兰布鲁克艺术学院获得艺术硕士（1973）。目前在宾州艺术大学任教。马金斯拥有丰富的教学经历，包括在纽约帕森斯设计学院（1979～1982）和新社会研究学院（1970～1990）任职。获得的奖项包括：NEA奖（1976、1980、1990）、韩国国际陶瓷双年展奖银奖（1997）、第49届意大利法恩扎国际艺术展等（1998）等。马金斯作品主要以瓷质材料为主，以他独特的拉坯痕迹创作出实用性或非实用性的作品。他从1969年开始就举办个展，包括在旧金山多萝西维斯画廊、纽约Dai Ichi画廊、波兰Zacheta画廊、首尔汉南画廊、瑞士洛桑米迪画廊、巴黎装饰艺术博物馆、“铸造”工艺与设计博物馆、美国工艺博物馆、新西兰道斯艺术博物馆等。他的作品收藏在美国工艺博物馆、埃弗森艺术博物馆、费城艺术博物馆、日本信乐当代陶艺博物馆、史密森美国艺术博物馆等。Bert Carpenter, ‘James Makins,’ *American Ceramics* (Vol.10, No.4, 1993).

波蒂尔·曼兹（Bodil Manz），1943年出生于丹麦哥本哈根。1961至1965年在哥本哈根艺术与工艺学院学习，1966年在墨西哥和美国加利福尼亚大学伯克利分校学习，在伯克利期间与彼得·范克思的接触使她从传统的教育限制和期望中解放出来。曼兹回到丹麦后，开始制作令人印象深刻的极为简约和现代主义式的筒形器皿。她目前的瓷器作品多是以注浆成型，利用瓷泥材料的半透明性将绘在筒形内外表面的不同图案融合在一起。曼茨曾多次获得丹麦国家艺术基金，是日本美浓大赛和克罗地亚世界小型陶瓷三年展大奖赛一等奖获得者，入选20世纪末意大利法恩扎国际陶瓷博物馆双年展。她是《陶瓷：艺术与感知》编辑珍妮特·曼斯菲尔德选择的当世十位陶艺家之一，作品被瑞典斯德哥尔摩国家博物馆、台北美术馆、赫尔辛基装饰艺术博物馆、荷兰王子博物馆、德国克拉米昂欧洲陶艺馆、洛杉矶县艺术博物馆、匹兹堡卡内基艺术博物馆收藏。Doris Kuyken-Schneider, 'Bodil Manz's Cylinders,' *Ceramics: Art and Perception* (No.27, 1997); David Revere McFadden and Ursula Ilse-Neuman, *Defining Craft 1-Collecting for the New Millennium* (New York: American Craft Museum, 2000); and Le Ministère Danois des Affaires Culturelles, *Bodil et Richard Manz* (Paris: Le Fonds National pour l'Art Danois, 1986).

托尼·马斯（Tony Marsh），1953年出生于美国纽约市。1978年获得加州大学长滩分校的学士学位。1978至1981年间，他在日本益子担任岛冈（Shimaoka）的助理。马斯的作品将碗状容器和静物元素结合出了鲜明的当代视觉语言。一些简朴但有趣物体的缩小版物件装满他的碗，这些物件在被分类为物体还是工具的界线并不明晰，暗示了静物组成的成分。论精确程度这些物体都像手术般细致准确，但形式和相互作用上又是轻松愉快的。通常，马斯会强制性地在他的容器和容器内所包含的形状表面钻满小孔，就像绘画是从生活中捕捉三维立体形式，并在二维中呈现出静止的平面那样，他倾向对雕塑表面进行统一和扁平化的处理，使我们感觉到他将静物的雕塑语言升华。自1980年以来，马斯多次举办了个展，包括在纽约加思·克拉克画廊、洛杉矶弗兰克·劳埃德画廊、底特律斯威德勒画廊、东京匠人（Takumi）画廊、加州太平洋格罗夫艺术中心的个展。他的作品被密歇根克兰布鲁克艺术博物馆、洛杉矶县艺术博物馆、东京匠民间艺术画廊收藏。Susan Peterson, *Contemporary Ceramics* (New York: Watson-Guptill, 2000); Martha Drexler Lynn, *Clay Today: Contemporary Ceramists and their Work* (San Francisco: Chronicle Books, 1990); and Garth Clark, *The Artful Teapot* (New York: Watson-Guptill, and London: Thames Et Hudson, 2001).

保罗·马蒂厄（Paul Mathieu），1954年出生于加拿大魁北克。马蒂厄于1982年获得魁北克大学版画学士学位，1984年在旧金山州立大学获得文学硕士学位，1987年在加州大学洛杉矶分校获得美术硕士学位。他的奖项包括加拿大艺术委员会颁发的“A”奖（1996）和Jean A. Chalmers国家手工艺奖（2000）。马蒂厄有过在加拿大、美国和墨西哥多地执教的经历，目前在温哥华艾米莉·卡尔艺术与设计学院任教。马蒂厄在谈到自己的作品时说：“之所以对装饰关注，是因为装饰中有来自对抗、政治化和潜在干扰性图像的挑战，传统自然的陶器形式与装饰表面整体感如何与装饰中被极端化图像打破的平衡，是我对陶瓷装饰研究的核心问题。”艺术家的作品已多次在加拿大多伦多普莱米（Prime）画廊以团体和个展形式展出，另外还有卡尔加里大步画廊、蒙特利尔芭芭拉·西维尔伯格画廊、纽约南希·马戈利斯画廊、纽约加思·克拉克画廊、安大略省伯灵顿艺术中心、多伦多加德纳陶瓷艺术博物馆、纽约埃弗森艺术博物馆等。马蒂厄的作品被伦敦维多利亚和阿尔伯特博物馆、加拿大蒙特利尔艺术学院、日本信乐当代陶艺博物馆、洛杉矶县艺术博物馆等收藏。Garth Clark, *The Eccentric Teapot* (New York: Abbeville Press, 1989); Gloria Lesser, 'Getting to the Heart of the Matter,' *Ceramics: Art and Perception* (No.28, 1997); and Paul Bourassa, *Foulem, Mathieu, Milette* (Quebec: Musée du Quebec, 1997).

松本秀雄（Hideo Matsumoto），1951年出生于日本京都。1975年，松本秀雄获得东京农业科技大学的农业学士学位，1980年获得京都城市艺术大学的陶瓷学士学位，1982年在同一学校获得了硕士学位。松本还曾就读于匈牙利国际陶瓷工作室（1984）和德国斯图加特艺术学院（1985），现任教于京都经济大学陶瓷专业。他获得过很多奖项，包括第二届日本美浓国际陶瓷双年展铜奖（1989）。松本的作品充满工业功能气息，他将陶土看作自己所理解的更大的工业概念的一部分，通过用陶材料精心设计制作的看似金属悬臂结构，用雕塑展开了一种处于停滞状态的工业传送带的神秘画面。虽然他的作品中所有物件在相互作用、张力和平衡功能上都指向有着某种具体的目的，但我们仍然无法理解他作品所试图建立的内容，因为我们对它们的陌生感恰恰来自一直存在于秘密或世俗领域中一种看似完全理解的熟悉感。松本在日本和欧洲多次展出了他的作品，包括在京都中村画廊、横滨目黑画廊、东京森美术馆、斋藤萩顶层画廊、匈牙利山羊文化中心、日本大阪国立艺术博物馆、丹麦米德尔法特陶瓷博物馆、荷兰范博梅尔博物馆、波兰瓦尔布雷齐奇地区博物馆的个展。作品被日本信乐当代陶艺博物馆、日本大阪国立艺术博物馆、伦敦维多利亚和阿尔伯特博物馆、德国科拉米翁博物馆收藏。Tomio Sugaya, 'Hideo Matsumoto,' *Ceramics: Art and Perception* (No.24, 1996); and Tomio Sugaya, *Metamorphosis of Contemporary Ceramics* (Shigaraki, Japan: The Museum of Contemporary Ceramic Art, 1991).

贝弗利・马耶里（Beverly Mayeri），1940年出生于美国纽约。马耶里于1967年获得加州大学伯克利分校的学士学位，1976年获得旧金山州立大学的硕士学位，获得NEA的视觉艺术家奖（1982、1988）、弗吉尼亚A.格罗特奖（1991）。马耶里以细长的雕塑形式为人熟知，她将人物形象拉伸和切薄，用丙烯颜料处理雕塑表面，使作品增添了柔和感，使超现实主义作品过于视觉冲击的强度小了不少。马耶里曾在旧金山的多萝西・维斯画廊、芝加哥周长画廊、伯明翰的罗伯特・基德画廊举办个展。她参加了许多重要的展览，包括2000年在加利福尼亚州洛杉矶县艺术博物馆举行的“色彩与火焰：1950～2000，工作室陶艺的决定时刻”。Jo Lauria, *Color and Fire* (Los Angeles: Los Angeles County Museum of Art, and New York: Rizzoli, 2000); Garth Clark, *American Ceramics* (New York: Abbeville Press, 1987); and Cheryl White, 'Beverly Mayeri,' *American Ceramics* (Vol.12, No.3, 1997).

理查德・米莱特（Richard Milette），1960年出生于加拿大魁北克省。他于1978至1982年在维耶蒙特利尔学校学习，1983年在新斯科舍艺术与设计学院获得学士学位，目前在蒙特利尔生活和工作。他在纽约南希・马戈利斯画廊、洛杉矶加思・克拉克画廊、多伦多Prime画廊、蒙特利尔的芭芭拉・西尔弗伯格画廊举办了个展。参加的群展包括蒙特利尔Liue Quest画廊、加拿大玛西尔博物馆、纽约埃弗森艺术博物馆、纽约美国工艺博物馆等。Paul Bourassa, *Foulem, Mathieu, Milette* (Quebec: Musée du Quebec, 1997); and Leslie Ferrin, *Teapots Transformed: Exploration of an Object* (Madison: Guild Books, 2000).

史蒂文・蒙哥马利（Steven Montgomery），1954年出生于美国底特律。蒙哥马利于1976年从密歇根大峡谷州立学院学习哲学，获得文学学士学位，后于1978年从天普大学获得艺术硕士学位。他曾在天普大学任教，现在在纽约大学担任兼职教师。蒙哥马利的陶艺作品制造了一种介于在机械物和人工制品、器物和工具之间的某种时间与物理空间的悬置状态。他注浆成型的陶瓷提供了超真实的金属表面假象，但这种金属表面是以非常严重的腐蚀状态出现在作品中，表明这些物体曾经有过难以理解的某种历史信息。艺术家对陶土这种转化能力感兴趣，这使他能够在这个方向上挖掘并找到自己的技术语言。在对待材料和造型之间何为真实的形式上，他的作品提供出某些悖论——他的器物给人一种是被冻结的工业物体的感觉。但奇怪的是这些物体并不是被永久冻结，而是似乎陷入某种被侵蚀的停滞状态的熵中。1990年，艺术家获得纽约艺术基金会的艺术家奖。1999年，获得纽约波洛克/克拉斯诺基金奖，这在陶瓷领域很少见。蒙哥马利在美国和国外多次举办展览，包括在旧金山的多萝西・维斯画廊、纽约O. K.哈里斯画廊、纽约加思・克拉克画廊、纽约南希・马戈利斯画廊的个展。他的作品被大都会博物馆、华盛顿史密森美国艺术博物馆、纽约埃弗森艺术博物馆、“铸造”工艺和设计博物馆、日本信乐当代陶艺博物馆收藏。Garth Clark, *The Eccentric Teapot* (New York: Abbeville Press, 1989); Robert C. Morgan, *Steven Montgomery* (New York: O. K. Harris Gallery, and Syracuse: Everson Museum of Art, 1998); Garth Clark, *The Artful Teapot* (New York: Watson-Guptill, and London: Thames Et Hudson, 2001); and Rita Reif in *New York Times:* Art and Architecture (December, 6 1998).

朱迪・穆内利斯（Judy Moonelis），1953出生于美国纽约皇后区。穆内利斯拥有天普大学学士学位（1975）和纽约州阿尔弗雷德大学硕士学位（1978）。她是20世纪80年代来自纽约苏荷区新一波硬核、原始、具象表现主义艺术中的重要力量，这波来自苏荷区的艺术大爆炸虽然短暂，但大部分参与的艺术家都进入了新美国艺术运动的主流。穆内利斯曾两次获得NEA个人奖（1980、1986），1991年获得弗吉尼亚・A・格罗特基金。自1999年以来，穆内利斯一直是新泽西州费尔利・迪金森大学的常驻艺术家，曾在纽约约翰・埃尔德画廊、费城的陶艺画廊、旧金山雷娜・布朗斯滕画廊、费城海伦・德鲁特画廊、匹兹堡曼彻斯特工匠协会举办个展。作品被纽约美国工艺博物馆、克兰布鲁克艺术博物馆、克兰布鲁克艺术学院、纽约埃弗森艺术博物馆、宾夕法尼亚美术学院、华盛顿特区史密森美国艺术博物馆收藏。Karen Chambers, 'Judy Moonelis,' *American Ceramics* (Vol.13, No.2, 1999).

托马斯・纳瑟（Thomas Naethe），1954年出生于德国柏林。纳瑟于1973至1976年在德国科罗塞尔巴赫的史里斯勒（Schliessler）手下学徒。随后，他在国立陶瓷设计技术学校、德国格伦豪森学院学习（1978～1981），1981年获得硕士和设计师文凭。1982年至1988年，他在德国比彭与丽塔・特恩斯共同合作成立了工作室，并自1988

年起参与了乌兹拉特/埃菲尔的一个联合工作室课程。他曾两次（1982、1992）被授予德国陶瓷协会的韦斯特瓦尔德奖。纳瑟的炻器朝向简化形式的设计感非常强。他的容器通常放置在基座上，基座同时强化了器形的雕塑感，同时也利用了轮廓中凸和凹线之间建立的视觉关系。他提到他的作品很关注基座的表面和颜色，特别是“它们分离、但同时又统一了各个部分的关系”。他的作品通常由几个刚刚拉出的坯组装而成。通过使用色浆、色盐、瓷泥浆、氧化物和白色长石釉来增强器物表面的雕塑张力。Marlene Jochem, ‘Thomas Naethe: Vessel Compositions,’ *Neue Keramik* (Jan/Feb 2001).

罗恩·纳格尔（Ron Nagle），1939年出生于美国加州旧金山。1961至1978年，纳格尔在旧金山州立学院获得学士学位后，偶尔在旧金山艺术学院、加州大学伯克利分校、加州工艺美术学院以及其他几所学校教学。他从1960年起就与围绕在彼得·范克思周围所谓抽象表现主义陶瓷团体建立了联系，其中两位成员肯·普莱斯和迈克尔·弗里姆凯斯对他的影响最大。1963年，在洛杉矶的费鲁斯画廊观看了乔治·莫兰迪的作品展览后，他决定把创作注意力聚焦到杯子造型这样一种看似狭隘的焦点上。从那时起，使用这个小小的形象创作差不多构成了纳格尔整个的艺术创作生涯。1990至1999年，他获得奥克兰米尔斯学院的教师研究资助，目前任教于这所学院。1968年，他的第一次个展在旧金山的迪莱西画廊举行。此后，他一直在旧金山的码头Quay画廊、纽约查尔斯·考尔斯画廊、旧金山雷娜·布朗斯滕画廊、纽约加思·克拉克画廊展出，纳格尔举办了30多次个展，1993年，米尔斯学院美术馆组织了“罗恩·纳格尔1958年至1993年回顾展”。他的作品被匹兹堡卡内基艺术博物馆、“铸造”工艺和设计博物馆、费城艺术博物馆、荷兰城市博物馆、荷兰赫特·克鲁伊特博物馆、伦敦维多利亚和阿尔伯特博物馆、旧金山现代艺术博物馆等收藏。纳格尔获得了众多奖项和奖金，包括NEA（1974、1979、1986）、Mellon基金会（1981、1983）和Flintridge基金会视觉艺术奖（1998）等。Jane Adlin, *Contemporary Ceramics: Selections from The Collection in the Metropolitan Museum of Art* (New York: The Metropolitan Museum of Art, 1998); Garth Clark, *American Potters: The Work of Twenty Modern Masters* (New York: Watson-Guptill, 1981); John Coplans, *Abstract Expressionist Ceramics* (Irvine, CA: University of California, 1966); Michael McTwigan, *Ron Nagle: A Survey Exhibition 1958–1993* (Oakland, CA: Mills College Art Gallery, 1963); and Jo Lauria, *Color and Fire* (Los Angeles: Los Angeles County Museum of Art, and New York: Rizzoli, 2000).

中村锦平（Kohei Nakamura），1948年出生于日本金泽。1973年获多摩美术大学学士学位。1979年，中村获日本文化事务厅首批国家奖学金，1989年获得当代陶瓷大奖赛八木一夫奖。他的作品多次在日本和美国展出，包括东京的田村画廊和小柳画廊、大阪班画廊、纽约加思·克拉克画廊、日本信乐当代陶艺博物馆、韩国首尔国家当代艺术博物馆、滋贺现代艺术博物馆、东京国立现代艺术博物馆等举办个展。他的作品被滋贺现代艺术博物馆、日本国立现代艺术博物馆、山口县美术馆、纽约埃弗森艺术博物馆、纽约大都会艺术博物馆等收藏。Alexandra Munroe, ‘The Art of Kohei Nakamura,’ *American Ceramics* (Vol.12, No.1, 1995); and Tomio Sugaya, *Metamorphosis of Contemporary Ceramics* (Shigaraki, Japan: Museum of Contemporary Ceramic Art, 1991).

芭芭拉·南宁（Baabara Nanning），1957年出生于荷兰海牙。南宁曾在阿姆斯特丹荷兰格里特·里特维尔德美术学院学院（1993）和阿姆斯特丹Hoge 美术学院（1994～1995）担任讲师，1992年获得新西兰奥克兰弗莱彻奖。南宁的作品往往呈现为尺寸巨大、色彩妖艳的有机形，20多年前她就开始创作类似的作品，通常她的作品也会被设计成公共雕塑。包括荷兰马斯特里赫特的展览、汉堡“L”画廊、巴黎克拉拉·斯克雷米尼画廊、东京小柳画廊、纽约南希·马戈利斯画廊、伦敦画廊视角、阿姆斯特丹Witte Voet画廊、荷兰鹿特丹马斯美术馆等举办个展。她的作品被荷兰城市博物馆、鹿特丹博伊曼斯范贝乌尼根博物馆、荷兰恩舍德国家博物馆、波士顿美术博物馆、日本信乐当代陶艺博物馆、巴黎图案与装饰艺术博物馆、韩国首尔大都会博物馆收藏。Tomio Sugaya, *Metamorphosis of Contemporary Ceramics* (Shigaraki, Japan: Museum of Contemporary Ceramic Art, 1991); Sabrina Kamstra, *As Far As Japan* ('s-Hertogenbosch: KW 14, 1996); and Liesbeth Cromelin, *Travels in Time and Space* (Amsterdam: Keramiek Atelier, 1988).

阿尔特·尼尔森（Art Nelson），1942出生于美国科罗拉多州丹佛。尼尔森曾就读于科罗拉多大学，1964年获得学士学位，1969年在加利福尼亚州奥克兰加州工艺美术学院获得硕士学位，同年，他开始在加州工艺美术学院任教，此外，尼尔森还是积极参与科勒艺术与工业展览项目的艺术家之一。尼尔森是一名出色的技术人才，可以承担技术流程的任务，并能在几周内掌握新技术，这使得他的作品风格发生过几次根本性的转变，从看似由镀铬金属和皮革制成的作品，到带有强烈性爱色彩超大比例的超现实主义作品，到明显是后现代主义风格的色彩鲜艳的嵌套容器等。Garth Clark, *American Ceramics* (New York: Abbeville Press, 1987); *and* Charles Fiske ‘Art Nelson’, *American Ceramics* (Vol.2, No.1, 1983).

马特·诺兰（Matt Nolen），1960年出生于美国佛罗里达州基韦斯特。诺兰在获得奥本大学学士学位（1983）前，曾就读于加兹登博物馆学校（1969～1975）。目前他的工作室在纽约市。诺兰于1995年获得NEA地区奖（中大西洋）及两次帝国工艺联盟奖（1991、1995）。他的作品每一件功能都看似不同，但总体来说诺伦的作品非常像在制造一场“交通堵塞”，当代生活中的神经官能征在他的叙事容器的外侧吵闹着上演。他的个展记录包括在纽约阿琼画廊、加思·克拉克画廊、南希·马戈利斯画廊、费城海伦·德鲁特画廊、华盛顿特区南希·德莱斯代尔画廊、西雅图威廉·特拉弗画廊、堪萨斯城海豚画廊、马萨诸塞州㘵林画廊等。他的作品被加拿大班夫艺术中心、纽约国家设计博物馆、纽约埃弗森艺术博物馆等机构收藏。Peter Dormer, *The New Ceramics: Trends Et Traditions* (London: Thames Et Hudson, 1995).

理查德·诺金（Richard Notkin），1948年出生于美国芝加哥，1970年在肯·弗格森指导下在堪萨斯艺术学院获得学士学位，1973年作为罗伯特·阿纳森的学生之一，他在加州大学戴维斯分校获得硕士学位。诺金作为职业艺术家，将工作室设在蒙大拿州的海伦那。他是阿尔奇布雷陶瓷艺术基金会的董事会成员。诺金曾多次访问中国，他深受宜兴陶瓷悠久传统的影响并对制作视觉“逼真的假象”产生了浓厚的兴趣。他学习借鉴了宜兴制壶精确细腻的方法，将作品作为自己风格的延伸，认为艺术应该关注社会活动。十多年来，他用茶壶这种微小的形式来试图关注美国在世界各地的军事冒险和可疑的外交政策，特别是有关核武器和能源的话题。1990年和1999年由西雅图艺术博物馆策划的个展“浓茶”和“通道”展是两次专门针对诺金作品的巡回博物馆展览。诺金的作品被纽约大都会博物馆、纽约国家设计博物馆、匹兹堡卡内基艺术博物馆、威斯康星查尔斯·乌斯图姆美术馆、“铸造”工艺与设计博物馆、加拿大蒙特利尔装饰艺术博物馆、荷兰城市博物馆、日本信乐当代陶艺博物馆、伦敦维多利亚和阿尔伯特博物馆等重要机构收藏。Vicki Halper, *Strong Tea* (Seattle: Seattle Art Museum, 1990); and Louana M. Lackey, ‘Not Just Another Pretty Vase,’ *Ceramics Monthly* (October 2000).

麦德琳·奥杜多（Magdalene Odundo），1950年出生于肯尼亚内罗毕。奥杜多在她的家乡和印度新德里上学，1971年，她移居英国，就读于剑桥艺术学院（1971～1973），西萨里艺术与设计学院（1973～1976）和伦敦皇家艺术学院（1979～1982）。她用泥条盘筑成型并抛光打磨表面的制陶方式显示她受了家乡肯尼亚非洲制陶的影响，1977年，在伦敦非洲中心举办了第一次个展，此后，她在英国、欧洲和美国多次展出。1995年，“陶的姿势：玛格达琳·奥杜多的新器皿”大型展览在美国巡回展出。她的作品被洛杉矶县艺术博物馆、纽约大都会博物馆、伦敦维多利亚和阿尔伯特博物馆、荷兰赫特·克鲁伊特博物馆及其他博物馆收藏。Marla C. Berns, *Ceramic Gestures: New Vessels by Magdalene Odundo* (Santa Barbara: University Art Museum, University of California, 1995); and Yvonne Joris, John Picton and Geert Staal, *Magdalene Odundo* ('s-Hertogenbosch: Museum het Kruithuis, 1994).

劳森·奥耶坎（Lawson Oyekan），1961年出生于英国伦敦。奥耶坎毕业于伦敦圣马丁艺术与设计学院的三维设计和陶瓷学士学位（1988）。1990年，他在伦敦皇家艺术学院获得了陶瓷和玻璃硕士学位。他同时使用陶泥和瓷泥创作，作品上通常有大小各种开口，包括穿透器壁的孔洞，这样可以让观众以各种视角进入作品。他的作品偶尔会呈现出与非洲风景相似的印象。奥耶坎的展览记录包括在纽约加思·克拉克画廊、伦敦的金丝雀码头/巴雷特/马斯登画廊、斯图加特的彼得·赫尔曼画廊、荷兰格罗宁根的安德维尔德画廊、英国巴斯的布鲁顿画廊、布鲁塞尔的Botier12画廊、莱斯特城市画廊的展览。作品被洛杉矶县艺术博物馆、英国牛津大学马格达伦学院、英国希普利博物馆、日本信乐当代陶艺博物馆收藏。Pamela Johnson, ‘Dimensions of Light,’ *Crafts* (Jan/Feb 1994); and Barry Schwabsky, ‘Lawson Oyekan,’ *American Craft* (Aug/Sept 2000).

佩卡·塔皮奥·派卡里（Pekka Tapio Paikkari），1960年出生于芬兰萨梅罗。派卡里在芬兰的库皮欧手工艺与设计学院学习，曾在赫尔辛基阿拉伯博物馆工作。自1983年以来，派卡里两次获得芬兰政府的艺术奖金（1991、1998），他巨大而醒目的作品往往会反映出大自然中的戏剧性力量，尽管这些在他的工作室中还看不出来。他的个展包括在赫尔辛基布隆达画廊、芬兰皮诺切卡画廊、赫尔辛基阿拉伯博物馆、赫尔辛基艺术与设计博物馆等。他的作品被赫尔辛基艺术设计博物馆、赫尔辛基阿拉伯陶瓷博物馆、伦敦维多利亚和阿尔伯特博物馆、意大利法恩扎陶瓷博物馆、日本信乐当代陶艺博物馆、瑞典霍加纳斯陶瓷博物馆等收藏。

格里高里·帕耶（Gregory Payee），1956年出生于加拿大艾伯塔省埃德蒙顿。帕耶于1977年在加拿大阿尔伯特大学获得学士学位，1987年在新斯科舍艺术与设计学院获得硕士学位，帕耶获得了多项奖项，包括路易丝·麦金尼学术卓越奖（1984）、多伦多艺术品奖（1994）和加拿大委员会“A”奖（1999）等。帕耶作为多伦多Prime画廊的签约艺术家，自1985年以来多次在美国和加拿大展出。他的作品被加拿大班夫艺术中心、澳大利亚堪培拉艺术学院、瑞士的U.B.S.银行国际收藏。Greg Payce, ‘A Workable Studio,’ *Contact Magazine* (Winter 1995, No.99).

英戈·佩德森（Inge Pederson），1961年出生于挪威奥斯陆。佩德森于1990年从挪威奥斯陆国立艺术与设计学院硕士毕业后，在挪威阿克斯胡斯学院产品设计系任教。佩德森的陶艺是大型作品，作品由模块化的砖块搭建，内部由看不见的金属骨架构成。他的奖项包括新人奖（1991）、材料奖（1996）和国家艺术家奖（1997）等。个展包括在挪威奥斯陆艺术家协会画廊、挪威卑尔根霍达兰艺术中心、挪威特隆赫姆特的隆德拉格艺术中心等举办的个展。佩德森的作品被挪威文化事务委员会、挪威奥斯陆应用艺术博物馆收藏。Torbjorn Kvasbo and Jorunn Veiteberg, eds, *Norwegian Contemporary Ceramics* (Amsterdam: Arti et Amicitiae, 1999).

古斯塔沃·佩雷斯（Gustavo Perez），1950年出生于墨西哥城。佩雷斯在墨西哥国立自动化大学（1967～1971）和墨西哥设计与艺术学院（1971～1973）学习工程、数学和哲学，他与恩里克·兰格尔、费利佩·巴塞纳斯和马丁·利马一起学习。自1976年以来，他的作品在世界各地多次参展，包括墨西哥瓜纳华托的迭戈·里维拉博物馆（1995）、瑞士RSrstrand的瓷器博物馆（1999）。佩雷斯在美国的个展主要由加州圣莫尼卡的弗兰克·劳埃德画廊负责，他的作品在多家博物馆收藏，包括日本信乐当代陶艺博物馆、墨西哥城现代艺术博物馆、洛杉矶县艺术博物馆等。Alfonso Colorado and Segio Pitol, *Gustavo Perez: Ceramica* (Mexico City: Museo de Arte Moderno, 2000).

格雷森·佩里（Grayson Perry），1960年出生于英国伦敦。佩里先是在英国的博瑞恩特里学院（1978～1979），之后在朴次茅斯理工学院学习电影（1979～1982）。佩里以其坚定的反手工艺态度和激进的艺术表达立场——变装、乱伦而闻名（至少以陶瓷标准而言）。比如代表作品《可怕的孩子》就在英国、法国和美国多次参展。自1984年以来，佩里的个展包括在伦敦的安东尼·多菲画廊和劳伦特·迪莱画廊、纽约的加思·克拉克画廊。他曾入选伦敦巴比肯艺术画廊（1993）的“生与熟”展、伦敦手工艺委员会主办的“堕落”（1999）展、荷兰城市博物馆主办的佩里回顾展（2002）等。Louisa Buck, *Moving Targets: A User's Guide to British Art Now* (London: Tate Gallery Publications, 1997); Garth Clark, *The Potter's Art: A Complete History of Pottery in Britain* (London: Phaidon, 1995); and Tanya Harrod and Martin Bodilsen Kaldahl, *British Ceramics.2000.dk* (Middelfart, Denmark: Keramikmuseet Grimmerhus, 2000).

格温·汉森·皮戈特（Gwyn Hanssen Pigott），1935年出生于澳大利亚。皮戈特曾在墨尔本大学和新南威尔士州米塔贡当地的陶坊学习，获得弗莱彻挑战赛奖（1993、1995）、澳大利亚艺术委员会奖（1999）等。皮戈特精巧的柴烧瓷器器皿本身就是一件艺术品，它们微妙的釉色和优雅平衡的造型显示了艺术家在极为多变的烧成工艺下对陶瓷处理的灵巧和熟练。皮戈特对器物的布置与画家莫兰迪的风格类似，将立体物以静物化地放置，使她的容器组从工艺和技术的完美范例中得到提升，笼罩着她的器皿群的宁静显示了在看似轻松的形态组合和柔和变换的色调背后的深思熟虑。她的展览记录包括在纽约加思·克拉克画廊、昆士兰美术馆、澳大利亚克里斯蒂·阿伯拉罕画廊、布里斯班菲利普·培根画廊、布里斯班玛格丽特·弗朗西画廊、加拿大温哥华工艺美术馆、密苏里州Pro-Art画廊举办的个展。作品被阿德莱德南澳大利亚美术馆、澳大利亚国家美术馆、北爱尔兰贝尔法斯特博物馆、伦敦大不列颠手工艺协会、巴斯霍尔伯恩博物馆和手工艺研究中心、加拿大温尼伯博物馆等机构收藏。

杰奎琳·庞塞莱特（Jacqueline Poncclet），1947年出生于比利时。庞塞莱特在英国伍弗汉普顿艺术学院获得了陶瓷学士学位（1969），并在伦敦皇家艺术学院获得陶瓷硕士学位（1972），目前在伦敦金史密斯学院和伦敦坎伯威尔艺术学院任教。她的早期作品是小型但精致透薄的加色剂的骨瓷器皿。后来，作品转向使用陶质材料并趋向更粗犷的美学，直至1986年她放弃陶瓷材料跳向其他材料。自1972年以来，庞塞莱特的作品定期在欧洲和美国展出，包括伦敦英国工艺委员会画廊（1977、1981）和纽约的马克斯·普洛特画廊（1986）。她的作品曾入选数十项英国大型陶瓷展，包括由牛津现代艺术博物馆策划的“生与熟”（1993）和“装饰的崇高”（1996）。1978年庞塞莱特获得了英国文化协会资助赴美，并于1983年获得英国文化协会资助在日本的展览。作品被世界各地博物馆收藏，包括荷兰博伊曼斯范贝乌尼根博物馆、大不列颠艺术委员会、汉堡艺术博物馆、纽约现代艺术博物馆、挪威卑尔根的维斯特兰斯科博物馆等。Tanya Harrod, *The Crafts in Britain in the Twentieth Century* (London: Yale University Press, 1999); David Hamilton, *Pottery and Ceramics* (London: Thames & Hudson, 1974); Oliver Watson, *British Studio Pottery* (London: Phaidon Press, 1990); Anatol Orient, ‘The Pleasure of Stuff,’ *Ceramic Review* (Sept/Oct 2000); and Garth Clark, *The Potter's Art: A Complete History of Pottery in Britain* (London: Phaidon, 1995).

肯·普莱斯（Ken Price），1935年生于美国加州洛杉矶。普莱斯曾就读于南加州大学圣莫尼卡学院（1956年获得学士学位），曾在乔纳德艺术学院和洛杉矶城市学院选了一些课。对他来说，决定性的教育影响来自洛杉矶（后来被称为奥蒂斯）艺术与设计学院，在那里他与彼得·范克思和他的学生们约翰·梅森、迈克尔·弗里姆凯斯和亨利·竹本一起学习，这些与范克思一起的组合成为之后抽象表现主义陶瓷运动的核心。1958年，普莱斯重新回到学校，就读于纽约阿尔弗雷德大学。1960年，回到洛杉矶的普莱斯应欧文·布鲁姆邀请他在费鲁斯（Ferus）画廊举办第一场个展。费鲁斯画廊是洛杉矶当时前卫艺术家们的聚集地，包括约翰·奥尔顿、约翰·梅森、罗伯特·欧文、比利·本斯顿、爱德华·凯因霍尔茨和其他一些人在内，普莱斯之后继续在美国和国外频繁参展，1992年，大卫·惠特尼在休斯敦策划了梅尼尔收藏的普莱斯回顾展，之后也在明尼阿波利斯的沃克艺术中心展出。他的作品被包括在他那个时代一些最重要的当代艺术展中，他在洛杉矶的费鲁斯画廊和詹姆斯·考克伦画廊举办了多次个展，在纽约的查尔斯·考尔斯画廊、威拉德画廊和利奥·卡斯泰利画廊举办了个展。他的作品被许多公共机构收藏，包括纽约大都会博物馆、惠特尼美国艺术博物馆、纽约现代艺术博物馆、洛杉矶县艺术博物馆、得州达拉斯艺术博物馆、荷兰的克鲁修斯博物馆等。John Coplans, ‘The Sculpture of Ken Price,’ *Art International* (March 1964); John Coplans, *Abstract Expressionist Ceramics* (Irvine, CA: University of California, 1966); Garth Clark, *A Century of Ceramics in the United States, 1878–1978* (New York: E. P. Dutton, 1979); Richard Marshall and Suzanne Foley, *Ceramic Sculpture: Six Artists* (New York: Whitney Museum of American Art, 1982); and Ed Lebow, *Ken Price* (Houston: Houston Fine Art Press, 1992).

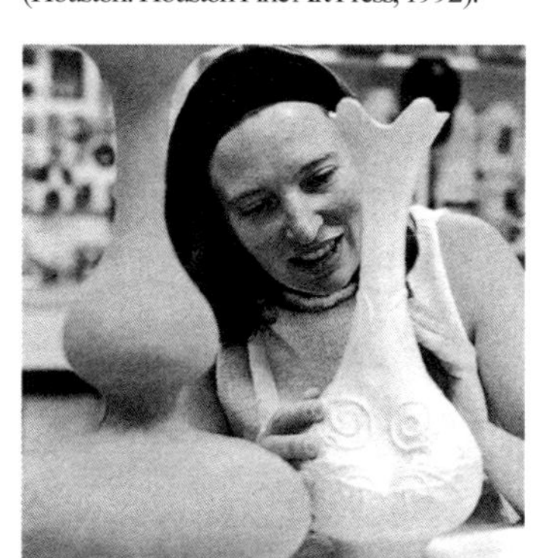

珍妮·奎恩（Jeanne Quinn），1966年出生于美国加州雷默尔。奎恩1988年在俄亥俄州奥伯林学院获得学士学位，1995年在华盛顿大学西雅图分校获得硕士学位。她的作品展览包括在华盛顿州柯克兰艺术中心举办的“无题：新雕塑之土”（1995）个展、芝加哥丽丽街画廊个展“叙事容器”（1996）、西雅图福斯特/怀特画廊个展“我是佩内洛普，我不是佩内洛佩”（2000）、丹佛视觉艺术中心个展“高度”（2000）等。1995年，获得华盛顿大学Lambda Rho奖、两次阿尔奇布雷陶瓷艺术基金会的艺术家驻地（1996、1998）。Soyon Im, ‘Spouting Off: Neither/Both—Works by Jeanne Quinn,’ *Eastside Week Seattle* (December 24, 1997);

and Mary Voelz Chandler, 'Breaking the Volume Barrier,' *Denver Rocky Mountain News* (March 31, 2000).

艾尔莎·拉迪（Elsa Rady），1943年出生于美国纽约市。拉迪1962～1966年在洛杉矶的乔纳德艺术学院学习，入选洛杉矶县艺术博物馆“美国工匠”展（1966）、洛杉矶手工艺与民间艺术博物馆《手工艺中的女性》（1977）、华盛顿特区史密森美国艺术博物馆“美国瓷器”（1980）和洛杉矶县艺术博物馆：“颜色与火：1950年至2000年工作室陶艺的决定性时刻”（2000）等展览。拉迪在洛杉矶亚努斯画廊和纽约神圣所罗门画廊举办了多次个展，1993年，加州圣巴巴拉艺术博物馆对她的作品举办了一次研讨会：“以静物摄影师的视角看拉迪陶瓷的器皿”。由作品收藏家罗伯特·马普雷索普主持讨论。1981年，拉迪获得了NEA奖金，1983年获得了加州艺术委员会奖金。她的作品被众多公共机构收藏，包括查尔斯·乌斯图姆美术馆、丹佛艺术博物馆、大都会博物馆、伦敦维多利亚和阿尔伯特博物馆等。Craig R. Miller, *Modern Design, 1890–1990* (New York: The Metropolitan Museum of Art, 1990); Jan Axel and Karen McCready, *Porcelain: Traditions and New Visions* (New York: Watson Guptill, 1981); and John Perreault, *Elsa Rady: Lily* (New York: Holly Solomon Gallery, 1990).

大卫·里甘（David Regan），1964年美国出生于美国纽约州布法罗。里甘1986年在纽约罗切斯特理工学院获得学士学位，1990年在纽约阿尔弗雷德大学获得硕士学位。自1991年以来，里甘在纽约加思·克拉克画廊和加州弗兰克·劳埃德画廊举办了多次个人展览，并被列入美国工艺博物馆举办的美国青年团体展（1989），入选威尔士阿伯里斯特威斯艺术中心：“美国方式：美国陶艺的实用和功能之道”（1993）、纽约大都会博物馆当代陶瓷藏品展（1998）、洛杉矶县艺术博物馆：“颜色和火：1950年至2000年工作室陶瓷的决定时刻”大展等。他的作品被纽约大都会博物馆、洛杉矶县艺术博物馆等机构收藏。Jo Lauria, *Color and Fire* (Los Angeles: Los Angeles County Museum of Art, and New York: Rizzoli, 2000); Christopher Knight, 'David Regan,' *Art Issues* (Jan/Feb 1997); and David Pagel, 'Vessels of Meaning,' *Los Angeles Times* (October 17, 1996).

尼古拉斯·雷纳（Nicholas Rena），1963年生于英国伦敦。雷纳先在英国剑桥大学获得学士学位，1986年又获得建筑学硕士学位。直到1992年，他一直担任各种项目的建筑师，包括备受争议的伦敦大英图书馆。1993年，他回到校园重新学习，在伦敦皇家艺术学院的马丁·史密斯和艾莉森·布莱顿的指导下获得了陶瓷硕士学位。他的厚壁容器系列把淡墨色泥的表面处理成天鹅绒的质感，极简主义的造型既有建筑风格，又有拟人风格，在很短的时间内就引起了相当大的关注。他曾在纽约加思·克拉克画廊、伦敦当代应用艺术中心、伦敦巴雷特/马斯登画廊、爱丁堡的苏格兰画廊、剑桥林恩·斯托弗画廊、牛津美术馆举办个展。Tanya Harrod and Martin Bodilsen Kaldahl, *British Ceramics.2000.dk* (Middelfart, Denmark: Keramikmuseet Grimmerhus, 2000).

马可波罗·保罗·罗拉（Marco Paulo Rolla），1967年出生于巴西的多明戈。罗拉于1990年从米纳斯吉拉斯联邦大学获得学士学位，并在荷兰阿姆斯特丹的视觉艺术学院学习。自1986年以来，罗拉在巴西、德国和荷兰举办了多次个展，包括巴西圣保罗的三角之家。他的作品曾入选巴西里约热内卢现代艺术博物馆的群展、德国多特恩豪森、赫尔辛基的穆画廊、意大利皮斯托莱托基金会举办的群展。他曾两次获得里约热内卢富纳特的阿基西科奖及巴西圣保罗当代艺术博物馆的普雷米奥·埃德加·冈瑟·德·皮图拉奖。他的作品被圣保罗当代艺术博物馆、圣保罗伊塔乌文化研究所、贝洛奥里藏特州立地平线文化中心收藏。Edward Lucie-Smith, 'Memento Mori,' *Crafts* (May/June 2000).

弗里茨·罗斯曼（Fritz Rossmann），1958年出生于德国科恩。罗斯曼曾在格伦豪森高等教育学院陶艺系学习（1975～1978），并在格伦豪森的德国国家陶瓷学院学习（1980～1983）。自1992年以来，他一直与格伦豪森陶艺社保持着联系，作品也开始在世界大展中出现，包括意大利法恩扎第45届国际陶艺双年展（1985）、第十一届法国瓦洛里斯双年展（1987）、新西兰第16届弗莱彻挑战赛国际陶瓷竞赛（1992）、德国汉诺威展（1995）、德国埃克恩福德博物馆展（1999）等。1986年和1992年，罗斯曼两次在日本美浓国际陶艺竞赛中获得荣誉奖。1989年，他获得莱茵-普法尔茨国家奖。作品被德国杜塞尔多夫赫特延斯博物馆、德国克莱米翁博物馆、芬兰IRIS国际当代陶瓷，以及意大利卡斯泰利国际陶瓷艺术收藏。

朱迪思·萨洛蒙（Judith Salomon），1952年出生于美国罗德岛。萨洛蒙在北卡罗来纳州彭兰工艺学校学习（1974～1975），1975年获得纽约罗切斯特美国手工艺学校学士学位，在纽约阿尔弗雷德大学获得硕士学位。萨洛蒙是俄亥俄州克利夫兰艺术学院的副教授，她通过手工成型的方式，将对结构主义的克制情感与自己对比例和构图精致优雅的审美相调和，在器皿制作中找到一种独特的表达方式，她创作的这些容器大多是表面有色彩鲜艳的低温釉几何组合。她的作品被克利夫兰艺术博物馆、曼彻斯特美术馆、“铸造”工艺与设计博物馆、洛杉矶县艺术博物馆、伦敦维多利亚和阿尔伯特博物馆等机构收藏。Jonathan Fairbanks and Angela Fina, *The Best of Pottery* (Boston: Rockport Publishers, 1996).

阿德里安·萨克斯（Adrian Saxe），1943年出生于美国加州格伦代尔。萨克斯于1965年至1969年在洛杉矶的乔纳德艺术学院与拉尔夫·巴塞拉一起学习。1974年，萨克斯从加利福尼亚艺术学院（乔纳德后来的名字）获得学士学位。1973年至今，他一直引领加州大学洛杉矶分校陶瓷系的教学。萨克斯获得了许多奖项和研究资助，包括1986年NEA的视觉艺术家奖和政府美国/法国交流奖。1983年，萨克斯成为美国第一位在巴黎国立塞弗尔工业制造实验研究与创作工作室工作的艺术家。萨克斯早期对作品进行过雕塑形式的探索，但很快就发现自己被器皿和陶瓷的品质吸引，这反过来又引起了他对18世纪宫廷瓷器中兼收并蓄的各种独特语言的兴趣。萨克斯对技术掌握的极端天赋并没有削弱他在对作品思考中的智力优势。评论家杰夫·佩罗内就提醒观众不要误认为萨克斯的陶瓷装置就是仅仅字面上的“安装一下”的含义。“在某种程度上，组成经典作品的工艺没有什么是随意的：如何能把娴熟的技术展示看作是作品的内容，而不仅仅是结束内容的手段，这才是最困难的主题”（佩罗内，1984）。2000年，萨克斯参加了洛杉矶J. 保罗·盖蒂博物馆策划的“启程——盖蒂美术馆的11位艺术家”展，萨克斯将一组放大的器皿摆在一张巨大的法国巴洛克时期的桌子上（约1745年），器皿顶上是荷兰18世纪中期雕刻的木制台灯，形成一个房间大小的巨大装置。萨克斯的作品被很多重要的艺术机构收藏，包括洛杉矶县艺术博物馆、荷兰克鲁修斯博物馆、纽约大都会博物馆、华盛顿特区史密森学会美国艺术国家博物馆、巴黎艺术与装饰博物馆、伦敦维多利亚和阿尔伯特博物馆、日本信乐当代陶艺博物馆等。他从1963年首次个展以来，已经举办过多次个展，在纽约加思·克拉克画廊、加州圣莫尼卡的弗兰克·劳埃德画廊并在美国和日本巡展。Martha Drexler Lynn, *The Clay Art of Adrian Saxe* (London: Thames Et Hudson, and Los Angeles: Los Angeles County Museum of Art, 1993); Jeff Perrone and Peter Schjeldahl, *Adrian Saxe* (Kansas City: University of Kansas, 1987); Jeff Perrone, ‘Porcelain and Pop,’ *Arts Magazine* (March 1984); Christopher Knight, ‘The Global Potter,’ *Los Angeles Times* (November 24, 1991); and David Pagel, ‘Adrian Saxe’s Sexy Pots,’ *Art Issues* (Jan/Feb 1993).

芭芭拉·施密特（Barbara Schmidt），1967年出生于德国柏林。施密特曾在德国哈勒艺术与设计学院（1986～1991）和芬兰赫尔辛基艺术与设计大学（1994～1995）学习。作品入选1995年意大利法恩扎国际陶艺双年展（1997）、瑞士陶艺三年展（1997）、日本美浓国际陶艺双年展（1998）、比利时比尔夸的奥尔登·比森城堡展等。施密特自1994年以来获得了许多奖项，包括阿拉伯基金会奖（1995）、Thüringer Preis设计奖（1998）、Form设计奖（1994、1997、1999）、法兰克福联邦手工艺奖、日本优秀设计奖（1999）等。

保罗·斯科特（Paul Scott），1953年出生于英格兰，毕业于圣马丁学院（1977），同时也是威尔士斯旺西大学建筑材料学士，他多次在英国美国和斯堪的纳维亚半岛各地的大学授课，目前是英国纽卡斯尔大学高级研究员，曾两次获得匈牙利Kecskemet英国文化协会和北方艺术基金会国际陶艺奖（1997、1998）。斯科特对工业餐盘设计无尽的热爱，使餐盘图案设计这个谦逊的图标提供出无限的可能性。他的展览记录包括在北卡夏洛特灯厂、英国班克菲尔德博物馆、瑞典斯德哥尔摩古斯塔夫斯堡瓷器博物馆和康斯特法克画廊、苏格兰克劳福德艺术中心、德国精密机械博物馆、英国拉夫德工艺中心、匈牙利Kecskemet国际陶瓷工作室、比利时安特卫普Cirkel工作室等地的展览。作品被纽卡斯尔艺术中心、克利夫兰当代艺术收藏。Paul Scott and Terry Bennett, *Hot Off the Press* (London: Bellew Publishing, 1996); Paul Scott and Laura Hamilton, *The Plate Show* (Glasgow: Collins Gallery, 1998); Paul Scott, *Painted Clay, Graphic Arts and the Ceramic Surface* (London: A Et C Black, 2001); and Stephanie Brown and Paul Scott, *Glazed Expressions, Contemporary Ceramics and the Written Word* (Twickenham: Orleans House Gallery, 1998).

理查德·肖（Richard Shaw），1941年出生于美国加利福尼亚州好莱坞。肖分别在加州橙县海岸学院（1961～1963）、旧金山艺术学院（1963～1965）、纽约阿尔弗雷德大学（1966）学习。1968年在加州大学戴维斯分校获得了文学硕士学位。1967年，他的首次个展在加利福尼亚州旧金山艺术学院举办，此后他举办了多次个展。他是旧金山布劳恩斯坦画廊和纽约乔治·亚当斯画廊的签约艺术家，同时也在巴雷特/马斯登画廊举办个展。肖是北加州湾区超级物体团体发展过程中最具影响力的人物，他对年轻一代陶艺家的影响遍及美国。1973年，他与金属雕塑家罗伯特·哈德森在加州旧金山现代艺术博物馆联合举办了“罗伯特·哈德森/理查德·肖：瓷之器”展览，这是20世纪70年代最具影响力的展览之一。作品被洛杉矶县艺术博物馆、旧金山现代艺术博物馆、加州奥克兰博物馆、荷兰阿姆斯特丹城市博物馆、东京国家现代艺术博物馆、纽约惠特尼美国艺术博物馆等收藏。Suzanne Foley, *Robert Hudson/Richard Shaw: Work in Porcelain* (San Francisco: San Francisco Museum of Modern Art, 1973); Ruth Braunstein, *Richard Shaw: Illusionism in Clay 1971–1985* (San Francisco: Braunstein Gallery, 1985); and Jo Lauria, *Color and Fire* (Los Angeles: Los Angeles County Museum of Art, and New York: Rizzoli, 2000).

迈克尔·谢里尔（Michael Sherrill），1954年出生于美国罗德岛。谢里尔受到北卡彭兰工艺学校，以及箭山工艺美术学校的影响，但主要是自学成才。作品参加的展览包括《与彭兰学校的关联：当代陶艺》(1996)、“白宫藏品”史密森学会美国艺术国家博物馆（1993～1999）、麻省弗林画廊：“性感的陶艺”“颜色与火：1950～2000年工作室陶瓷的决定性时刻”（洛杉矶县艺术博物馆，2000）等。谢里尔的作品被贝塞斯达霍华德·休斯基金会、“铸造”工艺与设计博物馆、史密森美国艺术博物馆的伦威克画廊收藏。Jo Lauria, *Color and Fire* (Los Angeles: Los Angeles County Museum of Art, and New York: Rizzoli, 2000); and Garth Clark, *The Artful Teapot* (New York: Watson-Guptill, and London: Thames Et Hudson, 2001).

彼得·谢尔（Peter Shire），1947年出生于美国洛杉矶。1970年，谢尔在洛杉矶的乔纳德艺术学院获得了学士学位，是总部位于米兰的孟菲斯设计团队的早期成员，该团队由埃托雷·索特萨斯（Ettore Sottsass）领导。谢尔曾在西雅图的威廉·特拉弗画廊、堪萨斯城的摩根画廊、洛杉矶的亚努斯画廊和丹·萨克森画廊举办过个展。作品由加州圣莫尼卡的弗兰克·劳埃德代理。1984年，因作品对洛杉矶第二十三届奥运会的贡献，谢尔获《时尚先生》奖（1985）。同时，他的作品被芝加哥艺术学院、纽约州州埃弗森艺术博物馆、洛杉矶县艺术博物馆、旧金山现代艺术博物馆、以色列博物馆收藏。Peter Shire, *Tempest in a Teapot: The Ceramic Art of Peter Shire* (New York: Rizzoli, 1991); *Peter Shire, Tea Types: An Opera* (Los Angeles: Tea Garden Press, 1980); and Jo Lauria, *Color and Fire* (Los Angeles: Los Angeles County Museum of Art, and New York: Rizzoli, 2000).

阿莱夫·埃布基亚·塞斯比（Alev Ebüzziya Siesbye），1938年出生于土耳其伊斯坦布尔。塞斯比先在伊斯坦布尔美术学院学习雕塑，1956至1958年在伊斯坦布尔的弗雷亚（Fureya）陶瓷工作室工作。她在德国格伦豪森陶瓷工厂工作两年后返回土耳其，又在伊斯坦布尔的埃扎西巴西（Eczacibasi）陶瓷工作室工作了两年，但她的作品给人留下了深刻的印象是她1963至1968年在丹麦皇家哥本哈根陶瓷厂担任艺术家时的作品。这些她标志性的细足作品用高温陶泥泥条盘筑而制，但看起来像被拉坯成型的。塞斯比于1983年获得埃克斯堡奖章，1988年获得萨纳特·库鲁姆陶艺奖，1995年在斯德哥尔摩获得尤金王子奖章。她的作品被收藏在30多个公共和博物馆藏品中，其中包括哥本哈根丹麦装饰艺术博物馆、纽约国家设计博物馆、洛杉矶县艺术博物馆、瑞士苏黎世贝勒里夫博物馆、比利时根特装饰艺术博物馆、瑞典斯德哥尔摩国家博物馆和北爱尔兰阿尔斯特博物馆等。Garth Clark, *Alev Ebuzziya Siesbye* (Istanbul: Kaleseramik Sanat Yayinlari, 1999).

鲍比·塞维尔曼（Bobby Silverman），1956年出生于美国纽约州杰斐逊港。塞维尔曼于1981年从堪萨斯城艺术学院获得学士学位，1983年获得纽约州阿尔弗雷德大学硕士。他的个人展览包括纽约格林威治陶艺馆（1989）、荷兰欧洲陶艺中心（1998）和纽约布鲁克林的法雷尔/波拉克美术馆（2000）。西尔弗曼1995年获得国家艺术教育（NEA）奖、路易斯安那州艺术委员会奖（1999）。作品被美国工艺博物馆、斯克里普斯学院、阿尔奇布雷陶瓷艺术基金会收藏。Bobby Silverman, ‘Objects of Pure Perception,’ *American Craft* (June/July 1999).

理查德·史立（Richard Slee），1946年出生于英国坎布里亚。1964至1965年，史立在卡莱尔艺术与设计学院学习，1970年在伦敦中央圣马丁艺术与设计学院获得学士学位（陶瓷），1988年在伦敦皇家艺术学院获得硕士学位。自1988年起，任伦敦坎伯维尔艺术学院讲师，1992年起担任伦敦艺术学院陶艺教授。从1970年开始，他在伦敦的巴雷特/马斯登画廊参加过数次群展和个展，成为他那一代最受尊敬和最具创新精神的艺术家之一，如果讨论当代英国陶艺，他的作品会一直是主要的焦点。包括1985年他在伦敦ICA画廊备受争议的展览“快进”：1993年由牛津现代艺术博物馆举办的巡回展“生与熟”、2000年在丹麦米德尔法特陶瓷博物馆举办的“当代英国陶瓷展”等，他的作品被英国莱斯特市博物馆、洛杉矶县艺术博物馆、日本京都国立现代艺术博物馆、瑞典斯德哥尔摩国家博物馆、荷兰阿姆斯特丹城市博物馆收藏。John Huston, *Richard Slee: Ceramics* (*In Studio series*) (London: Bellew Publishing, 1990); Oliver Watson, *Richard Slee: Grand Wizard of Studio Ceramics* (London: Barrett/ Marsden Gallery, 1998); and Grayson Perry, *Richard Slee* (London: Barrett/ Marsden Gallery, 2000).

马丁·史密斯（Martin Smith），1950年出生于英国埃塞克斯。史密斯先在伊普斯维奇艺术学院（1970～1971）开始，1971年在布里斯托理工学院获得学士学位，1975至1977年在伦敦皇家艺术学院获得硕士学位。曾任教于布莱顿理工学院、伦敦坎伯威尔艺术学院，并于1989年在伦敦皇家艺术学院担任陶瓷和玻璃教授。他认为陶艺家戈登·鲍德温（Gordon Baldwin）对自己的作品影响最大，他的器皿用陶器制成，他对器物边缘的处理有某种后极少主义的简洁执念。自1975年以来，史密斯在英格兰、欧洲各地和美国多次展出了他的作品。他在纽约加思·克拉克画廊，伦敦巴雷特/马斯登画廊举办了多次个展。1996年，由极简主义建筑大师约翰·帕森设计，荷兰鹿特丹博伊曼斯·范·贝乌尼根博物馆策划他的回顾展。他的作品被许多美术馆收藏，包括伦敦的英国手工艺协会、阿姆斯特丹城市博物馆、日本东京国立现代艺术博物馆、德国斯图加特博物馆、纽约大都会博物馆等。Alison Britton and Martina Margetts, *The Raw and The Cooked: New Work in Britain* (Oxford: Museum of Modern Art, 1983); Jane Adlin, *Contemporary Ceramics: Selections from The Collection in the Metropolitan Museum of Art* (New York: The Metropolitan Museum of Art, 1998); Doris Kuyken-Schneider and Alison Britton, *Balance and Space, Martin Smith Ceramics 1976–1996* (Rotterdam: Museum Boijmans van Beuningen, 1996); and Pamela Johnson, ‘View from the Edge’ *Crafts* (Nov/Dec 1992).

法兰克·斯泰雅特（Frank Steyaert），1953年出生于比利时。斯泰雅特在比利时阿尔斯特美术学院学习建筑和陶瓷，在安特卫普美术学院学院学习珠宝和陶瓷，最后在安特卫普国家霍格研究所学习雕塑和陶瓷。自1975年以来，他一直是比利时丹尼兹美术学院的陶瓷教授，自1986年起在比利时登德蒙德美术学院担任相同职位。斯泰雅特在意大利法恩扎国际陶艺双年展上获得了总统共和国奖（1982）和意大利文化部长奖（1985）。对斯泰雅特本人来说，他所创造的废弃船只具有强烈的象征意义，作品展示了有着自己伤痕累累的个人内心生活，唤起了脆弱、恐惧和痛苦的痛苦感觉。作品中许多房间代表了他们的灵魂，既有形又神秘，这引发了许多问题。他的作品曾在纽约南希·马戈利斯画廊及比利时的多家画廊展出。作品被比利时根特博物馆、意大利法恩扎国际陶瓷博物馆、汉诺威凯斯特纳博物馆、北爱尔兰的阿尔斯特博物馆收藏。Lieven Daenens, ‘Frank Steyaert,’ *Kerameiki Techni* (April 1999).

皮耶特·斯塔克曼斯（Piet Stockmans），1940年出生于比利时。自1969年以来，他一直是比利时根特林堡的工业设计教授，同时，1966年至1989年在荷兰皇家摩萨陶瓷厂担任设计师，创造了世界上最畅销的咖啡杯“Sonja”，拥有销售超过3 200万个（合法和盗版）的纪录。同时，他也从事单件艺术作品和限量系列的创作，在注浆成型这种极端受限制的情况下，他在泥浆料中滴入蓝色色剂，进行风格独特的创作。他的作品获得过很多奖项，包括弗兰德斯视觉艺术奖（1988）、享誉盛名的亨利·范德维尔德奖（1999）等，1995年被任命为弗兰德斯文化大使。斯塔克曼斯的作品通常是以量来构成，这些作品都是他在白色泥浆料中加入蓝色色剂形成的独特结果，虽然他关于器物的作品有时只是在一个盒子里摆放的一对杯子，但他在教堂和其他公共场所的装置有时会超过50 000件器物。今天用模块量化生产的方法在工业陶瓷中并不少见，但很少有其他陶瓷艺术家在对待模块量化创作上能与他的愿景、雄心和勤奋相匹配，他身上同时也带有一部分巫师、实业家、设计师、陶工、画家、建筑师甚至概念主义者的影子，这些天赋在他身上汇聚在一起，使他成为当今最具原创性和创造力的当代陶瓷艺术家之一。他的作品在多地展出，并被众多博物馆收藏，包括洛杉矶县艺术博物馆、阿姆斯特丹城市博物馆等。Jo Rombouts, ed., *Piet Stockmans* (Tielt, Belgium: Lannoo, 1996); and Garth Clark, Luc Verstraete, and Mimi Wilms, *Piet Stockmans* (Knokke-Heist: Cultureel Centrum, 2000).

路易斯·米格尔·苏洛（Luis Miguel Suro），1972年出生于墨西哥瓜达拉哈拉。苏洛在瓜达拉哈拉的I.T.E.S.O.A.C.学习建筑（1990～1991）。1989年参加了当地卡巴纳斯博物馆的绘画和绘画讲习班。1994至1996年在墨西哥普埃布拉开始从事陶瓷项目。苏洛的大型装置充满了整个房间，在展览空间和作品内容中充斥着消化不良、暗杀到自杀等黑色内容，影射了当代生活的紧张。他有多次个展的记录，包括在纽约里奥诺拉·维加画廊、墨西哥城兰杜奇画廊、瓜达拉哈拉现代艺术中心、墨西哥巴亚尔塔港太平洋画廊、格拉纳达埃尔布恩·戈比尔诺画廊、马德里阿尔马赞·德·拉纳韦画廊、马萨诸塞州阿里巴画廊等。Anna Maria Fitch, ‘En busca del lugar no conquistado,’ *Art Vance Magazine* (June/July 1999).

安格斯·苏提（Angus Suttie），1946年出生于苏格兰蒂恩。苏提就读于伦敦坎伯威尔工艺美术学院（1976～1979）。这位才华横溢的年轻艺术家在他的职业生涯只举办了五次个展就因艾滋病而中断，但他的作品已经被收录进众多的团体展览中，包括1993年由牛津现代艺术博物馆组织的定义性展览“生与熟”。作为一位广受尊敬的艺术家，他的作品被伦敦手工艺委员会、荷兰的赫特·克鲁修斯博物馆、伦敦维多利亚和阿尔伯特博物馆、日本京都国立现代艺术博物馆等收藏。1994年，伦敦当代应用艺术馆为他举办了一场纪念展，并在荷兰赫特·克鲁斯博物馆进行巡展。Alison Britton, et al., *Angus Suttie 1946–1993* (London: Contemporary Applied Arts, 1994); and Garth Clark, *The Potter's Art: A Complete History of Pottery in Britain* (London: Phaidon, 1995).

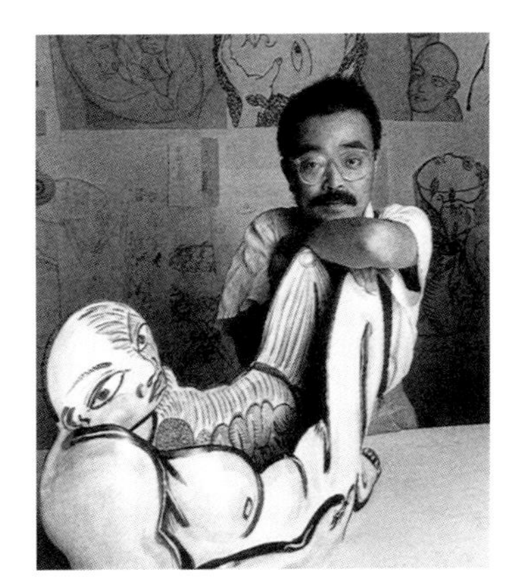

高森晓夫（Akio Takamori）1950年出生于日本延冈。1969至1971年，他在东京武藏野艺术大学学习，1972至1974年，他在福冈跟随当地陶艺大师学徒，从事传统实用陶器制作。高森后来在堪萨斯艺术学院追随肯·弗格森，1976年获得学士学位，1978年获得纽约州阿尔弗雷德大学的硕士学位后，在西雅图华盛顿州立大学任教，作品参加了1977年在纽约当代工艺博物馆举办的“年轻美国制陶人”展览。1983年，在洛杉矶加思·克拉克画廊举办了他在美国的首次个展。此后，他的作品逐渐在美国、欧洲和日本产生影响。高森在学院期间一直以雕塑创作为主，但在离开学校后，他重新回到了容器形式，并开始对其结构进行创新，创造出他独具特色的扁平的信封形器皿。20世纪90年代中期，在荷兰欧洲陶瓷工作中心的一次驻地创作又导致他从容器到人体形象的决定性转变。这个时期作品的第一次展览也于1997年在纽约加思·克拉克画廊举行，在一座T形桥上，有40多个人物，唤起了他在延冈村庄长大的记忆。高森的作品被诸多美术馆机构收藏：包括纽约埃弗森艺术博物馆、“铸造”工艺与设计博物馆、洛杉矶县艺术博物馆、伦敦维多利亚和阿尔伯特博物馆、匹兹堡卡内基艺术博物馆、印第安纳州布卢明顿金赛研究所、荷兰克鲁修斯博物馆、台北历史博物馆等。Martha Drexler Lynn, ‘Akio Takamori: Piquant Contemporary Observation, Time Honored Means,’ *American Ceramics* (June/July 1993); Sarah Burns, et al., *The Art of Desire: Erotic Treasures from the Kinsey Institute* (Bloomington, Indiana: Kinsey Institute, School of Fine Arts Gallery, 1997); and Garth Clark, *Akio Takamori* (New York: Garth Clark Gallery, 2000).

塞壬·乌比什（Seren Ubisch），1952年出生于挪威布莱科尔。乌比什持有挪威奥斯陆国立艺术学院的文凭（1974），1974～1980年在日本京都艺术大学学习，之后他开始进行一些具体的陶瓷实地研究，1984年，该项目通过日本基金会获得了博士后奖金，并获得挪威国家艺术家奖（1993～1995）。乌比什使用建筑墙面进行创作，利用大的墙面面积在空间中构建出抽象区域，之后再使用小的细节来完善作品。他曾经在挪威奥斯陆的拉姆画廊、日本高松画廊、日本京都津桥画廊举办个展。作品被挪威卑尔根应用艺术博物馆、挪威特隆赫姆应用艺术博物馆、挪威奥斯陆应用艺术博物馆、挪威文化事务委员会等机构收藏。Torbjorn Kvasbo and Jorunn Veiteberg, eds, *Norwegian Contemporary Ceramics* (Amsterdam: Arti et Amicitiae, 1999).

汉斯·范·本特姆（Hans van Bentem），1965年出生于荷兰海牙，在荷兰皇家美术学院完成了他的

学业（1983～1988），1990年他开始与Struktuur 68合作，这是一家由亨克·特鲁皮在海牙创建的旨在促进大型公共场所工程的设计和执行的合作型工作室。范·本特姆是1998年贝纳丁·德内夫奖的获奖者，同时也是荷兰许多重要公共奖项的获奖者。他的奇幻武士和其他2米多高的神话人物作品在一定程度上受到了日本漫画传统的影响，规模宏大，形象逼真。他的个展记录包括纽约加思·克拉克画廊、荷兰阿姆斯特丹罗拉克画廊、堪萨斯城海豚画廊、芝加哥周边画廊、巴黎MAEA画廊、荷兰哈勒姆的弗朗斯·哈尔斯穆西姆画廊等的展览。Geraart Westerink, ‘Techno Buddha Meets Astro Boy’ (*Glas en Keramiek I*, 1998); and Micha Ouwendijk, *Monumental Dutch Ceramics* (The Hague: Struktuur 68, 1990).

埃里克·范·艾默伦（Eric Van Eimeren），1965年出生于美国加州长滩。艾默伦1987年在加州圣地亚哥州立大学获得应用设计和陶瓷学士学位，1990年在纽约州阿尔弗雷德大学获得陶瓷硕士学位，曾获得NEA视觉艺术家奖（1993）和全美实用陶艺展的优秀奖（1989、1996）。这位艺术家一直在蒙大拿州海伦那的工作室创作，自1993年以来，艾默伦的展览记录包括在纽约加思·克拉克画廊、南希·马戈利斯画廊、亚利桑那乔安妮·拉普画廊、密苏里州圣路易斯手工艺联盟、明尼阿波利斯北方陶艺中心、费城海伦·德鲁特画廊等。作品被“铸造”工艺与设计博物馆威斯康星州查尔斯·乌斯图姆美术馆收藏。‘Portfolio,’ *American Craft* (Aug/Sept 1994, p.60); and Garth Clark, *The Artful Teapot* (New York: Watson-Guptill, and London: Thames Et Hudson, 2001).

库库里·维拉德（Kukuli Velarde），1962年出生于秘鲁的库斯科。维拉德在宾州斯沃斯莫学院任教授，是费城伊夫林·夏皮罗基金会奖（1997～1999），费城利维基金奖（1999）等的获得者。维拉德还曾在美国和秘鲁的许多大学任教。她的作品从女权主义出发，同时又借鉴了前哥伦比亚时期人像艺术的风格和形式。她曾在秘鲁利马Pancho Fierro画廊、El Puente画廊举办个展、在纽约约翰·埃尔德画廊、纽约Soho 20画廊、费城陶艺工作室画廊、哥伦比亚波哥大天文馆画廊也曾举办过个展。‘Portfolio,’ *American Craft* (1999); Thomas Piche, Jr. and Justin Clemens, *Everson Museum of Art Ceramic National 2000* (Syracuse: Everson Museum of Art, 2000); and Kukuli Velarde, ‘Isichapuitu,’ *Ceramics Monthly* (Dec 1998).

艾琳·凡克（Irene Vonck），1952出生于爱尔兰都柏林。1971年，凡克在英国法尔茅斯艺术学校学习，1972年就读于布莱顿理工学院，1973至1977年在荷兰格里特·里特维尔德学院学习。在她的职业生涯中，她的作品已经发生了几次变化，只是当她开始用似乎比日常笔刷更大的笔触在器皿上刷出令人震撼的力量时，她的作品才开始引起人们的注意。之后从荷兰阿姆斯特丹威特·沃特美术馆、意大利米兰Mostra 国际举办展览开始，她逐渐在伦敦画廊视角画廊、安纳托尔·东方画廊、伦敦马尔堡美术馆、纽约加思·克拉克画廊、费城海伦·德鲁特画廊、波士顿威斯敏斯特美术馆、阿姆斯特丹福多博物馆、日本美浓国际陶瓷展、伦敦工艺委员会、德国凯斯特纳博物馆、荷兰海牙四季/拉马克画廊、荷兰城市博物馆、巴黎DM萨弗画廊等参展或举办个展。她的作品收藏于荷兰阿姆斯特丹城市博物馆、荷兰鹿特丹博伊曼斯范贝乌尼根博物馆、纽约埃弗森艺术博物馆、挪威特隆赫姆工业博物馆。Helly Oesterreicher, *Kuipers Oesterreicher, Vonck* (’s-Hertogenbosch: European Ceramic Work Center, 1995); and Liesbeth Cromelin, *Ceramics in the Stedelijk Museum* (Amsterdam: Stedelijk Museum of Modern Art, 1998).

凯文·沃伦（Kevin Waller），1961年出生于美国加州洛杉矶。沃伦在洛杉矶山谷学院学的专业是音乐和商业会计，他在旧金山州立大学学习音乐配音表演（1990）和陶瓷（1992），之后在旧金山城市学院主修陶瓷。他谈到自己的作品时说：“这些（筒仓）引起了我的注意的原因仅仅就是因为它们简单地从周围围绕着我，然后我将这些曾经的工业纪念碑携带的气氛融入我的作品中。”他曾在旧金山多萝西·韦斯画廊、英国剑桥莫比利亚画廊、华盛顿特区里瓦加艺术画廊举办个展。‘Teapot Invitational,’ *Kerameiki Techni* (April 1998).

科尔特·魏兹（Kurt Weiser），1950年出生于美国密歇根州兰鑫。魏兹先在堪萨斯艺术学院跟随肯·弗格森学习，1976年获得密歇根大学硕士学位，1988年开始在亚利桑那州立大学任教，之前一直担任阿尔奇布雷陶瓷艺术基金会主任。他用一些带有盖子的罐子和茶壶造型，创造了生物形态的陶瓷容器概念，他在这些容器上面用低温釉上彩精心绘制了大量热带繁茂植被，看上去是基于古典亚洲陶瓷的表现形式，但这种关联并不直接。魏兹曾两次获得NEA的奖金，自1982年以来，他多次在加思·克拉克画廊、加州弗兰克·劳埃德画廊举办展览。他的作品被伦敦维多利亚和阿尔伯特博物馆、洛杉矶县艺术博物馆、匹兹堡卡内基艺术博物馆、日本信乐当代陶艺博物馆、“铸造”工艺与设计博物馆、威斯康星州查尔斯·乌斯图姆美术馆、台北历史博物馆等艺术机构收藏。Mark Leach, ‘Kurt Weiser,’ *American Ceramics* (Vol.11, No.1, 1993); Ed Lebow, ‘Glaze of Glory,’ *American Craft* (Dec/Jan 1995); and Garth Clark, *Kurt Weiser* (New York: Garth Clark Gallery, 1999).

史蒂夫·威士（Steve Welch），1963年出生于明尼苏达州沃辛顿。威士以优异成绩获得明尼苏达州立大学的学士学位（1989），他于1992年在路易斯安那州立大学取得了文学硕士学位。威士的教学经验广泛：曾在南缅因州大学讲授平面设计（1999～2000）、在缅因州圣约瑟夫学院讲授平面设计和素描（2000～2001）、缅因州新英格兰大学担任绘画讲师等（2001）。他的许多奖项包括南部艺术联合会视觉艺术奖（1993）、费城伊芙琳·夏皮罗基金会奖（1994）等。威士的作品尽管有时倾向于抽象人体形象的暗示，但他容器作品最明显的参考对象通常还是建筑，威士在创作时，会将注意力集中在制作过程上，利用过程中的痕迹来构建出作品的表面。颜色本身应该就是他的器物/建筑的构造单位，如何将这些颜色组合在一起的思考在他的作品中随处可见。他在泥片成型时通过深色的泥浆来突出泥片接缝，有助于勾勒出他有意“拼凑”的表面，柔化了不同颜色组合的各个泥片所形成的强烈对比。威士的展览记录包括纽约南希·马戈利斯画廊的展览、夏洛特WDO画廊、明尼阿波利斯北方陶艺中心、周长画廊等。

贝蒂·伍德曼（Betty Woodman），1930年出生于美国康涅狄格州诺沃克。伍德曼曾在美国工匠学校学习。1948至1950年，在纽约阿尔弗雷德大学学习。她完成学业后就建立了自己的工作室，1976年进入科罗拉多大学任教。从1957到1973年，她在科罗拉多州博尔德市设立的新陶瓷概念工作室，现已发展成为当地主要的陶艺中心，作为美国同类课程中最悠久、最大、最成功的课程之一，该课程已成为一个典范。伍德曼一生获得了多次奖项，包括1980年和1986年NEA颁发的视觉艺术家奖，1985年被选为法国国家塞弗尔制造厂的访问艺术家。自1951年以来，伍德曼几乎每年都在意大利生活和工作，时间从两个月到十二个月不等。她在佛罗伦萨郊外的安泰拉有一个工作室，这种美国和欧洲之间持续的文化冲击在她作品中表现得非常强烈，特别表现在她对造型形式和作品画面敏感度的处理上，贝蒂·伍德曼在她早期前十年的作品中，尽管一直保持着美国陶艺文化中冲锋和冒险精神探索相关的活泼的元素，但仍然能看出作品强烈地反映了地中海陶瓷传统和氛围。1980年，她在纽约市建立了工作室，通过与乔伊斯·科兹洛夫（1981）和辛西娅·卡尔森（1982）的合作，她开始与美国艺术中的图案和装饰运动联系起来。伍德曼早期的作品声誉主要建立在她是一名制作型实用陶艺家的基础上。虽然在多年后，功能从字面意义上讲已不再是一个困扰陶艺家的问题，但陶瓷相对的主要语言仍然是她创作的核心。尽管她的作品现在已经扩展到包括装置、版画和其他超出容器领域的活动，但在她的作品中，功能仍然还是一个强有力的象征因素。伍德曼自己曾说过：“与其像许多人那样试图模糊或抹去雕塑和陶器之间的界限，我关注的仍然是在制作陶器，而且这些陶器在很大程度上仍然参考着不同地域的陶器语言。”

她作品之所以重要，还有另外一方面就是它在试图建立如何与历史拼接，伍德曼挪用了（使用后现代主义的行话）陶瓷历史中的许多形式——中国唐三彩、希腊米诺斯陶器、日本织部陶器、地中海伊特鲁里亚风格、土耳其伊兹尼克装饰等，甚至还有来自法国塞弗尔的高档宫廷瓷器。在对伍德曼作品进行比较严肃的美学分析报告中，杰夫·佩罗内对她作品“嫁接”的历史进行了考察，他认为在描述伍德曼的艺术时，人们必须对陶瓷材料采取另一种态度，把材料本身就看作是历史，同时也是形状、形式、装饰，总之，是所有象征风格的物质身体。她的作品参加过许多展览，在纽约的加思·克拉克画廊、哈德勒·罗德里格斯画廊和马克斯·普洛特奇画廊。1996年，荷兰阿姆斯特丹的城市博物馆为她组织了一次回顾展。伍德曼的作品被克利夫兰艺术博物馆、丹佛艺术博物馆、底特律美术馆、荷兰克鲁修斯博物馆、纽约大都会艺术博物馆、巴黎装饰艺术博物馆、圣路易斯艺术博物馆、荷兰城市博物馆、伦敦维多利亚和阿尔伯特博物馆等重要博物馆收藏。Garth Clark, *American Potters: The Work of Twenty Modern Masters* (New York: Watson-Guptill, 1981); Jeff Perrone, ‘Let them Eat Cake,’ *Village Voice* (February 5, 1985); Peter Schjeldahl and Geert Staal, *Opera Selecta: Betty Woodman* (’s-Hertogenbosch: Museum het Kruithuis, 1990); and Liesbeth Cromelin and Arthur C. Danto, *Betty Woodman* (Amsterdam: Stedelijk Museum of Modern Art, 1996).

苏珊·舒特·沃菲克（Susan Shutt Wulfeck），1951年出生于美国加利福尼亚州奥古斯塔。沃菲克于1969至1971年在加州大学圣巴巴拉分校学习，1981年获得伊利诺伊大学的学士，1984年获得加利福尼亚大学硕士。沃菲克在她的创作思考中写道："多年来，我的灵感一直来源于我对制陶传统的欣赏和热爱，陶器转换为绘画中静物的概念唤起我对容器语境的思考，所以，解构容器作为一种创作方式也就自然而然地出现了。（我的雕塑形式中比较）习惯有一个正面和一个背面，就像一个独立的浮雕，既可以使我能够像绘画一样以图像形式表达我的想法，也能像雕塑一样以三维方式表达我的思想"。她曾在多地举办展览，包括圣莫尼卡的弗兰克·劳埃德画廊、加思·克拉克画廊、洛杉矶工艺和民间艺术博物馆、加州橙县当代艺术中心、洛杉矶弗雷德里克·S·赖特美术馆、马萨诸塞州西区画廊、旧金山梅耶·布莱尔·维斯画廊等。她的作品被洛杉矶县艺术博物馆、"铸造"工艺和设计博物馆、加州橙县当代艺术中心、洛杉矶弗雷德里克·S·赖特美术馆收藏。

陆文霞（Lu Wenxia），1966年出生于宜兴。作为徐秀棠的学生，也获得了"工艺大师"的称号，她与艺术家卢剑星在宜兴合作创办了日雨工作室。陆在基于工艺和风格明显的宜兴紫砂符号上创新，她的作品中最有特色的就是对竹子形象的反复使用，这类作品已在中国、新加坡和马来西亚等地展出和出版，并在纽约加思·克拉克画廊展出。同时，陆的作品被华盛顿特区史密森博物馆收藏。

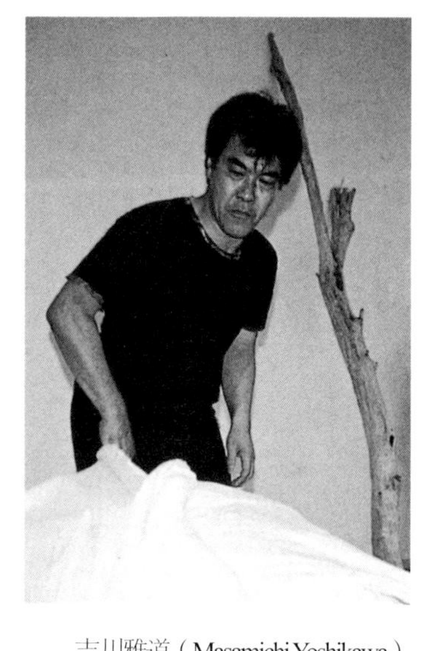

吉川雅道（Masamichi Yoshikawa），1946年出生于日本神奈川县千崎市。吉川两次获得日本名古屋（1981）和大阪（1983）的朝日当代陶瓷大赛大奖。吉川将传统青瓷表面转化为一种非传统的碗状建筑结构形式，具有鲜明的几何特征。他的作品多次参展：包括福冈十号美术馆的个展、常滑瓷砖博物馆、东京赤坂绿色画廊、日本东京高岛屋画廊、平川画廊、瑞士洛桑老堡画廊、慕尼黑b15画廊等。他的作品被东京日本基金会、伦敦维多利亚和阿尔伯特博物馆、汉诺威凯斯特纳博物馆、瑞士尼翁陶瓷博物馆、捷克布拉格工艺博物馆、东京都博物馆、纽约布鲁克林艺术博物馆、德国石勒苏益格——荷尔斯泰因博物馆等收藏。

阿诺德·齐默尔曼（Arnold Zimmerman），1954年出生于美国纽约州。齐默尔曼于1977年从堪萨斯城艺术学院获得学士学位，1979年获得纽约州阿尔弗雷德大学硕士学位，曾在纽约市城市学院（1995、1996）、纽约大学（1992）和纽约亨特学院（1990）、葡萄牙里斯本的视觉艺术中心（1993）任教。这位艺术家创作了巨大体量的陶艺作品，包括使用叉车和窑炉也同样是他创作时装备的一部分。20世纪80年代末，他第一次因其巨大的2.4米高的器物参展而引起人们的注意，尽管早期还能从他的作品中读出强烈的拟人化含义，但现在他的创作风格已经开始变得更为抽象了。齐默尔曼三次获得纽约艺术基金会雕塑奖（1987、1991、1999），同时作品也在世界范围内产生影响。他的展览记录包括：纽约约翰·埃尔德画廊、南希·马戈利斯画廊、密歇根肖/吉多画廊、里斯本拉顿画廊、密歇根哈比泰特/肖画廊、纽约加思·克拉克画廊、芝加哥物体画廊、费城海伦·德鲁特画廊的个展。他的作品被纽约布鲁克林艺术博物馆、洛杉矶县艺术博物馆、纽约埃弗森艺术博物馆、"铸造"工艺与设计博物馆、底特律美术馆、葡萄牙里斯本国家阿祖列霍博物馆等机构收藏。Garth Clark and Vicky A. Clark, *Keepers of the Flame: Ken Ferguson's Circle* (Kansas City: Kemper Museum of Contemporary Art, 1995); Garth Clark, Mary F. Douglas, Carol E. Mayer, Barbara Perry, Todd D. Smith, and E. Michael Whittington, *Selections from Allan Chasanoff Ceramic Collection* (Charlotte, NC: Mint Museum of Craft and Design, 2000); and Judy Clowes, 'Arnold Zimmerman Exhibition,' *American Ceramics* (Vol.11, 1993).

扩展阅读

Adlin, Jane, *Contemporary Ceramics: Selections from the Collection in the Metropolitan Museum of Art*, Metropolitan Museum of Art, New York, 1996

Bennett, Dawn, Garth Clark and Mark Del Vecchio, eds., *Ceramic Millennium*, Ceramic Arts Foundation, New York, 2000

Britton, Alison, and Martina Margetts, *The Row and the Cooked: New Work in Clay in Britain*, British Crafts Council, London, 1983

Clark, Garth, *American Ceramics: 1876 to the Present*, Abbeville Press, New York, rev.edn., 1987

Clark, Garth, *American Potters: The Work of Twenty Modern Masters*, Watson-Guptill, New York, 1981

Clark, Garth, *The Artful Teapot*, Watson-Guptill, New York, and Thames Et Hudson, London, 2001

Clark, Garth, *The Book of Cups*, Abbeville Press, New York and London, 1990

Clark, Garth (Preface by Margie Hughto), *A Century of Ceramics in the United States, 1878–1978, A Study of Its Development*, E. P. Dutton, New York, 1979

Clark, Garth, ed., *Ceramic Art: Comment and Review, 1882–1977: An Anthology of Writings on Modern Ceramic Art*, E. P. Dutton, New York, 1978

Clark, Garth, *Ceramics and Modernism: The Response of the Artist, Designer, Craftsman and Architect*, Institute for Ceramic History, Los Angeles, 1982

Clark, Garth, *The Eccentric Teapot: Four Hundred Years of Invention*, Abbeville Press, New York, 1989

Clark, Garth, *The Potter's Art: A Complete History of Pottery in Britain*, Phaidon, London, 1995

Clark, Garth, *Production Lines: Art/Craft/Design*, Philadelphia College of Art, Philadelphia, 1982

Clark, Garth, et al., *Who's Afraid of American Pottery*, Museum het Kruithuis, 's-Hertogenbosch, the Netherlands, 1983

Clark, Garth, and Oliver Watson, *American Potters Today: An Exhibition of American Studio Pottery*, Victoria and Albert Museum, London, 1985

Crommelin, Liesbeth, ed., *Ceramics in the Stedelijk*, Stedelijk Museum, Amsterdam, 1998

Dormer, Peter, *The New Ceramics: Trends and Traditions*, Thames Et Hudson, New York and London, rev. edn., 1994

Dormer, Peter, ed., *Fast Forward: New Directions in British Ceramics*, London, 1985

Eijkelenboom-Vermeer, Margreet, and Doris Kuyken-Schneider, *Danish Ceramics*, Museum Boijmans van Beuningen, Rotterdam, 1995

Halper, Vicki, *Clay Revisions: Plate, Cup, Vase*, Seattle Art Museum, Seattle, 1987

Harrod, Tanya, *The Crafts in Britain in the 20th Century*, Yale University Press, New Haven, and the Bard Graduate Center for Studies in the Decorative Arts, New York, 1999

Klinge, Ekkart, *Keramik des 20. Jahrhunderts: Sammlung Welle*, Dumont, Cologne, 1996

Lauria, Jo, ed., *Color and Fire: Defining Moments in Studio Ceramics, 1950–2000: Selections from the Smits Collection and related works at the Los Angeles County Museum of Art*, Los Angeles County Museum of Art, Los Angeles in association with Rizzoli, New York, 2000

Levine, Elaine, *The History of American Ceramics from 1607 to the Present*, Abrams, New York, 1988

Lewenstein, Eileen, and Emmanuel Cooper, *New Ceramics*, Van Nostrand Reinhold, New York, and Studio Vista, London, 1974

Lynn, Martha Drexler, *Clay Today: Contemporary Ceramists and their Work: A Catalog of the Howard and Gwen Laurie Smits Collection at the Los Angeles County Museum of Art*, Chronicle Books, San Francisco, 1990

McCready, Karen, *Contemporary American Ceramics: Twenty Artists*, Newport Harbor Art Museum, Newport Beach, Calif., 1985

Nordness, Lee, *Objects USA*, Viking Press, New York, and Thames Et Hudson, London, 1970

Préaud, Tamara, and Serge Gauthier, *Ceramics of the Twentieth Century*, Rizzoli, New York, and Phaidon, Oxford, 1982

Schnyder, Rudolf, et al., *Keramik Europas*, Keramikmuseum Westerwald, Höhr-Grenzhausen, 1994

Slivka, Rose, *The Object as Poet*, Smithsonian Institution Press, Washington D.C., 1977

Slivka, Rose, *West Coast Ceramics*, Stedelijk Museum, Amsterdam, 1979

Staal, Gert, Garth Clark, Mark Del Vecchio, et al., *Functional Glamour: Utility in American Ceramics*, Museum het Kruithuis, 's-Hertogenbosch, the Netherlands, 1987

Watson, Oliver, *Studio Pottery: Twentieth Century British Ceramics in the Victoria and Albert Museum Collection*, Phaidon, London in association with the Victoria and Albert Museum, London, 1993

文中缩写字母含义：a代表上方、b代表下方、l代表左方、r代表右方。

Terje Agnalt 172; **Ole Akhoj** 34l (Collection Seattle Art Museum Seattle)、34r (Collection Lois Lunin and David Becker)、35 (Courtesy Garth Clark Gallery, New York); **Yo Akiyama** 170; **Noel Allum** 65 (Private collection)、78 (Private collection)、84a (Private collection)、84bl (Courtesy Garth Clark Gallery, New York)、87a (Courtesy Garth Clark Gallery, New York)、110 (Courtesy Garth Clark Gallery, New York)、111 (Courtesy Garth Clark Gallery, New York)、124 (Collection of the Mint Museum of Craft and Design, Charlotte)、153l (Courtesy Garth Clark Gallery, New York)、160 (Courtesy Garth Clark Gallery, New York)、161 (Collection of Vincent Lim and Bob Tooey)、184l (Collection of the Everson Museum of Art, Syracuse, NY)184r; **Artcodif** 137al; **Arthur Aubry** 169b (Courtesy Eyre/Moore Gallery, Seattle); **Tim Barnwell** 136r (Courtesy Ferrin Gallery, Northampton); **David Beitzel Gallery, New York** 148bl、149; **Anthony Bennett** 142al (Courtesy Garth Clark Gallery, New York); **Raymonde Bergeron** 117al、117br (both Courtesy Garth Clark Gallery, New York); **John Bessler** 190al、190br、191ar、191bl (all Courtesy Garth Clark Gallery, New York); **Hibert Boxem** 109a; **Edgar Buonagurio** 153r (Collection of Joyce and Jay Cooper); **Mark Burns** 152br; **Gerry Cappel** 29a; **Christies Images** 23; **Garth Clark Gallery, New York** 12; **Dennis Cowley** 59l (Courtesy Max Protetch Gallery, New York); **David Cripps** 48a (Private collection)、85al (Courtesy Contemporary Applied Arts, London); **Cyan Crom** 83 (Courtesy Garth Clark Gallery, New York); **Anthony Cunha** 29b (Collection of Sonny and Gloria Kamm)、32a (Courtesy Frank Lloyd Gallery, Los Angeles)、32b (Courtesy Frank Lloyd Gallery, Los Angeles)、48b (Private collection)、61b (Private collection)、62b (Collection of the Los Angeles County Museum of Art, Los Angeles)、63r (Courtesy Frank Lloyd Gallery, Los Angeles)、66 (Courtesy Garth Clark Gallery, New York)、67r (Courtesy Garth Clark Gallery, New York)、88 (Private collection)、89 (Private collection)、102a (Courtesy Garth Clark Gallery, New York)、107a (Collection of Sonny and Gloria Kamm)、113b (Private collection)、115 (Private collection)、116a (Collection of Nanette Laitman)、116b (Collection of Nanette Laitman)、119l (Collection of Katharine and Anthony Del Vecchio)、121al、121br、126 (Private collection)、131b (Courtesy Garth Clark Gallery, New York)、137br (Collection of Sonny and Gloria Kamm)、141br (Private collection)、144 (Courtesy Frank Lloyd Gallery, Los Angeles)、150 (Collection of Sonny and Gloria Kamm)、151al (Collection of Sonny and Gloria Kamm)、151br (Collection of Sonny and Gloria Kamm)、171bl (Private collection)、186b (Private collection); **Margaretha Daepp** 188; **Wouter Dam** 43al (Courtesy Garth Clark Gallery, New York)、43br (Private collection); **Alf Georg Dannevig** 173; **James Dee** 85bl、85br (both Courtesy Franklin Parrasch Gallery, New York)、155b (Collection of Pamela and Stepher Hootkin); **John deFazio** 152al; **Photo courtesy Laurent Delaye Gallery, London** 114l、114r; **Stefano Della Porta** 97br; **Kim Dickey** 76al; **Paul Dresang** 95 (Collection of Laurie Britecoff and Greg Mancuso); **Michael Duvall** 30; **Guy Du Von** 145 (Courtesy Garth Clark Gallery, New York); **Edward Eberle** 128 (Courtesy Garth Clark Gallery, New York)、129l (Collection of the Los Angeles County Museum of Art, Los Angeles); **Eeva-inkeri** 60 (Courtesy DC Moore Galler, New York); **Philip Eglin** 159al、159br (both Courtesy Garth Clark Gallery, New York); **Raymon Elozua** 174al、174br, 182al、182br; **M. L. Fatherree** 96 (Courtesy George Adams Gallery, New York)、97a (Courtesy George Adams Gallery, New York)、148l (Courtesy Rena Bransten Gallery, San Francisco); **Laszlo Fekete** 156 (Private collection)、157 (Collection of Howard and Judie Ganek); **Tim Fieldstead** 179、180、181; **Photo courtesy Gagosian Gallery, New York** 70; **Courtesy galerie b 15, Munich** 53r; **Thelma Garcia and Diego Medina** 98、99; **Claire Garoutte** 76ar; **Collection Frank Gehry** 15b; **Frans Grummer** 86l (Courtesy Garth Clark Gallery, New York)、86r (Collection of Lisa and Dudley Anderson); **Linda Gunn-Russell** 135l、135r; **Chris Gustin** 91l; **Robert Hall** 112l、112r; **Brian Hand** 72l、72r (both Courtesy Garth Clark Gallery, New York); **Takashi Hatakeyama** 53l (Courtesy Togakuda Gallery, Kyoto, Japan); **Emil Heger** 76b、77; **Steve Heineman** 90; **Douglas Herren** 155al; **Jan Holcomb** 154al (Private collection); **Tom Holt** 91r; **Ayumi Horie** 163r (Courtesy Garth Clark Gallery, New York); **Imatge i Lletra, s. l.** 82 (Collection of Howard and Judie Ganek); **Barbara Kaas** 46a; **Jacques Kaufmann** 171br (Collection of Museum of Contemporary Art, Dunkerque); **Akira Koike** 186al; **Collection of Museum het Kruithuis, 's-Hertogenbosch** 22a; **Geert Lap** 55 (Collection of the European Keramik Werk Centrum); **Jean-Pierre Larocque** 163l (Courtesy Garth Clark Gallery, New York); **Ah Leon** 102b、103al、103br (all Courtesy Garth Clark Gallery New York); **Bob Lopez** 36a; **Frank Louis** 171mr; **Marilyn Lysohir** 154bl; **James Makins** 73b (Courtesy Jaap van Liere); **Marer Collection at Scripps College, Claremont, California** 15a; **Beverly Mayeri** 154br (Private collection); **Robert McKeever** 71 (Courtesy Gagosian Gallery New York); **Photo courtesy Mobilia Gallery** 134; **J. J. Morer** 84br (Courtesy galerie b 15, Munich); **Patrick Muller** 42l、42r (both Courtesy Garth Clark Gallery, New York); **Thomas Naethe** 44、45; **Kohei Nakamura** 118 (Private collection); **Kenji Nakano** 52 (Courtesy Togakuda Gallery, Kyoto, Japan); **Barbar Nanning** 168al、168br、169a; **Abbas Nazari** 51l、51r (both Courtesy Anthony Ralph); **Andra Nelki** 50l (Collection of Inge Peters)、50r (Private collection); **Arthur Nelson** 31a (Private collection); **Richard Notkin** 107b (Courtesy Garth Clark Gallery, New York)、108r (Collection of Pamela and Stephen Hootkin); **Jeff O'Brien** 138 (Private collection); **Pekka Tapio Paikkari** 171al; **Courtesy Franklin Parrasch Gallery, New York** 167a、167b; **Jan Pauwels** 100、101 (both Private collection); **Courtesy P. P. O. W.** 162 (Collection of Stephen and Pamela Hootkin); **Courtesy Prime Gallery, Toronto** 142br, 143; **Courtesy Max Protetch Gallery, New York** 58; **Fritz Rossmann** 46; **Royal College of Art, London** 20b; **Paul Sanders** 73a; **Richard Sargent** 94bl、94ar; **Sylvia Sarner** 54b (Collection of Pamela and Stephen Hootkin); **Christian Schluter** 47b; **Roger Schreiber** 36、37; **Paul Scott** 113a; **Susan Shutt Wulfeck** 136al (Courtesy Frank Lloyd Gallery, Los Angeles); **Bobby Silverman** 74、75; **Gert Skaerlund Anderson** 33a、33b; **Richard Slee** 109bl (Private collection)、109br; **Van Sloun ɛt Ramalkers** 79; **Don Tuttle** 38l (Courtesy Garth Clark Gallery, New York)、38r (Collection of Paul Hertz)、39 (Collection of Museum het Kruithuis, 's-Hertogenbosch); **Peer van der Kruis** 130l、130r (both from the Europees Kermisch Werk Centrum series); **Johan van der Veer** 158; **Eric Van Eimeren** 187ar、187bl; **Irene Vonck** 87b (Collection of Carol A. Straus); **Donald Waller** 183; **Kevin Waller** 185br; **David Ward** 62a; **Steve Welch** 185al; **John White** 31 (Private collection)、54al (Collection of Professor Del Kolve and Larry Luctel)、59r (Courtesy Max Protetch Gallery, New York)、61b (Courtesy Garth Clark Gallery, New York)、63l (Collection of Caren and Walter Forbes)、64l (Collection of the Arthur M. Sackler Gallery, Smithsonian Institution Washington, D.C.)、64r (Private collection)、67al (Private collection)、108l (Collection of Martin Davidson)、119r (Collection of John Axelrod)、120 (Private collection)、124l (Collection of Karel Reisz)、124r (Courtesy Garth Clark Gallery, New York)、127al (Courtesy Garth Clark Gallery, New York)、127bl (Collection of Pamela and Stephen Hootkin)、127br (Collection of Pamela and Stephen Hootkin)、129r (Collection of the Carnegie Museum of Art, Pittsburgh)、131a (Collection of Caren and Walter Forbes)139 (Private collection)、140 (Private collection)、141al (Collection of Martin J. Davidson); **Courtesy White Cube, London** 22b; **Margita Wickenhauser** 189; **Arnold Zimmerman** 175 (Courtesy John Elder Gallery, New York)